JN001526

2025年度版

TAC 税理士講座

税理士受験シリーズ

25

消費税法

個別計算問題集

TAC出版
TAC PUBLISHING Group

はじめに

　消費税法の税額計算は、売上げに係る消費税額から仕入れに係る消費税額を控除して求めるものである。

　そこで、受験消費税法は、まず売上げ（収入）に係る取引及び仕入れ（支出）に係る取引を課税取引、免税取引、非課税取引、不課税取引に分けることから始まる。次に、課税標準となるもの及び課税仕入れ等となるものの把握である。そして、課税標準額や課税売上割合を求め、その課税仕入れ等に係る消費税額が全額控除できるのか、按分計算が必要なのかをチェックするという手順である。

　この一冊を完璧にマスターし、総合計算問題集を併用することにより、計算問題に関しては合格レベルに達することができる。

ＴＡＣ税理士講座

本書の特長

1 出題可能性の高い論点を中心に収録

　過去の出題傾向に基づき、本試験で出題可能性の高い、受験上必要と思われる規定だけを使用しています。解答のプロセスが理解できるように、解答への道および条文番号・基本通達番号も掲載しています。

　また、各章には、問題を解くにあたっての基礎知識を要約・解説した「まとめ」を掲載しています。

2 最新の改正に対応

　最新の税法等の改正等に対応しています。

　（令和6年7月現在の施行法令に準拠）

3 重要度を明示

　問題ごとに、本試験の出題実績に応じた重要度を明示しています。重要度に応じたメリハリをつけた学習を行うことが可能です。

　　　Aランク…非常に重要度の高い論点

　　　Bランク…比較的重要度の高い論点

　　　Cランク…比較的重要度の低い論点

4 本試験の出題の傾向と分析を掲載

　最新の第74回（2024年実施）を含めた、本試験の出題傾向と分析を掲載しています。学習を進めるにあたって、参考にしてください。

本書の利用方法

1　第一段階

実際に電卓とペンを使用し、"体で解く"ようにすることが前提になります。
まずは、基本問題を間違わないように完璧にすることを目指してください。

2　第二段階

間違いのチェックを行い、理解不足なのか、ケアレスミスなのかを分析し把握しましょう。
さらに、間違った箇所については、掲載してある解説を読み、理解しましょう。

3　第三段階

間違えた問題を中心に、何回も練習し、完璧にし、スピードを付けましょう。

4　チェック欄の利用方法

目次には問題ごとにチェック欄を設けてあります。実際に問題を解いた後に、日付、得点、解答時間などを記入することにより、計画的な学習、弱点の発見ができます。

目　次

計算問題

① 過去の出題内容

	第66回	第67回	第68回	第69回	第70回	第71回	第72回	第73回	第74回
Ⅰ 出題形式									
1 個別問題				○	○	○			
2 総合問題									
(1) 税込み・税抜き	込み	抜き／込み	込み／込み	込み／込み	込み／込み	込み／込み	込み／込み	込み／込み	込み／込み
(2) 事業者	法人	個人／法人	法人／法人	法人／法人	法人／法人	個人／法人	法人／法人	法人／法人	法人／個人
(3) 業種	切断加工販売業及び不動産賃貸業並びに不動産売買業	獣医業／製造設備の設計・製作及び販売業	鞄と雑貨の販売業／衣料品販売業	不動産業／ITサービス業	機械部品の製造業及び自動車修理業／電気工事業	酒類等小売業及び不動産賃貸業／不動産賃貸業	飲食店業／食パンの製造販売業	調剤薬局、通所介護施設等、化粧品販売業／不動産業	ブランド品の買取・販売業／不動産賃貸業及び洋菓子の製造小売業
Ⅱ 基準期間									
1 納税義務の判定	○	○	○	○	○	○	○	○	
2 簡易課税の判定の有無		○	○	○		○		○	
3 簡易課税の適用の有無		○	○			○		○	
4 基準期間が一年ではない他			○	○	○		○	○	
5 前期以前・翌期の納税義務の判定					○		○	○	
Ⅲ 課税売上高									
1 売上高									
(1) 第一種		○	○			○		○	
(2) 第二種		○	○			○		○	
(3) 第三種						○		○	
(4) 第四種		○				○		○	
(5) 第五種		○				○		○	
(6) 第六種			○					○	
(7) 免税売上高		○		○		○		○	
2 その他の収入									
(1) 固定資産売却									
・ 土地等以外				○		○	○	○	
・ 一括譲渡	○			○	○			○	
・ 未経過固定資産税	○								

	第66回	第67回	第68回	第69回	第70回	第71回	第72回	第73回	第74回
(2) 有価証券売却 （ゴルフ場利用株式）							○		
(3) 受取地代									
(4) 受取家賃			○	○		○		○	○
(5) 駐車場収入		○				○		○	
(6) 入会金収入									
(7) 会費収入									
(8) 貨物保管料収入									
(9) 権利金・保証金						○			
(10) 自由診療		○						○	
3 みなし譲渡						○			○
4 低額譲渡				○					
5 負担付き贈与		○							
Ⅳ 特定課税仕入れ					○		○		
Ⅴ 非課税売上高									
1 受取利息	○		○	○	○		○	○	○
2 受取地代				○	○				
3 受取家賃	○		○	○		○		○	○
4 社宅使用料収入			○	○			○	○	○
5 土地等売却	○			○	○			○	
6 有価証券等売却				○	○ （暗号資産）			○	
7 出資持分の譲渡				○					
8 身体障害者用 物品の譲渡					○				
9 社会保険診療								○	
10 現物出資									
11 現先取引									
12 損害賠償金	○			○					
13 収用	○								
Ⅵ 控除過大調整税額									
1 貸倒回収に係る税額							○		
Ⅶ 課税売上割合等									
1 課税売上割合	端数	端数	端数	端数	端数	端数	端数	端数	端数
(1) 非課税資産の輸出			○	○			○	○	○

	第66回	第67回	第68回	第69回	第70回	第71回	第72回	第73回		第74回	
(2) 資産の国外移送	○			○	○			○			
2　課税売上割合に準ずる割合						○					
3　通算課税売上割合				○				○			
Ⅷ　控除対象仕入税額											
1　全額控除											○
2　共通対応の指定の有無	無	無	無	無	無	無	無	無	無	無	無
3　商品関連		課	課			課		課・共		課	○
(1) 棚卸資産の調整	課							課・共			
(2) 引取りに係る税額	課	課	課		課		課				
・　未納消費税											
4　販売費及び一般管理費											
(1) 荷造運搬費			課			課					○
・　免税仕入れ			○								
(2) 広告宣伝費											
・　国　内	共	課	課		課・共	課・共	課・共	課非共		課非共	○
・　国　外		○									
(3) 給与に含まれるもの											
・　通勤手当		共	課・共		共	課・共	課・共			共	○
・　派遣料		共	共					課			
・　出張の日当	課										
(4) 福利厚生費	共	共	課・共	共		共	共	非・共		共	○
・　社会保険料等		○	○			○	○	○		○	○
・　祝い金、見舞金	○	○	○								
・　従業員慰安旅行費用	共			○	共			共			
(5) 旅費交通費											
・　国　内	共	共	課・共		共	課・共	共				○
・　国　際	○	○			○						
(6) 会議費											
(7) 事務用消耗品費、消耗品費	課・共	共	共			非・共	課・共				○
(8) 通信費											
・　国　内	共	共	課・共			共	課・共				○
・　国　際							○				

	第66回	第67回	第68回	第69回	第70回	第71回	第72回	第73回	第74回
(9) 接待交際費		課	共			課・共	課・共	共	課非共 ○
・ 商品券、ビール券		○	○						
・ 祝い金、見舞金、慶弔金		○				○	○	○	
・ 費途不明金							○		
・ ゴルフ場利用税・入湯税		○	○						
(10) 寄附金等									
・ 現金による寄附									
・ 現物による寄附									課・共
・ 贈　与									
(11) 地代家賃			課・共			課・共	課・共	課・共	共 ○
(12) 水道光熱費		課	課・共			課・共	課非共		○
(13) 支払手数料			課非共	課・共			課・共		○
(14) リース料(賃借料)	非	課	課・共				課・共	課非共	○
(15) 修繕費	課・非		課				課	課非共	共
(16) 諸会費				共					
(17) 燃料費	課・共								
5　その他の費用									
(1) 固定資産売却手数料・建物取壊費用			共						
(2) 有価証券売買手数料					非				
6　取得資産の対価									
(1) 車　両									
(2) 消耗品、事務用備品	共		課						○
(3) マンション									
(4) 機械装置	課				課				
7　特定課税仕入れ			課				共		
8　仕入れに係る対価の返還等									
(1) 値　引	課		課		課	課	課	課・共	課
(2) 戻　し						課	課		○
(3) 割　戻									
(4) 販売奨励金									
(5) 事業分量配当金									

	第66回	第67回	第68回	第69回	第70回	第71回	第72回	第73回	第74回
Ⅸ　調整対象固定資産									
1　転用　(1) 課税→非課税									
(2) 非課税→課税							○		
(3) 転用なし					○				
2　変動　(1) 著しく増加									
(2) 著しく減少				○				○	
(3) 変動しない									
(4) 第3年度に該当しない				○			○		
Ⅹ　居住用賃貸建物						○			
Ⅺ　特定収入に係る調整									
Ⅻ　簡易課税制度による控除税額		○	○				○		
ⅩⅢ　売上げに係る対価の返還等に係る消費税額									
1　値　引		○	○	○	○	○	○	○	○
2　戻　り		○	○			○	○		
3　割　戻	○								
4　割　引									○
5　販売奨励金									
ⅩⅣ　貸倒れに係る税額									
1　貸付金									○
2　売掛金（未収金）	○	○			○	○	○	○	
3　1、2以外の債権									
4　前期以前免税事業者			○				○		
ⅩⅤ　その他									
1　中間申告書の提出	○	○	○	○	○	○	○	○	○
2　中間申告による納付税額計算	○	○		○	○	○	○	○	○
3　合併があった場合の中間申告	○								
4　届出等									
(1) 9条（課税事業者の選択）									

	第66回	第67回	第68回	第69回	第70回	第71回	第72回	第73回	第74回
(2) 30条(課税売上割合に準ずる割合)						○			
(3) 37条(簡易課税制度)		○	○		○		○		
5 経過措置									
6 軽減税率					○	○	○	○	○
XVI インボイス制度									
1 積上げ計算(売上)									
2 積上げ計算(仕入)									
3 80%控除								○	○
4 少額特例								○	○
5 2割特例									○

(注) 課 …… 課税資産の譲渡等にのみ要する課税仕入れ等に該当するもの

　　　非 …… その他の資産の譲渡等にのみ要する課税仕入れ等に該当するもの

　　　共 …… 課税資産の譲渡等とその他の資産の譲渡等とに共通して要する課税仕入れ等に該当するもの

② **出題形式**

　近年の計算問題の出題形式は、損益計算書による問題に、付記事項があり、それについて消費税法上の処理を加えた後、納付すべき消費税額を求めるというパターンとなっている。

　また、平成17年（第55回）、平成22年（第60回）、平成24年（第62回）、平成26年（第64回）、平成29年（第67回）、令和3年（第71回）及び令和6年（第74回）は個人事業者、平成20年（第58回）は公益法人の問題であり、収支等の明細による問題に、付記事項がある、という形式であった。

　なお、平成9年（第47回）、平成11年（第49回）、平成13年（第51回）及び平成22年（第60回）は簡易課税の計算問題であり、平成24年（第62回）、平成26年（第64回）、平成27年（第65回）、平成29年（第67回）、平成30年（第68回）、令和2年（第70回）及び令和4年（第72回）は、原則課税と簡易課税の両方が出題された。また、令和6年（第74回）はインボイス制度を反映した出題であった。

③ **傾向と対策**

　答案用紙は、平成元年（第39回）から平成7年（第45回）までは37行用紙5枚添付というものであった。平成8年（第46回）から令和6年（第74回）は申告書形式の解答欄指定の用紙であり、今後も申告書形式の答案用紙ということも考えられ、計算パターンをしっかり頭に入れておく必要がある。また、平成30年（第68回）までの答案用紙はＢ４サイズであったが令和元年（第69回）からＡ４サイズに変更された。

　そこで、本試験においては次の論点に注意を払っていただきたい。

イ　取引区分

　a　課税取引

b　免税取引

　c　非課税取引

　d　不課税取引

ロ　課税仕入れ等

　　問題を読んで次の３つに区分できるようにすること。

　a　課税資産の譲渡等にのみ要するもの

　b　その他の資産の譲渡等にのみ要するもの

　c　共通して要するもの

ハ　課税売上割合

　　割り切れないときは分数のまま使用すること。

ニ　控除対象仕入税額

　a　個別対応方式

　b　一括比例配分方式

　c　調整対象固定資産に係る消費税額の調整

ホ　簡易課税

　　課税仕入れ等の税額に関係なく売上げに係る消費税額から控除対象仕入税額を求める。

問題編

TAX ACCOUNTANT

※　第8章（インボイス制度）以外の売上税額及び仕入税額の計算は、割戻し計算により計算することとしている。また、割戻し計算にあたり、帳簿及び請求書等は法令に従って保存されており、課税仕入れの相手方は全て適格請求書発行事業者であるものとする。

※　令和元年10月1日以降の適用税率は、特段指示のあるものを除き、消費税7.8%、地方消費税2.2%とし、税率の経過措置が適用される取引はないものとする。

第1章

取 引 分 類

Ⅰ　課税の対象

1．課税の対象（国内取引）

(1) 国内取引の課税の対象

> 国内において事業者が行った資産の譲渡等（特定資産の譲渡等を除く。）及び特定仕入れには、消費税を課する。

※1　特定資産の譲渡等

事業者向け電気通信利用役務の提供及び特定役務の提供をいう。

※2　特定仕入れ

事業として他の者から受けた特定資産の譲渡等をいう。

◆　消費税を課する

「消費税を課する。」とは、消費税法を適用するという意味合いを表した言い回しであり、「課税の対象＝7.8％課税取引」にはならないことに注意すること。

消費税の国内取引は、以下の手順で分類することを確認してほしい。

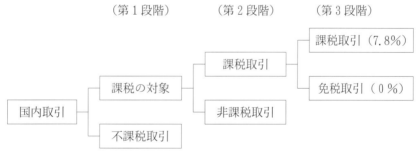

(2) 資産の譲渡等

> 事業として対価を得て行われる資産の譲渡及び貸付け並びに役務の提供（代物弁済による資産の譲渡その他対価を得て行われる資産の譲渡若しくは貸付け又は役務の提供に類する行為として一定のものを含む。）をいう。

(3) 国内取引の課税の対象の4要件

> ①　国内において行われるものであること。
>
> ②　事業者が事業として行うものであること。
>
> ③　対価を得て行うものであること。
>
> ④　資産の譲渡及び貸付け並びに役務の提供であること。

⑷ 国内において行われるもの

① 資産の譲渡等の場合

イ 資産の譲渡又は貸付けの場合

原　　則	譲渡又は貸付けが行われる時におけるその資産の所在場所
例　　外	船舶、特許権等である場合には、その譲渡又は貸付けが行われる時における、登録機関の所在地その他一定の所在地等

※　資産の譲渡又は貸付けの場合の例外

資　産　等　の　種　類	判　　定　　場　　所
船　　　　　　　舶	船舶の登録機関の所在地
航　　空　　機	航空機の登録機関の所在地
鉱　　業　　権	鉱区の所在地
租　　鉱　　権	租鉱区の所在地
採　石　権　等	採石場の所在地
特　　許　　権 実　用　新　案　権 意　　匠　　権 商　　標　　権 上　記　権　利　の　利　用　権	登録機関の所在地 （２以上の国で登録している場合には、権利の譲渡又は貸付けを行う者の住所地）
公　共　施　設　等　運　営　権	公共施設等の所在地
著　　作　　権 特別の技術による生産方式 （ノウハウ）	譲渡又は貸付けを行う者の住所地
営　　業　　権 漁　　業　　権 入　　漁　　権	権利に係る事業を行う者の住所地
有　価　証　券 （一定のものを除く）	有価証券の所在場所
登　　録　　国　　債	登録機関の所在地
振替機関等が取り扱う 有価証券等又は持分	振替機関等の所在地
振替機関等が取り扱わない 券面のない有価証券又は持分	有価証券又は持分に係る法人の本店、主たる事務所の所在地等
金　　銭　　債　　権	金銭債権に係る債権者の事務所等の所在地

ゴルフ場利用株式等	ゴルフ場等の所在地
上記のほかその所在場所が明らかでない場合	譲渡又は貸付けを行う者の事務所等の所在地

ロ　役務の提供の場合（ハを除く。）

原　則	役務の提供が行われた場所
例　外	運輸、通信その他国内及び国外にわたって行われるものである場合には、出発地、発送地又は到着地その他一定の場所

※　役務の提供の場合の例外

役務の提供の種類	判　定　場　所
国　際　運　輸	出発地、発送地又は到着地
国　際　通　信	発信地又は受信地
国　際　郵　便　等	差出地又は配達地
保　　　　　　険	保険事業を営む者の保険契約に係る事務所等の所在地
生産設備等の建設又は製造に関する調査、企画、立案等に係る役務の提供（専門的な科学技術に関する知識を必要とするものに限る）	建設又は製造に必要な資材の大部分が調達される場所
上記のほか役務の提供が行われた場所が明らかでないもの	役務の提供を行う者の事務所等の所在地

ハ　電気通信利用役務の提供である場合

電気通信利用役務の提供を受ける者の住所等

ニ　利子を対価とする金銭の貸付け等の場合

貸付け等を行う者の事務所等の所在地

②　特定仕入れの場合

特定仕入れとして他の者から受けた役務の提供につき、上記①ロ又はハの場所

※　ただし、次の場合は、この限りでない。

(イ)　国外事業者が恒久的施設で行う特定仕入れ（注）のうち、国内において行う資産の譲渡等に要するものは、国内で行われたものとする。

（注）事業者向け電気通信利用役務の提供に限る。

（ロ） 事業者（国外事業者を除く。）が国外事業所等で行う特定仕入れ（注）のうち、国外において行う資産の譲渡等にのみ要するものは、国外で行われたものとする。

(5) 事業者が事業として行うもの

① 法　人

事業活動を行う目的で設立されるものであるため、その行う行為はすべて「事業として」に該当する。

② 個人事業者

「事業者の立場」と「消費者の立場」の二面性があるため、「事業者の立場」で行う取引のみが「事業として」に該当する。

※ 事業付随行為

資産の譲渡等には、その性質上事業に付随して対価を得て行われる資産の譲渡及び貸付け並びに役務の提供を含むものとする。

具体例	（イ） 職業運動家、映画・演劇等の出演者が行う他の事業者のための広告宣伝
	（ロ） 事業用固定資産の売却
	（ハ） 利子を対価とする事業資金の預入れ
	（ニ） 事業遂行上に生じた取引先又は使用人への金銭等の貸付け
	（ホ） 新聞販売店における折込広告・飲食店等における広告の掲示

(6) 対価を得て行うもの

① 対価を得てとは

「対価を得て」とは、資産の譲渡等に対して反対給付を受けることをいう。

対価性のない取引	（イ） 保険金、共済金の受取り
	（ロ） 損害賠償金の受取り
	（ハ） 立退料の受取り
	（ニ） 株式配当金の受取り
	（ホ） 寄附金・祝金・見舞金等の受取り
	（ヘ） 補助金・助成金等の受取り
	（ト） 保証金・権利金等（返還義務のあるもの）の受取り
	（チ） 収用等に伴う収益補償金・移転補償金・経費補償金の受取り

＜参考通達＞ 5－2－4、5－2－5、5－2－7、5－2－8、5－2－10、5－2－14、5－2－15

② 資産の譲渡等に類する行為（対価性のある取引）

> (イ) 代物弁済による資産の譲渡
>
> (ロ) 負担付き贈与による資産の譲渡
>
> (ハ) 金銭以外の資産の出資
>
> (ニ) 特定受益証券発行信託又は一定の法人課税信託の委託者が金銭以外の資産の信託をした場合の資産の移転等
>
> (ホ) 貸付金その他の金銭債権の譲受けその他の承継（包括承継を除く。）
>
> (ヘ) 不特定多数の者の受信目的である無線通信の送信で、法律による契約に基づき受信料を徴収して行われるもの

③ 収　用（対価性のある取引）

> 土地収用法等の規定に基づいてその所有権等を収用され、権利取得者から補償金を取得した場合には、対価を得て資産の譲渡を行ったものとする。

④ 事業付随収入（対価性のある取引）

> 資産の譲渡等には、その性質上事業に付随して対価を得て行われる資産の譲渡及び貸付け並びに役務の提供を含むものとする。

(7) **資産の譲渡及び貸付け並びに役務の提供**

① 資産の譲渡

> 資産の譲渡とは、資産につきその同一性を保持しつつ、他人に移転させることをいう。ゆえに、権利の消滅又は価値の減少は、資産の譲渡には該当しない。

② 資産の貸付け

> 資産の貸付けとは、賃貸借や消費貸借などの契約により、資産を他の者に貸し付けたり使用させる一切の行為をいう。

③ 役務の提供

> 役務の提供とは、請負契約、運送契約、寄託契約などに基づいて労務、便益、その他のサービスを提供することをいう。

(8) **みなし譲渡**

　課税の対象の4要件をすべて満たした場合に「課税の対象」となるが、その4要件を満たさずに課税の対象となるものがある。これを「みなし譲渡」という。

　みなし譲渡は、4要件を満たしていないが、消費税法上、「事業として対価を得て行われた資産の譲渡とみなす。」と規定されることから課税の対象となる。

次の行為は、事業として対価を得て行われた資産の譲渡とみなす。	
個人事業者	個人事業者が、棚卸資産等の事業用資産を家事のために消費した場合等におけるその消費等
法人	法人が資産をその役員に対して贈与した場合におけるその贈与

2．課税の対象（輸入取引）

(1) 輸入取引の課税の対象

保税地域から引き取られる外国貨物には、消費税を課する。

(2) 保税地域

保税地域とは、課税を一時保留して外国貨物を保管する場所をいう。

(3) 外国貨物

輸　入	外国から本邦に到着した貨物で輸入が許可される前のものをいう。
輸　出	輸出の許可を受けた貨物をいう。

◆　外国貨物

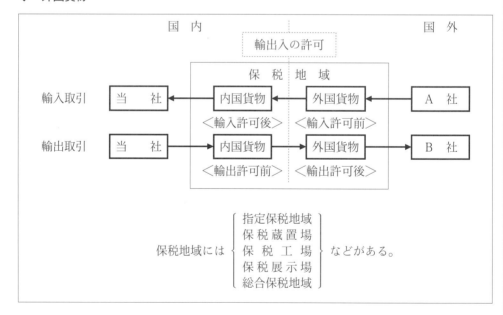

保税地域には　⎰ 指定保税地域　保税蔵置場　保税工場　保税展示場　総合保税地域 ⎱　などがある。

問　題　1　　国内取引（その1）　　重要度　A

次の取引のうち、国内取引となるものを選びなさい。

(1)　オーストラリアに所有する別荘の譲渡

(2)　日本からサイパンまでの国際運輸

(3)　中国からアメリカまでの貨物の輸送

(4)　特許権（日本で登録）の非居住者に対する貸付け

(5)　非居住者の日本での役務の提供

(6)　非居住者の依頼による国内での広告宣伝

(7)　非居住者の依頼により、国内の調査会社が行う国内市場調査

(8)　国内自動車メーカーによる自動車の輸出

(9)　日本人プロサッカー選手のイタリアでのプレー

(10)　日本から中国への国際電話

(11)　株式（日本の振替機関で取り扱う有価証券である。）の譲渡

(12)　株式（海外の振替機関で取り扱う有価証券である。）の譲渡

(13)　外国法人の株式（振替機関が取り扱うものではなく、株券は発行されていない。）の譲渡

⇨解答：227ページ

問　題　2　　国内取引（その2）　　重要度　A

次の取引のうち、国内取引となるものに○、ならないものに×を付しなさい。

(1)　内国法人（居住者）が所有する日本にある土地の外国法人（非居住者）に対する譲渡

(2)　外国法人（非居住者）が所有する日本にある土地の内国法人（居住者）に対する譲渡

(3)　内国法人（居住者）が所有するニューヨークにある土地の外国法人（非居住者）に対する譲渡

(4)　外国法人（非居住者）が所有するニューヨークにある土地の内国法人（居住者）に対する譲渡

(5)　内国法人（居住者）である電話会社が日本から香港への国際電話料金を収受

(6)　内国法人（居住者）である電話会社がボストンから日本への国際電話料金を収受

(7)　内国法人（居住者）が日本にある棚卸資産を外国法人（非居住者）に対し販売

(8)　外国法人（非居住者）がロサンゼルスにある棚卸資産を内国法人（居住者）に対し販売

(9)　内国法人（居住者）である運送会社が日本からマンハッタンへ荷物を輸送

(10)　外国法人（非居住者）である運送会社がマンハッタンから日本へ荷物を輸送

⇨解答：227ページ

問 題 3　国内取引（その3）　　　　　重 要 度　C

次の取引のうち、国内取引となるものに○、ならないものに×を付しなさい。

(1) 外国法人（非居住者）が内国法人（居住者）から収受するインターネット回線利用料

(2) 外国法人（非居住者）が内国法人（居住者）から収受するインターネット上のショッピングサイト利用料（商品の掲載料金代）

(3) 内国法人（居住者）が外国法人（非居住者）から収受する電子書籍の配信料

(4) 外国法人（非居住者）が内国法人（居住者）から収受する電子書籍の配信料

(5) 内国法人（居住者）が外国法人（非居住者）から収受するインターネットを通じた広告の掲載料金

(6) 外国法人（非居住者）が内国法人（居住者）から収受するインターネットを通じた広告の掲載料金

(7) 内国法人（居住者）が外国法人（非居住者）から収受するインターネットを通じた日本語教室の配信料

(8) 外国法人（非居住者）が内国法人（居住者）から収受するインターネットを通じた英会話教室の配信料

(9) 外国法人（非居住者）が内国法人（居住者）の海外支店から収受するインターネットを通じた英会話教室の配信料（事業者向け電気通信利用役務の提供には該当しない。）

(10) 外国法人（非居住者）が内国法人（居住者）からインターネットを介して収受する著作権の使用料

⇨解答：227ページ

問 題 4　課税の対象（その1）　　　　　重 要 度　A

次の取引のうち、課税の対象に該当するものを選びなさい。

なお、与えられた取引はすべて国内取引の要件を満たすものである。

(1) 個人事業者による自宅（居住用）の売却

(2) 個人事業者による商品運搬用トラックの売却

(3) 個人事業者による駐車場の賃貸

(4) サラリーマンの給与を対価とする役務の提供

(5) 個人事業者による別荘（非事業用資産）の売却

⇨解答：228ページ

問 題 5 　課税の対象（その2）　　重 要 度　A

次の取引のうち、課税の対象に該当するものを選びなさい。

なお、与えられた取引はすべて国内取引の要件を満たすものであり、特に指示がない場合には法人が行った取引として解答すること。

(1) 配当金の受取り

(2) 当社所有の機械と得意先所有の機械の交換

(3) 個人事業者の家事消費

(4) スポーツクラブの入会金（返還しないもの）の受取り

(5) 商品運搬途中の事故により支払いを受ける損害賠償金（商品は廃棄している。）

(6) 株式の譲渡

(7) 商品名入り陳列棚の無償譲渡

(8) 倉庫の火災により取得する火災保険金

(9) 土地の賃貸料の受取り

(10) 商品が盗難により滅失

(11) 当社の役員に対する商品の贈与

(12) 保証債務の履行に伴う商品の譲渡

(13) 個人事業者の開店祝金の受取り

(14) 当社の役員に対する保養所の無償貸付け

(15) 遊休地を収用された際の対価補償金の受取り

⇨解答：228ページ

次の取引が国内において行われた場合に、課税の対象となるものに○、ならないものに×を付しなさい。

⑴　個人事業者が棚卸資産を家事消費した場合

⑵　法人がその社の役員に対し社宅を無償で貸し付けた場合

⑶　法人が使用人に対し棚卸資産を贈与した場合

⑷　当社の製品を取り扱う販売店に対し、広告宣伝用資産を贈与した場合

⑸　事業者が消費者に対し試供品を贈与した場合

⑹　個人事業者が事業用資金の取得のために、家事用資産を譲渡した場合

⑺　法人がその社の役員に対し資産を贈与した場合

⑻　個人事業者が事業の用に供している機械を売却した場合

⑼　法人が所有する福利厚生施設を従業員に使用させたことにより使用料を受け取った場合

⑽　法人が寄附金を受け取った場合

⑾　プロ野球の選手（職業運動家）が、対価を得て行うテレビ放送等に係るコマーシャルの出演

⑿　事業用の資産を他の事業者が所有する資産と交換した場合

⒀　非居住者が行う資産の譲渡及び貸付け並びに役務の提供で、その行為が事業として対価を得て行われるものである場合

⒁　保税地域にある外国貨物が災害等により滅失した場合

⒂　外国貨物を保税地域から無償で引き取った場合

⒃　棚卸資産が強制換価手続により換価された場合

⒄　資産につき加えられた損害の発生に伴い、加害者から損害賠償金を受け取った場合

⒅　法人が所有する株式につき配当金を受け取った場合

⒆　事業の用に供していた建物が火災に遭い保険金を受領した場合

⒇　個人事業者が生計を一にする親族との間で行った資産の貸付けで事業として対価を得て行われた場合

㉑　事業者が国から特定の政策目的の実現を図るための奨励金を受領した場合

㉒　事業者が広告宣伝のために商品を消費し、又は使用した場合

㉓　運搬中の事故により破損した棚卸資産を廃棄した場合

㉔　事業者が外注先に対して原材料を支給する場合において、その支給に係る対価を収受している場合

㉕　特許権を貸し付けたことにより、その使用料を受け取った場合

⇒解答：229ページ

問　題　7　課税の対象（その４）　　　重要度　B

次の取引のうち、課税の対象となるものに○、ならないものに×を付しなさい。

なお、特に指示がないものについては、国内取引の要件は満たしているものとする。

⑴　法人が他の者の債務保証を履行するために自己が保有する土地を譲渡した。

⑵　同業者団体が、通常の業務運営のために経常的に要する費用として、その組合員から会費を収受した。

⑶　同業者団体が、職員研修の受講料として、その組合員から会費を収受した。

⑷　法人が自己が有する資産につき加えられた損害の発生に伴い、加害者から損害賠償金を収受した。

⑸　法人が自己が有する特許権につき、権利の侵害を受けたことにより加害者から損害賠償金を収受した。

⑹　法人が賃借していた店舗の賃貸借契約が解除されたことに伴い、賃貸人から立退料を収受した。

⑺　法人が賃借していた店舗の賃借人たる地位を他の事業者に対して譲渡したことに伴い、立退料を収受した。

⑻　法人が自己の有する土地を土地収用法により収用され、対価補償金を収受した。

⑼　上記⑻の収用に伴い、店舗の移転費用として、移転補償金を収受した。

⑽　法人（出向元事業者）が出向先事業者から収受する給与負担金（出向社員に対する給与の出向先事業者の負担額として受け取ったもの）。

⑾　法人が労働者（自己が雇用している。）の派遣を行った場合に派遣先から収受する派遣料。

⑿　法人が自社の役員に対し、無償で社宅を貸し付けた。

⒀　法人が自己の試験研究のために、原材料の一部を使用した。

⒁　法人が予約の取り消し、変更に伴う逸失利益に対する損害賠償金として、キャンセル料を収受した。

⒂　法人が予約の取り消し、変更に伴う事務手数料を収受した。

⇨解答：230ページ

　次の取引のうち、課税の対象に該当するものを選びなさい。

　なお、与えられた取引はすべて国内取引の要件を満たすものである。

(1)　法人が、事業用資金に充てるための借入金について、現金で返済することに代えて商品（課税資産）を債権者に引き渡した。

(2)　法人が、A社に対する借入金の返済を条件としてB社に車両を贈与した。

(3)　法人が、法人税の還付金を受け取った。

(4)　法人が、子法人を設立するために現金による出資を行った。

(5)　法人が、子法人を設立するために建物の現物出資を行った。

(6)　法人が、店舗の賃貸借契約を締結したことに伴い敷金（返還義務のあるもの）を受け取った。

(7)　法人が、建物（住宅）賃貸借契約の契約解除に伴い立退料を受け取った。

(8)　法人が所有する貸付債権を他の法人（内国法人）に譲渡した。

(9)　法人（NHK）が、受信料を収受した。

(10)　法人が、事業部間の一部を切り放すために吸収分割を行い、建物を引き渡した。

(11)　法人が営業譲渡を行い、建物を引き渡した。

⇨解答：231ページ

Ⅱ　非課税

1．非課税（国内取引）

国内において行われる資産の譲渡等のうち、次のものには、消費税を課さない。

税の性格から課税することになじまないもの	①　土地等の譲渡、貸付け
	②　有価証券等の譲渡
	③　利子を対価とする金銭の貸付け等
	④　郵便切手類、印紙及び証紙の譲渡
	⑤　物品切手等の譲渡
	⑥　行政手数料等
	⑦　外国為替業務に係る役務の提供
社会政策的な配慮に基づくもの	⑧　社会保険医療等
	⑨　社会福祉事業等
	⑩　助産に係る資産の譲渡等
	⑪　埋葬料、火葬料を対価とする役務の提供
	⑫　身体障害者用物品の譲渡等
	⑬　学校等の教育に関する役務の提供
	⑭　教科用図書の譲渡
	⑮　住宅の貸付け

⑴　土地等の譲渡及び貸付け

土地（土地の上に存する権利を含む。）の譲渡及び貸付け（一時的に使用させる場合及び施設の利用に伴って土地が使用される場合を除く。）

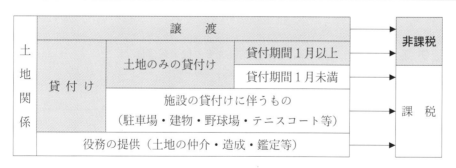

※　土地の貸付けから除かれるもの

①　一時的に使用させる場合（基通6－1－4）

契約による貸付期間が1月に満たない場合をいう。

② 施設の利用に伴う土地の貸付け（基通6－1－5）

　　土地の貸付けは、原則として非課税取引に該当するが、次の場合には、土地の貸付けから除かれ課税取引として取り扱われる。

㈠　野球場・プール・テニスコート等の貸付け及び駐車場の貸付け

㈡　区分収受の地代

　　建物の貸付け等に伴って家賃を事業者が建物分と土地分に区分して収受している場合においても、それらは全て建物に係る家賃として取り扱う。

③　土地等の仲介（基通6－1－6）

　　土地等の譲渡又は貸付けに係る仲介料を対価とする役務の提供は、課税取引に該当する。

(2)　**有価証券等の譲渡**

> 有価証券（ゴルフ場利用株式等を除く。）、支払手段（収集品及び販売用の支払手段を除く。）その他これに類するものの譲渡

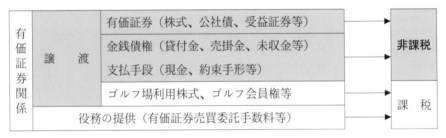

①　ゴルフ場利用株式等は有価証券からは除かれている。

②　有価証券等の範囲

有　価　証　券	㈠　国債　㈡　地方債　㈢　社債　㈣　株券又は新株予約権証券　㈤　投資信託の受益証券　㈥　貸付信託の受益証券　㈦　外国債、海外ＣＰ等　㈧　コマーシャルペーパー（ＣＰ）　㈨　抵当証券　㈩　オプションを表示する証券等　㈪　外国法人発行の譲渡性預金証書　等
有価証券に類するもの	㈠　貸付金、預金、売掛金その他金銭債権　㈡　合名会社等の社員持分　等
支　払　手　形	約束手形　等
支払手段に類するもの	電子決済手段、暗号資産

③　有価証券等の譲渡は非課税である。また、有価証券の貸付けは利子を対価とする金銭の貸付け等に含まれ非課税となる。

④　有価証券に係る役務の提供は非課税ではないため、有価証券売却手数料などは、課税取引となる。

(3)　利子を対価とする金銭の貸付け等

> 利子を対価とする金銭の貸付、信用の保証としての役務の提供、公社債投資信託等に係る信託報酬を対価とする役務の提供及び保険料を対価とする役務の提供その他これらに類するもの

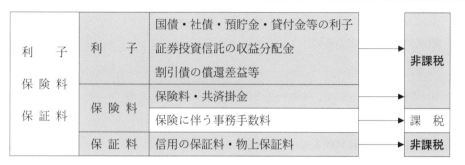

※　利子を対価とする貸付金等の貸付け（基通6－3－1）

> ㈡　国債、地方債、社債、新株予約権付社債、貸付金、預金等の利子
>
> ㈣　信用の保証料
>
> ㈥　合同運用信託、公社債投資信託又は公社債等運用投資信託の信託報酬
>
> ㈱　保険料（厚生年金基金契約等に係る事務費用部分を除く。）
>
> ㈮　集団投資信託、法人課税信託、退職年金信託又は特定公益信託等の収益分配金
>
> ㈯　割引債（利付債を含む。）の償還差益
>
> ㈰　手形の割引料
>
> ㈲　金銭債権の買取又は立替払に係る差益
>
> ㈳　有価証券（ゴルフ場利用株式等を除く。）の賃貸料
>
> ㈴　物上保証料
>
> ㈵　リース取引でその契約に係るリース料のうち、利子又は保険料相当額（契約においてその額が明示されている部分に限る。）　等

(4)　資産の譲渡で一定のもの

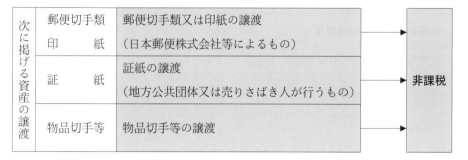

① 物品切手等の範囲（基通6－4－4）

> 物品切手とは、例えば、商品券、ビール券、旅行券、いわゆるプリペイドカード
> （図書カードなど）その他これに類するもののように物品の給付若しくは貸付け又
> は特定の役務の提供に係る給付請求権を表彰する証書をいう。

② 物品切手等の発行（基通6－4－5）

事業者が、物品切手等を発行し、交付した場合において、その交付に係る相手先から
収受する金品は、資産の譲渡等の対価に該当しない。

(5) 役務の提供で一定のもの

> 次の役務の提供
>
> ① 国等が行うもので、その料金の徴収が法令に基づくもの
>
> ② 裁判所の執行官又は公証人の手数料を対価とするもの
>
> ③ 外国為替業務に係るもの

※ 非課税となる行政手数料等

> (1) 次のすべての要件を満たす手数料等
>
> 　① 国、地方公共団体、公共法人、公益法人等が法令に基づいて行う事務で、登
> 　記、登録、許可、指定、検査、証明、公文書の交付等に係るものであること。
>
> 　② 手数料等の徴収が法令に基づくものであること。
>
> (2) (1)に類するもので住民票交付などのように条例に基づく手数料等
>
> (3) 執行官、公証人の手数料

(6) 社会保険医療に係る資産の譲渡等

> 健康保険法等に基づく資産の譲渡等

(7) 社会福祉事業等としての資産の譲渡等

> 次の資産の譲渡等
>
> ① 介護保険法に基づく居宅サービス等
>
> ② 社会福祉事業、更生保護事業として行われる資産の譲渡等（生産活動に基づくも
> のを除く。）

(8) 助産に係る資産の譲渡等

> 医師等による助産に係る資産の譲渡等

(9) **埋葬料、火葬料を対価とする役務の提供**

> 埋葬料又は火葬料を対価とする役務の提供

(10) **身体障害者用物品の譲渡等**

> 身体障害者用物品の譲渡、貸付けその他の資産の譲渡等

(11) **学校等の教育に関する役務の提供**

> 学校教育法等に規定する教育として行う役務の提供

(12) **教科用図書の譲渡**

> 学校教育法に規定する教科用図書の譲渡

(13) **住宅の貸付け**

> 住宅の貸付け（契約で居住の用に供することが明らかな場合（注）に限るものとし、貸付期間が1月未満の場合等を除く。）
> （注）契約で用途が明らかにされていない場合に貸付け等の状況からみて居住の用に供されていることが明らかな場合を含む。

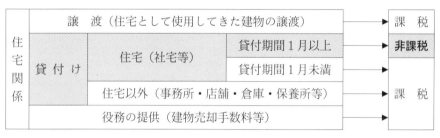

① **住宅の貸付け**

非課税となる場合	住宅（社宅等）の貸付けの場合
非課税とならない場合	(イ) 事務所、店舗、倉庫、保養所等の貸付けの場合（居住用以外の貸付け） (ロ) 居住用であっても、契約による貸付期間が1月に満たない場合

② **共益費（基通6−13−9）**

　建物等の貸付けに伴う共益費、権利金、更新料等については、原則として家賃と同様に取り扱う。

2. 非課税（輸入取引）

> 保税地域から引き取られる外国貨物のうち、次のものには、消費税を課さない。
> (1) 有価証券等　(2) 郵便切手類　(3) 印紙　(4) 証紙　(5) 物品切手等
> (6) 身体障害者用物品　(7) 教科用図書

問 題 9　非課税取引（その１）　　重要度 A

　次の資産の譲渡等のうち、非課税取引を選びなさい。

　なお、特に指示のない取引については、法人が行ったものとし、国内取引の要件は満たしているものとして解答すること。

(1)　銀行預金の預入れにより受け取る利息

(2)　健康診断料の受取り

(3)　区役所が受取る住民票発行の際の行政手数料

(4)　個人事業者（医師）が健康保険法に基づいて受取る診療報酬

(5)　住宅の販売（土地については、考慮不要とする。）

(6)　新株予約権付社債の譲渡

(7)　郵便局における郵便切手の販売

(8)　車椅子（身体障害者用物品）の販売

(9)　保険会社の保険料の受取り

(10)　不動産業者が収受する土地売却手数料

(11)　火葬料の受取り

(12)　住宅の賃貸料の受取り

(13)　証券会社が収受する株式購入手数料

(14)　駐車場の貸付け

(15)　貨物の国際輸送料の受取り

⇨解答：231ページ

問題 10　非課税取引（その2）　　重要度 A

次のうち、非課税となるものには×を、課税されるものには○を付しなさい。

なお、特に指示のない取引については、法人が行ったものとし、国内取引の要件は満たしているものとして解答すること。

(1)　借地権の譲渡

(2)　建物（居住用）の賃貸料の受取り

(3)　野球場の賃貸料の受取り

(4)　時間制駐車場の貸付け

(5)　株式の譲渡

(6)　出資形態によるゴルフ会員権の譲渡

(7)　割引債の償還差益

(8)　国債の利子の受取り

(9)　銀行が手形の割引に伴い収受する割引料

(10)　ビール券の売却

(11)　商品券の売却

(12)　郵便葉書の売却（郵便局によるもの）

(13)　市役所が収受する住民票の写しの交付手数料

(14)　郵便局による切手の販売

(15)　コイン販売店による「10万円記念硬貨」の販売

(16)　養護老人ホームが収受する介護費用

(17)　貸付金の譲渡

(18)　身体障害者用物品（車いす）の譲渡

(19)　医療法人が収受する人間ドックの費用

(20)　教科用図書の配達代

(21)　信用の保証料の受取り

(22)　社宅の賃貸料の受取り

(23)　リゾートマンションの賃貸料の受取り

(24)　土地の造成費用の受取り

⇨解答：232ページ

次の取引のうち、非課税取引を選びなさい。

なお、特に指示のない取引については、法人が行ったものとし、国内取引の要件は満たしているものとして解答すること。

⑴　土地の貸付け（貸付期間３週間）

⑵　保養所（土地付建物に該当する。）の貸付け

⑶　借地権に係る更新料の受取り

⑷　船荷証券（課税商品に係るもの）の譲渡

⑸　預託金形態のゴルフ会員権の譲渡

⑹　他社の金銭等の借入れに伴い、担保資産を代わりに提供することにより収受する保証料

⑺　金銭債権の買取差益

⑻　保険代理店手数料の受取り

⑼　物品切手（旅行券）の発行

⑽　法務局が受取る土地の登記簿謄本の手数料

⑾　銀行の振込手数料

⑿　医薬品の販売（健康保険法、国民健康保険法等の規定に基づくものではない。）

⒀　大学の入学試験に係る受験料の受取り

⒁　社宅として使用していた建物の譲渡（土地部分は考慮不要である。）

⒂　建物（事務所用）の貸付けに伴う共益費

⒃　合名会社の社員持分の譲渡

⒄　鉱業権の譲渡

⒅　新株予約権証券の譲渡

⒆　前渡金の利子の受取り

⒇　暗号資産の譲渡

(21)　消費税の確定申告に係る還付加算金の受取り

⇨解答：232ページ

Ⅲ　輸出免税等

1．輸出免税等

事業者（免税事業者を除く。）が国内において行う課税資産の譲渡等のうち、輸出取引等に該当するものについては、消費税を免除する。

2．課税資産の譲渡等

資産の譲渡等のうち、国内取引の非課税の規定により消費税を課さないこととされるもの以外のものをいう。

3．輸出取引等の範囲

(1)　本邦からの輸出として行われる資産の譲渡、貸付け

(2)　外国貨物の譲渡、貸付け（(1)を除く。）

(3)　国内及び国外にわたって行われる旅客、貨物の輸送、通信

(4)　専ら(3)の輸送の用に供される船舶又は航空機の譲渡、貸付け、修理で船舶運航事業者等に対するもの

(5)　(1)～(4)の資産の譲渡等に類するもの

①　外航船舶等の譲渡、貸付け、修理等で船舶運航事業者等に対するもの

②　外国貨物の荷役、運送、保管、検数、鑑定その他これらに類する役務の提供（指定保税地域等における内国貨物に係る役務の提供等）

③　国内及び国外にわたって行われる郵便、信書便

④　無形固定資産（特許権、商標権、ノウハウ等）の譲渡、貸付けで非居住者に対するもの

⑤　非居住者に対する役務の提供で次のもの以外のもの

(イ)　国内に所在する資産に係る運送、保管

(ロ)　国内における飲食、宿泊

(ハ)　上記(イ)、(ロ)に準ずるもので、国内において直接便益を享受するもの

※　非居住者に対する広告宣伝等が免税の対象となる。

輸出取引等（その１） 　　　　　重 要 度　Ａ

次のうち、免税取引となるものには○を、ならないものには×を付しなさい。

(1)　内国法人が、国外の事業者に対し国外にある不動産を賃貸することによる対価の受取り

(2)　内国法人が英国の取引先（非居住者であり、国内に支店等を有していない。）に対し、日本国内における市場の情報を提供したことによる報酬の受取り

(3)　内国法人が日本で登録してある特許権を国外の事業者（非居住者）に譲渡したことにより収受したもの

(4)　指定保税地域における外国貨物の保管料

(5)　指定保税地域における貨物保管用倉庫の賃貸料

(6)　指定保税地域における輸出しようとする貨物（内国貨物）の保管料

(7)　内国法人が行う非居住者に対する役務の提供で国内における飲食に係るもの

(8)　内国法人が収受する東京からニューヨークへの国際電話料金

(9)　内国法人が行う輸出用物品の製造のための国内における下請加工

(10)　国外で購入した貨物を国内の保税地域に陸揚げし、輸入手続を経ないで再び国外へ譲渡する場合のその譲渡

⇨解答：234ページ

問 題 13　　**輸出取引等（その２）** 　　　　　重 要 度　Ａ

次のうち、免税取引となるものには○を、ならないものには×を付しなさい。

なお、特に指示のあるものを除き、与えられた取引はすべて内国法人が国内において行ったものとする。

(1)　日本の港から外国の港までの運送

(2)　保税地域にある輸入の許可を受ける前の貨物の他の内国法人に対する譲渡

(3)　保税地域にある輸出の許可を受けた貨物の運送

(4)　指定保税地域における輸入の許可を受けた貨物の運送

(5)　指定保税地域における輸入の許可を受ける前の貨物の荷役

(6)　輸出取引を行う事業者に対して行う国内での資産の譲渡等

(7)　国外の事業者（非居住者であり、国内に支店等を有していない。）からの求めに応じ行う国内における広告宣伝

(8)　非居住者から依頼された国内に所在する資産の運送

(9)　保税地域内における倉庫の貸付け

(10)　特許権（アメリカとドイツの両国において登録）の非居住者への貸付け

⇨解答：234ページ

Ⅳ　まとめ

1．取引の分類

すべての取引を分類すると次のようになる。

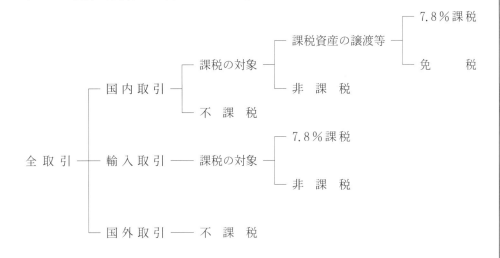

次の取引を課税取引（7.8％）、免税取引、非課税取引、不課税取引に分類しなさい。ただし、特に記載のない取引については、国内において法人が行ったものとする。

⑴　駐車場の貸付け

⑵　試験研究のための製品の自社使用

⑶　株式配当金の受取り

⑷　陳腐化した商品の廃棄

⑸　借家（居住用）の更新料の受取り

⑹　個人事業者の事業用資金取得のための自家用車の売却

⑺　使用人に対する社宅の低額貸付け

⑻　非居住者に対するノウハウの貸付け

⑼　証券会社が収受する株式売却手数料

⑽　事務所の賃貸に際しての敷金（返還義務のあるもの）の受取り

⑾　土地と土地の交換

⑿　地方公共団体に対する商品（課税資産）の販売

⒀　物品切手に該当するプリペイドカードの販売

⒁　信用の保証料の受取り

⒂　非居住者（国内に支店等を有していない。）のための国内広告宣伝

⒃　自動車保険の保険金の受取り

⒄　外国貨物の保管料の受取り

⒅　税理士の顧問料の受取り

⒆　貸事務所の明渡し遅滞による損害賠償金の受取り

⒇　住宅の賃貸に際しての礼金の受取り

㉑　国際運輸

㉒　自社役員に対する商品（課税資産）の贈与

㉓　介護保険法に基づいて行う居宅サービス料の受取り

㉔　収用に伴う移転補償金の受取り

㉕　為替差益

㉖　居住用マンションの貸付け

㉗　予約の取消しに伴うキャンセル料の受取り

㉘　住宅の貸付けに際し家賃とともに収受する共益費

㉙　個人事業者の事業用車両の自家用車への転用

㉚　土地売買契約に際しての手付金の受取り

(31) 個人事業者の事業用機械の売却

(32) 割引債の償還差益

(33) 受託販売に係る手数料の受取り

(34) 同業者団体の通常会費の受取り

(35) 役員に対する保養所の無償貸付け

(36) 賃借していた事務所の取壊しに際しての立退料の受取り

(37) 国際電話料金の受取り

(38) 旅館が収受する入湯税

(39) 人材派遣会社が収受する人材派遣料

(40) 外国人旅行者に対する飲食の提供

(41) プロ野球選手のテレビ出演

(42) 得意先への広告宣伝用資産の贈与

(43) 教科用図書の販売

(44) 機械購入目的の国庫補助金収入

(45) 葬儀社が収受する葬儀費用

(46) ハワイに所有するリゾートホテルの売却

(47) ゴルフ会員権の売却

(48) 公社債投資信託の収益分配金の受取り

(49) 土地の造成

(50) 使用人に対する保養所の低額貸付け

⇨解答：235ページ

問題 15　取引の分類（その2）　　　　　　　　　重要度 B

　次の取引を課税取引、非課税取引及び不課税取引に分類しなさい。ただし、特に記載のない取引については国内において法人が行ったものとする。また、商品には非課税に該当するものは含まれていない。

(1)　土地の貸付け（一時的に使用させるものではない。）

(2)　商品の販売

(3)　海外で購入した商品を海外で販売

(4)　事業用車両の売却

(5)　特許権（国外で登録）の貸付け

(6)　郵便局における郵便切手の販売

(7)　事業用資金取得のための個人事業者の生活用資産（クルーザー）の譲渡

(8)　個人事業者による事業の用に供している備品（非課税に該当するものではない。）の家事用への転用

(9)　自社役員に対する社宅の無償貸付け

(10)　商品券の譲渡

(11)　建物と建物の交換

(12)　商品の自社使用

(13)　保証債務の履行としての商品の譲渡

(14)　商品が盗難により滅失

(15)　商品が火災により滅失

(16)　銀行が受取る外国為替業務の手数料

(17)　個人事業者の商品の自家消費

(18)　利益の配当の受取り

(19)　公的な医療保障制度に係る医療

(20)　建物の火災保険金収入

(21)　法人の自社役員に対する商品の贈与

(22)　有償による会社の福利厚生施設の利用料収入

(23)　建物につき加えられた損害に伴う損害賠償金

(24)　地上権の設定に伴う対価の受取り

(25)　機械購入の為の国庫補助金収入

(26)　寄附金収入

(27)　土地の賃貸借契約による権利金（返還義務のないもの）収入

(28)　土地収用による対価補償金収入

(29) 個人事業者が入院に際し受け取った見舞金

(30) 建物（事務所用）の賃貸借契約による権利金（返還義務のないもの）の受取り

(31) 借家（事務所用）保証金（返還義務のないもの）の受取り

(32) 株式の売却

(33) 貸付金の利子の受取り

(34) 通常の組合費（組合の通常業務運営のため経常的に要する費用を賄うためのもの）

(35) 会費、組合費等のうち、実質的に講読料等と認められるもの

(36) 敷金（事務所用）で返還義務のあるものの受取り

(37) 売掛金のクレジット会社への譲渡

(38) 予約の取消しに伴って収受するキャンセル料

(39) 土地の仲介手数料収入

(40) 移転補償金の受取り

(41) 証券投資信託の収益分配金の受取り

(42) 銀行が受取る手形の割引料

(43) 人材派遣により収受する派遣料

(44) 不動産（事務所に係る部分）の明渡し遅滞により受け取る損害賠償金

(45) 前受金収入

(46) 割引国債の償還差益

(47) 社宅の貸付け

(48) 保険代理店報酬の受取り

(49) レジャー施設を会員に利用させるための入会金（返還を要しないもの）の受取り

(50) 従業員に支払う給与

⇨解答：236ページ

MEMO

第2章

納　税　義　務

I　原　則

1．国内取引

> 事業者は、国内において行った課税資産の譲渡等及び特定課税仕入れにつき、消費税を納める義務がある。

※1　留意点

　　上記の課税資産の譲渡等からは、特定資産の譲渡等を除く。

※2　特定課税仕入れ

　　課税仕入れのうち特定仕入れに該当するものをいう。

2．輸入取引

> 外国貨物を保税地域から引き取る者は、課税貨物につき、消費税を納める義務がある。

Ⅱ 免 除

1．基準期間

個人事業者	その年の前々年
法　　　人	その事業年度の前々事業年度
	前々事業年度が１年未満の場合は、その事業年度開始の日の２年前の日の前日から１年を経過する日までの間に開始した各事業年度を合わせた期間

2．基準期間における課税売上高

(1) 個人事業者及び基準期間が１年である法人

$$\underset{\text{課　税　売　上　高}}{\text{基準期間における}} = \underbrace{\underset{\text{対価の額の合計額}}{\text{課税資産の譲渡等の}} - \underset{\text{返還等の金額の合計額}}{\text{売上げに係る税抜対価の}}}_{\text{「残額」}}$$

(2) 基準期間が１年でない法人

$$\underset{\text{課　税　売　上　高}}{\text{基準期間における}} = \text{上記(1)の「残額」} \times \frac{12}{\text{基準期間の月数}}$$

（注）基準期間の月数

暦に従って計算し、１月未満は１月とする。

3．納税義務の判定

事業者のうち、その課税期間に係る基準期間における課税売上高が1,000万円以下である者（適格請求書発行事業者を除く。）については、国内取引の納税義務者の原則の規定にかかわらず、その課税期間中に国内において行った課税資産の譲渡等及び特定課税仕入れにつき、消費税を納める義務を免除する。

ただし、別段の定めがある場合は、この限りではない。

(1) 基準期間における課税売上高 ＞ 1,000万円　　∴　納税義務あり

(2) 基準期間における課税売上高 ≦ 1,000万円

　①　適格請求書発行事業者である　　∴　納税義務あり

　②　適格請求書発行事業者でない　　∴　納税義務なし

※　適格請求書発行事業者については第8章（インボイス制度）参照。

Ⅲ　免除の特例（その１）

1．前年等の課税売上高による特例

(1)　前年等の課税売上高による納税義務の免除の特例

> 個人事業者のその年又は法人のその事業年度の基準期間における課税売上高が1,000万円以下である場合（注）において、特定期間における課税売上高が1,000万円を超えるときは、その年又はその事業年度における課税資産の譲渡等及び特定課税仕入れについては、納税義務は免除されない。
>
> （注）課税事業者を選択している場合を除く。

(2)　納税義務の判定

特定期間における課税売上高	> 1,000万円	∴ 納税義務あり
	≦ 1,000万円	∴ 納税義務なし

　　特定期間における課税売上高による判定は、基準期間における課税売上高が1,000万円以下であり、課税事業者の選択を行っていない場合にのみ行うこととなる。

(3)　特定期間

個 人 事 業 者		その年の**前年１月１日から６月30日までの期間**
法人	**前事業年度が７月超**	その**前事業年度開始の日以後６月の期間**
	前事業年度が７月以下（※１）	その**前々事業年度**（※２）**開始の日以後６月の期間**（※３）

※１　短期事業年度という。

※２　基準期間に含まれるもの等を除く。

※３　その前々事業年度が６月以下の場合には、その前々事業年度開始の日からその終了の日までの期間。

(4)　特定期間における課税売上高

原　則	特定期間における課　税　売　上　高	＝	<u>国内課税資産の譲渡等の対価の額の合計額</u>	－	<u>売上げに係る税抜対価の返還等の金額の合計額</u>
				「残額」	
特　例	特定期間中に支払った支払明細書に記載すべき一定の給与等（所得税法第231①）の支払額を用いることができる。				

※　年換算等の調整はしないことに留意する。

※　令和６年10月１日以後に開始する課税期間から、国外事業者については、特定期間における課税売上高の判定を、給与等の支払額により行うことはできないこととされている。

| 問題 16 | 基準期間（その1） | 重要度 A |

×1年5月25日に事業を開始した個人事業者の当期（×3年1月1日〜×3年12月31日）の基準期間を答えなさい。

⇨解答：239ページ

| 問題 17 | 基準期間（その2） | 重要度 A |

×1年5月25日に事業を開始した法人の当期（×3年4月1日〜×4年3月31日）の基準期間を答えなさい。

ただし、この法人の事業年度は、設立初年度は×1年5月25日から×2年3月31日までであり、その後は毎年4月1日から翌年3月31日までである。

⇨解答：239ページ

| 問題 18 | 基準期間（その3） | 重要度 A |

次の法人の第30期及び第31期の基準期間を答えなさい。

	事　業　年　度
第23期	令和3年4月1日　〜　令和3年9月30日
第24期	令和3年10月1日　〜　令和4年3月31日
第25期	令和4年4月1日　〜　令和4年9月30日
第26期	令和4年10月1日　〜　令和5年3月31日
第27期	令和5年4月1日　〜　令和5年9月30日
第28期	令和5年10月1日　〜　令和6年3月31日
第29期	令和6年4月1日　〜　令和6年9月30日
第30期	令和6年10月1日　〜　令和7年3月31日
第31期	令和7年4月1日　〜　令和7年9月30日

⇨解答：239ページ

問 題 19　基準期間における課税売上高（その1）　重要度 A

　次の資料から、甲社の基準期間における課税売上高を計算しなさい。甲社は基準期間において課税事業者に該当しており、税込経理方式を採用している。

〔甲社の基準期間（令和5年4月1日から令和6年3月31日まで）の資料〕

(1)	国内課税売上高	33,643,500円
(2)	売上返還等	1,705,000円
(3)	貸倒損失	152,620円

⇨解答：239ページ

問 題 20　基準期間における課税売上高（その2）　重要度 A

　次の資料から、甲社の基準期間における課税売上高を計算しなさい。甲社は基準期間において課税事業者に該当しており、税込経理方式を採用している。

〔甲社の基準期間（令和5年4月1日から令和6年3月31日まで）の資料〕

(1)	国内課税売上高	203,649,000円
	うち、輸出取引に係るもの	3,000,000円
(2)	売上値引	1,333,000円
	うち、輸出取引に係るもの	200,000円
(3)	受取利息	860,000円
(4)	株式売却額	4,000,000円
(5)	駐車場使用料収入	3,600,000円
(6)	保養所使用料収入	2,400,000円
(7)	土地売却収入	85,000,000円
(8)	貸倒回収額	150,000円

⇨解答：239ページ

基準期間における課税売上高（その３）　　重 要 度　B

　次の資料から、甲社の当課税期間（令和７年４月１日から令和８年３月31日まで）に係る基準期間における課税売上高を計算しなさい。

　なお、甲社の令和４年11月11日以後に開始した各課税期間における総売上高、その他の取引の状況等は次のとおりであるが、いずれの課税期間とも消費税法第９条第１項（小規模事業者に係る納税義務の免除）の規定の適用はなかった。また、11月10日決算から３月31日決算への変更に伴い令和５年11月11日に開始した課税期間は令和６年３月31日で終了しており、「総売上高」及び「売上割戻」には、非課税取引に係るものは含まれていない。

〔資　料〕

	令和４年11月11日 〜令和５年11月10日	令和５年11月11日 〜令和６年３月31日	令和６年４月１日 〜令和７年３月31日
(1)　総売上高	109,557,000円	44,310,000円	120,382,000円
(2)　売上割戻	7,105,000円	2,200,000円	5,916,000円
(3)　株式売却額	2,400,000円	3,065,000円	2,514,000円
(4)　車両売却額 　　（下取り代金）	0円	150,000円	150,000円
(5)　テナントビル 　　賃貸料収入	2,520,000円	1,049,200円	2,520,000円
(6)　受取利息	247,000円	102,500円	193,000円

(7)　甲社は税込経理方式を採用している。

⇨解答：240ページ

基準期間における課税売上高（その４）　　重 要 度　B

　次の資料から、甲社の基準期間における課税売上高を計算しなさい。甲社は基準期間において課税事業者に該当しており、税込経理方式を採用している。

〔甲社の基準期間（令和５年４月１日から令和６年３月31日まで）の資料〕

（単位：円）

取引の状況	自令和５年４月１日 至令和６年３月31日
Ⅰ　資産の譲渡等の金額	88,008,000
Ⅰのうち飲食料品の譲渡に係るもの	5,508,000
Ⅱ　Ⅰの売上げに係る対価の返還等	2,396,400
Ⅱのうち飲食料品の譲渡に係るもの	86,400

⇨解答：240ページ

問 題 23 基準期間における課税売上高（その5）　　重要度 B

　次の各法人の基準期間と基準期間における課税売上高（(3)は特定期間における課税売上高を含む。）を答えなさい。なお、課税売上高は税抜金額である。また、所得税法施行規則第100条第1項第1号に規定する給与等の支払額を考慮する必要はなく、「消費税課税事業者選択届出書」の提出は行っていない。

(1) 甲社（資本金300万円により新たに設立された法人）の第5期及び第6期

	事　業　年　度	課税売上高
第1期	令和5．4．1〜令和5．9．30	5,000,000円
第2期	令和5．10．1〜令和6．3．31	6,000,000円
第3期	令和6．4．1〜令和6．9．30	6,500,000円
第4期	令和6．10．1〜令和7．3．31	7,000,000円
第5期	令和7．4．1〜令和7．9．30	10,400,000円
第6期	令和7．10．1〜令和8．3．31	10,700,000円

(2) 乙社（資本金300万円により新たに設立された法人）の第5期及び第6期

	事　業　年　度	課税売上高
第1期	令和5．1．1〜令和5．7．31	7,000,000円
第2期	令和5．8．1〜令和6．2．29	5,900,000円
第3期	令和6．3．1〜令和6．9．30	6,000,000円
第4期	令和6．10．1〜令和7．4．30	6,600,000円
第5期	令和7．5．1〜令和7．11．30	6,500,000円
第6期	令和7．12．1〜令和8．6．30	8,000,000円

(3) 丙社の第31期

	事　業　年　度	課税売上高
第29期	令和5．4．1〜令和6．3．31	9,500,000円
第30期	令和6．4．1〜令和7．3．31	25,000,000円
〃	（うち令和6．4．1〜令和6．9．30）	（11,000,000円）
第31期	令和7．4．1〜令和8．3．31	30,000,000円

⇨解答：241ページ

Ⅳ　免除の特例（その２）

1．相 続

(1) 相続があった年

前　提	(1)　相続人の基準期間における課税売上高（A）　≦　1,000万円
	(2)　相続人が課税事業者を選択していないこと
	(3)　相続人が前年等の課税売上高による特例の適用を受けないこと
要　件	被相続人の基準期間における課税売上高（B）　＞　1,000万円
結　論	相続人の相続のあった日の翌日からその年の12月31日までの間における課税資産の譲渡等及び特定課税仕入れについては、納税義務は免除されない。

(2) 相続があった年の翌年、翌々年

前　提	(1)　（A）　≦　1,000万円
	(2)　相続人が課税事業者を選択していないこと
	(3)　相続人が前年等の課税売上高による特例の適用を受けないこと
要　件	（A）　＋　（B）　＞　1,000万円
結　論	相続人のその年における課税資産の譲渡等及び特定課税仕入れについては、納税義務は免除されない。

(3) 相続があった場合の納税義務の判定

	×1 1/1	×2 1/1	×3 1/1　7/1	×4 1/1	×5 1/1	×6 1/1
相 続 人	A1	A2	A3	A4	A5	A6
被相続人	B1	B2	B3			

6/30
相続

① 相続があった年（A3）

相続があった日の前後に分けて判定

（1/1～相続があった日（6/30)・相続があった日の翌日（7/1）～12/31）

前：「相続人の基準期間」で判定

後：「被相続人（引き継いだ事業）の基準期間」で判定

② 翌年・翌々年 （A4・A5）

(イ)　「相続人の基準期間」で判定

(ロ)　「相続人の基準期間」＋「引き継いだ事業の基準期間」で判定

2．吸収合併

(1) 合併事業年度

前　提	(1)　合併法人の基準期間における課税売上高（**A**）　≦　1,000万円
	(2)　合併法人が課税事業者を選択していないこと
	(3)　合併法人が前年等の課税売上高による特例の適用を受けないこと
要　件	**基準期間に対応する期間**における被合併法人の課税売上高（**B**）　＞　1,000万円
結　論	合併法人の合併事業年度の合併があった日から合併事業年度終了の日までの間における課税資産の譲渡等及び特定課税仕入れについては、納税義務は免除されない。

(2) 合併事業年度後の事業年度

前　提	(1)　（**A**）　≦　1,000万円
	(2)　合併法人が課税事業者を選択していないこと
	(3)　合併法人が前年等の課税売上高による特例の適用を受けないこと
要　件	（**A**）　＋　（**B**）　＞　1,000万円
結　論	合併法人のその事業年度における課税資産の譲渡等及び特定課税仕入れについては、納税義務は免除されない。

(3) 吸収合併があった場合の納税義務の判定

	×1 4/1	×2 4/1	×3 4/1 合併 10/1	×4 4/1	×5 4/1	×6 4/1	×7 4/1
合併法人	A1	A2	A3	A4	A5	A6	
被合併法人	B1	B2	B3				

1/1　　　1/1　　　1/1　9/30

---

(1)　**合併事業年度（A3）**

　合併期日の前後に分けて判定

　（事業年度開始の日～合併日の前日（9/30）・合併日（10/1）～事業年度終了日）

　前：「合併法人の基準期間」で判定

　後：「基準期間に対応する期間＊」で判定

　　　（年換算）

　　＊　合併法人のその事業年度開始の日の2年前の日の前日から1年を経過する日までの間に終了した被合併法人の各事業年度

(2)　**合併事業年度後の事業年度（A4・A5）**

①　「合併法人の基準期間」で判定

②　「合併法人の基準期間」＋「基準期間に対応する期間＊」で判定

　　　　　（年換算）

　　　　　（注）B3については年換算後月数調整

      ＊　合併法人の**その事業年度の基準期間の初日**から１年を経過する日までの間に終了した被合併法人の各事業年度

(3)　**基準期間に対応する期間における課税売上高**

  ①　合併事業年度

$$
\text{基準期間に対応する期間の課税売上高} \times \frac{12}{\text{対応する期間の月数}} \text{（年換算）}
$$

  ②　翌事業年度

$$
\text{基準期間に対応する期間の課税売上高} \times \frac{12}{\text{対応する期間の月数}} \text{（年換算）}
$$

  ③　翌々事業年度

$$
\text{対応する期間の課税売上高} \times \frac{12}{\text{対応する期間の月数}} \times \frac{\text{基準期間の初日から合併の日の前日までの月数}}{\text{基準期間に含まれる事業年度の月数}}
$$

３．新設合併

(1)　合併事業年度

前　提	合併法人が課税事業者を選択していないこと
要　件	**基準期間に対応する期間**における被合併法人の課税売上高（**B**）の**いずれか**　＞　1,000万円
結　論	合併法人の合併事業年度における課税資産の譲渡等及び特定課税仕入れについては、納税義務は免除されない。

(2)　合併事業年度後の事業年度

前　提	(1)　合併法人の基準期間における課税売上高（A）　≦　1,000万円
	(2)　合併法人が課税事業者を選択していないこと
	(3)　合併法人が前年等の課税売上高による特例の適用を受けないこと
要　件	**基準期間がない場合**　（B）の合計額　＞　1,000万円
	基準期間がある場合　（A）＋（B）の合計額　＞　1,000万円
結　論	合併法人のその事業年度における課税資産の譲渡等及び特定課税仕入れについては、納税義務は免除されない。

(3) 新設合併があった場合の納税義務の判定

	×1 4/1	×2 4/1	×3 合併 4/1 10/1	×4 4/1	×5 4/1	×6 4/1	×7 4/1
被合併法人		A1	A2	A3	C1	C2	C3	C4	合併
被合併法人	B1	B2	B3					法人

1/1　　1/1　　1/1　　9/30

---

(1) **合併事業年度（C1）**

「基準期間に対応する期間*」のいずれかで判定

（年換算）

 ＊ 合併法人のその事業年度開始の日の2年前の日の前日から1年を経過する日までの間に終了した各被合併法人の各事業年度

(2) **合併事業年度後の事業年度**

① 基準期間がない場合（C2）

「基準期間に対応する期間*」の合計で判定

（年換算）

 ＊ 合併法人のその事業年度開始の日の2年前の日の前日から1年を経過する日までの間に終了した各被合併法人の各事業年度

② 基準期間がある場合（C3）

(イ) 「合併法人の基準期間」で判定

（年換算）

(ロ) 「合併法人の基準期間」＋「基準期間に対応する期間*」で判定

（実額）　　　　　　　　　（切り貼り計算）

 ＊ 合併法人のその事業年度開始の日の2年前の日の前日から1年を経過する日までの間に終了した各被合併法人の各事業年度

(3) **基準期間に対応する期間における課税売上高**

① 合併事業年度

$$各対応する期間の課税売上高 \times \frac{12}{対応する期間の月数}（年換算）$$

② 翌事業年度

$$各対応する期間の課税売上高 \times \frac{12}{各対応する期間の月数}（年換算）$$

※ 上記により計算したものを合計する。

③ 翌々事業年度

$$
\text{各対応する期間}_{\text{の課税売上高}} \times \frac{\text{その事業年度開始の日の2年前の}}{\text{各対応する期間の月数の合計数}}
$$

※ 各被合併法人の金額を上記算式で求め、「合併法人の基準期間における課税売上高」と合計する。

4．分割等

(1) 新設分割子法人

① 分割事業年度

前 提	新設分割子法人が課税事業者を選択していないこと
要 件	**基準期間に対応する期間**における 新設分割親法人の課税売上高（**B**）　＞　1,000万円
結 論	新設分割子法人の分割等があった日から分割事業年度終了の日までの間における課税資産の譲渡等及び特定課税仕入れについては、納税義務は免除されない。

② 分割事業年度の翌事業年度

前 提	(1) 新設分割子法人が課税事業者を選択していないこと (2) 新設分割子法人が前年等の課税売上高による特例の適用を受けないこと
要 件	（**B**）　＞　1,000万円
結 論	新設分割子法人のその事業年度における課税資産の譲渡等及び特定課税仕入れについては、納税義務は免除されない。

③ 分割事業年度の翌々事業年度以後

前 提	(1) 新設分割子法人の基準期間における課税売上高（**A**）≦ 1,000万円 (2) 新設分割子法人が課税事業者を選択していないこと (3) 新設分割子法人が前年等の課税売上高による特例の適用を受けないこと (4) 新設分割親法人が2以上ある場合を除く
要 件	(1) その事業年度の基準期間の末日に新設分割子法人が**特定要件※に該当** (2) （**A**）　＋　（**B**）　＞　1,000万円
結 論	新設分割子法人のその事業年度における課税資産の譲渡等及び特定課税仕入れについては、納税義務は免除されない。

※ 特定要件

新設分割子法人の発行済株式等の総数の50％超が新設分割親法人等の所有に属する場合であることをいう。

④　新設分割子法人の納税義務の判定

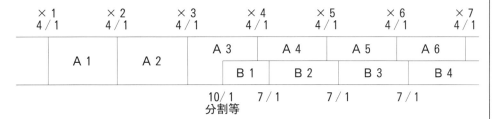

⑴　**分割事業年度（Ｂ１）**

「基準期間に対応する期間」で判定
（年換算）

＊　新設分割子法人のその事業年度開始の日の２年前の日の前日から１年を経過する日までの間に終了した新設分割親法人の各事業年度

⑵　**事業年度開始日前１年以内の分割（Ｂ２）**

「基準期間に対応する期間」で判定
（年換算）

＊　新設分割子法人のその事業年度開始の日の２年前の日の前日から１年を経過する日までの間に終了した新設分割親法人の各事業年度

⑶　**事業年度開始日前１年超の分割（Ｂ３〜）**

①　「新設分割子法人の基準期間」で判定
（年換算）

②　「新設分割子法人の基準期間」＋「基準期間に対応する期間」で判定
（年換算）　　　　　　　　　　　（年換算）

＊　新設分割子法人のその事業年度開始の日の２年前の日の前日から１年を経過する日までの間に開始した新設分割親法人の各事業年度

⑷　**基準期間に対応する期間における課税売上高**

①　分割事業年度

$$
対応する期間の課税売上高　\times　\frac{12}{対応する期間の月数}　（年換算）
$$

②　翌事業年度

$$
対応する期間の課税売上高　\times　\frac{12}{対応する期間の月数}　（年換算）
$$

③　翌々事業年度

$$
対応する期間の課税売上高　\times　\frac{12}{対応する期間の月数}　（年換算）
$$

※　特定事業年度中の分割等

(イ)　特定事業年度

　新設分割子法人のその事業年度開始の日の2年前の日の前日から1年を経過する日までの間に開始した新設分割親法人の各事業年度をいう。

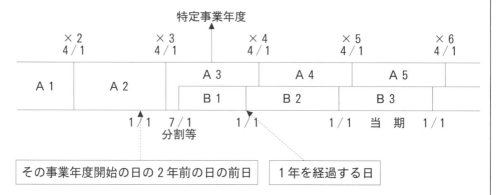

(ロ)　計算方法

(2)　**新設分割親法人**

前　提	(1)　新設分割親法人の基準期間における課税売上高（A）≦ 1,000万円	
	(2)　新設分割親法人が課税事業者を選択していないこと	
	(3)　新設分割親法人が前年等の課税売上高による特例の適用を受けないこと	
	(4)　新設分割親法人が2以上ある場合を除く	
要　件	(1)　その事業年度の基準期間の末日に新設分割子法人が**特定要件※に該当**	
	(2)　（A）＋ **基準期間に対応する期間**における新設分割子法人の課税売上高 ＞ 1,000万円	
結　論	新設分割親法人のその事業年度における課税資産の譲渡等及び特定課税仕入れについては、納税義務は免除されない。	

※　特定要件

　新設分割子法人の発行済株式等の総数の50%超が新設分割親法人等の所有に属する場合であることをいう。

① 分割等があった場合の納税義務の判定

	×1 4/1	×2 4/1	×3 4/1 分割等 ×	×4 4/1	×5 4/1	×6 4/1	×7 4/1
	A1	A2	A3	A4	A5	A6	
			B1	B2	B3	B4	
			10/1	7/1	7/1	7/1	

> (1) 「新設分割親法人の基準期間」で判定
>
> (2) 「新設分割親法人の基準期間」＋「基準期間に対応する期間*」で判定
>
> （年換算）
>
> （注）B1については年換算後月数調整
>
> ＊ 新設分割親法人のその事業年度開始の日の2年前の日の前日から1年を経過する日までの間に開始した新設分割子法人の各事業年度
>
> (3) 基準期間に対応する期間における課税売上高
>
> $$対応する期間の課税売上高 \times \frac{12}{対応する期間の月数}（年換算）$$

5．吸収分割（分割承継法人）

(1) 吸収分割事業年度

前 提	(1) 分割承継法人の基準期間における課税売上高（A） ≦ 1,000万円 (2) 分割承継法人が課税事業者を選択していないこと (3) 分割承継法人が前年等の課税売上高による特例の適用を受けないこと
要 件	基準期間に対応する期間における 分割法人の課税売上高（B） ＞ 1,000万円
結 論	分割承継法人の吸収分割があった日から吸収分割事業年度終了の日までの間における課税資産の譲渡等及び特定課税仕入れについては、納税義務は免除されない。

(2) 吸収分割事業年度の翌事業年度

前 提	(1) （A） ≦ 1,000万円 (2) 分割承継法人が課税事業者を選択していないこと (3) 分割承継法人が前年等の課税売上高による特例の適用を受けないこと
要 件	（B） ＞ 1,000万円
結 論	分割承継法人のその事業年度における課税資産の譲渡等及び特定課税仕入れについては、納税義務は免除されない。

(3) 分割承継法人の納税義務の判定

(1) 吸収分割事業年度（B4）

　　分割期日の前後に分けて判定

　　（事業年度開始の日〜分割日の前日（9/30）・分割日（10/1）〜事業年度終了の日）

　　前：「分割承継法人の基準期間」で判定

　　後：「分割承継法人の基準期間に対応する期間*」で判定

　　　　　　　　　　　　　（年換算）

　　　　＊　分割承継法人のその事業年度開始の日の2年前の日の前日から1年を経過する日までの間に終了した分割法人の各事業年度

(2) 吸収分割事業年度の翌事業年度（B5）

　　①　「分割承継法人の基準期間」で判定

　　②　「分割承継法人の基準期間に対応する期間*」で判定

　　　　　　　　　　　　　（年換算）

　　　　＊　分割承継法人のその事業年度開始の日の2年前の日の前日から1年を経過する日までの間に終了した分割法人の各事業年度

(3) 吸収分割事業年度の翌々事業年度以後（B6〜）

　　納税義務の免除の特例はない

(4) 基準期間に対応する期間における課税売上高

　　①　吸収分割事業年度

$$対応する期間の課税売上高 \times \frac{12}{対応する期間の月数}（年換算）$$

　　②　吸収分割事業年度の翌事業年度

$$対応する期間の課税売上高 \times \frac{12}{対応する期間の月数}（年換算）$$

※　吸収分割があった場合に、納税義務の免除の特例の規定があるのは分割承継法人のみであり分割法人については適用はない。

6．新設法人

(1) 新設法人の納税義務の免除の特例（法12の2①）

　消費税の納税義務は、基準期間における課税売上高により判定するのが原則である。したがって、新たに設立された法人の設立当初2年間については、基本的には基準期間が存在しないため納税義務が免除されることになる。

　しかしながら、設立当初からある程度の事業規模を有する法人の場合には、基準期間がない事業年度についても、納税義務を免除しないこととしている。

前　提	(1)　基準期間がないこと (2)　課税事業者を選択していないこと (3)　前年等の課税売上高による特例の適用を受けないこと (4)　新設合併、分割等の特例の適用を受けないこと
判　定	(1)　基準期間なし (2)　期首資本金額等　　○○○○円　≧　1,000万円　∴　納税義務あり 　　　　　　　　　　　○○○○円　＜　1,000万円　∴　納税義務なし
結　論	新設法人のその**基準期間がない事業年度に含まれる各課税期間**における課税資産の譲渡等及び特定課税仕入れについては、納税義務は免除されない。

(2) 調整対象固定資産の仕入れ等を行った場合（法12の2②）

要　件	(1)　新設法人が基準期間がない事業年度に含まれる各課税期間中に調整対象 　　　固定資産の仕入れ等を行っていること (2)　(1)の仕入れ等の課税期間における仕入税額控除は原則課税であること
結　論	その仕入れ等の日の属する課税期間からその課税期間の初日から3年を経過する日の属する課税期間までの各課税期間（注）における課税資産の譲渡等及び特定課税仕入れについては、納税義務は免除されない。 （注）その基準期間における課税売上高が1,000万円を超える課税期間、課税事業者の選択、前年等の課税売上高による特例、新設合併、分割等の特例、又は新設法人の特例の規定により納税義務が免除されないこととなる課税期間を除く。 　⇨　その仕入れ等の日の属する課税期間を含めた3年間は、課税事業者となる。

(3) 外国法人が国内において事業を開始した場合（法12の2③）

　その事業年度の基準期間がある外国法人が、その基準期間の末日の翌日以後に国内において課税資産の譲渡等に係る事業を開始した場合には、その事業年度については、基準期間がないものとみなすこととされている。

　※　この規定は、令和6年10月1日以後に開始する事業年度から適用される。

7．特定新規設立法人

(1) 特定新規設立法人の納税義務の免除の特例（法12の3①）

特定新規設立法人	その事業年度の基準期間がない法人で、その事業年度開始の日における資本金の額又は出資の金額が1,000万円未満の法人（新規設立法人）のうち、次の(1)、(2)のいずれにも該当するもの (1) その基準期間がない事業年度開始の日において、特定要件※1に該当すること (2) 特定要件に該当するかどうかの判定の基礎となった他の者（判定対象者）のその新規設立法人のその事業年度の基準期間に相当する期間※2における課税売上高が5億円を超えていること ＊ 令和6年10月1日以後に開始する事業年度から、5億円を超えていること又は売上金額、収入金額その他の収益の額の合計額が、国外におけるものも含め50億円を超えていること、が要件とされている。
結　論	特定新規設立法人の**基準期間がない事業年度に含まれる各課税期間**における課税資産の譲渡等及び特定課税仕入れについては、納税義務は免除されない。

※1　特定要件

　　　他の者によりその新規設立法人の株式等の50%超を直接又は間接に保有される場合など、他の者によりその新規設立法人が支配されている一定の場合であること。

※2　基準期間に相当する期間とは、新規設立法人の基準期間がない事業年度開始の日の2年前の日の前日から1年を経過する日までに終了した判定対象者の事業年度等をいう。

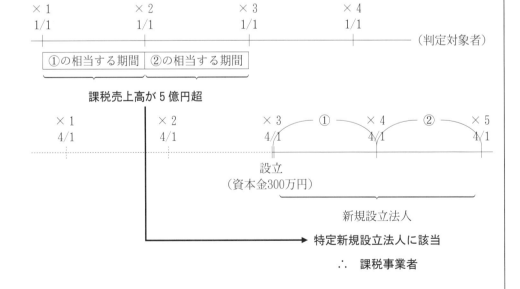

(2) 外国法人が国内において事業を開始した場合 （法12の3⑤）

　　その事業年度の基準期間がある外国法人が、その基準期間の末日の翌日以後に国内において課税資産の譲渡等に係る事業を開始した場合には、その事業年度については、基準期間がないものとみなすこととされている。

　※　この規定は、令和6年10月1日以後に開始する事業年度から適用される。

8．高額特定資産を取得した場合等の納税義務の免除の特例 （法12の4①）

　　課税事業者が簡易課税又は2割特例の適用を受けない課税期間中に高額特定資産の仕入れ等を行った場合（注1）には、次の日の属する課税期間の翌課税期間から、その仕入れ等の日の属する課税期間（注2）の初日以後3年を経過する日の属する課税期間までの各課税期間においては、納税義務は免除されず、簡易課税制度の適用もないこととなる。

　(1) 高額特定資産（(2)を除く。）

　　その仕入れ等を行った日

　(2) 自己建設高額特定資産

　　その仕入れを行った場合（注1）に該当することとなった日

　（注1）自己建設高額特定資産にあっては、その建設等に要した一定の費用の額の累計額が1,000万円以上となった場合

　（注2）自己建設高額特定資産にあっては、その建設等が完了した日の属する課税期間

前　提	(1) 納税義務の免除の適用を受けていない課税期間中に高額特定資産の仕入れ等を行っていること
	(2) (1)の仕入れ等の課税期間における仕入税額控除は原則課税であること
結　論	その仕入れ等の日の属する課税期間の翌課税期間から、その仕入れ等の日の属する課税期間の初日以後3年を経過する日の属する課税期間までの各課税期間については、納税義務は免除されない。
高額特定資産	一の取引単位につき、課税仕入れに係る支払対価の額（税抜）が1,000万円以上の棚卸資産又は調整対象固定資産をいう。
自己建設高額特定資産	他の者との契約に基づき、又はその事業者の棚卸資産若しくは調整対象固定資産として自ら建設等をした高額特定資産をいう。

　なお、高額特定資産に該当する棚卸資産等につき消費税法第36条《棚卸資産に係る消費税の調整》規定の適用を受けた場合も、高額特定資産の仕入れ等を行った場合の規定と同様に一定期間において事業者免税点制度の適用又は簡易課税制度の適用をさせないこととされている。

※　高額特定資産を取得した場合等の納税義務の免除の特例について、令和6年4月1日以後に行う課税仕入れ等から、その課税期間に行った金もしくはプラチナの地金等の取得（金地金等の仕入れ等）の金額の合計額（年額）が税抜200万円以上である場合を対象に加えることとされている。

　　また、この金地金等の仕入れ等については、棚卸資産に係る消費税額の加算調整を受ける場合を含む。

問 題 24 相 続　　　　　　　　　重要度 A

　次の資料により、相続人の×3年から×5年までの課税期間における納税義務の有無を判定しなさい。

〔資 料〕

(1) 相続人は、×3年4月30日の被相続人の死亡によりその事業を承継した。

(2) 相続人は適格請求書発行事業者ではなく、登録予定もないものとする。

(3) 「課税事業者の選択」、「特定期間」及び「高額特定資産」について考慮する必要はない。

(4) 相続人及び被相続人の各課税期間の課税売上高（税抜金額）は、次のとおりである。

課 税 期 間	相 続 人	被 相 続 人
×1年1月1日～×1年12月31日	9,000,000円	11,000,000円
×2年1月1日～×2年12月31日	8,000,000円	10,100,000円
×3年1月1日～×3年12月31日	10,000,000円	4,000,000円
×4年1月1日～×4年12月31日	12,000,000円	－
×5年1月1日～×5年12月31日	14,000,000円	－

⇨解答：242ページ

次の資料により、合併法人Ａ社（×３年10月１日に法人Ｂ社を吸収合併）のＡ３からＡ５まで
の課税期間における納税義務の有無を判定しなさい。

〔資　料〕

(1)　Ａ社は、適格請求書発行事業者ではなく、登録予定もないものとする。

(2)　「課税事業者の選択」、「特定期間」及び「高額特定資産」について考慮する必要はない。

(3)　Ａ社及びＢ社の各課税期間の課税売上高（税抜金額）は、次のとおりである。

合　併　法　人　　Ａ　　社	
課　税　期　間	課　税　売　上　高
Ａ１　×１.４.１ ～　×２.３.31	10,000,000円
Ａ２　×２.４.１ ～　×３.３.31	8,800,000円
Ａ３　×３.４.１ ～　×３.９.30	3,500,000円
Ａ３　×３.10.１ ～　×４.３.31	6,500,000円
Ａ４　×４.４.１ ～　×５.３.31	10,500,000円
Ａ５　×５.４.１ ～　×６.３.31	11,000,000円

被　合　併　法　人　　Ｂ　　社	
課　税　期　間	課　税　売　上　高
Ｂ１　×１.１.１ ～　×１.12.31	11,400,000円
Ｂ２　×２.１.１ ～　×２.12.31	9,000,000円
Ｂ３　×３.１.１ ～　×３.９.30	4,500,000円

⇨解答：243ページ

問 題 26　吸収合併（その2）　　　　　　　　　　　重 要 度　B

　次の資料により、A社のA3年度からA5年度までの各課税期間における納税義務の有無を判定しなさい。

〔資 料〕

(1)　×4年1月1日にA社はB社を吸収合併した。

(2)　A社は、適格請求書発行事業者ではなく、登録予定もないものとする。

(3)　「課税事業者の選択」、「特定期間」及び「高額特定資産」について考慮する必要はない。

(4)　A社及びB社の各課税期間における課税売上高（税抜金額）は、次のとおりである。

A	社
課　税　期　間	課 税 売 上 高
A1年度　×1.4.1 ～ ×2.3.31	10,000,000円
A2年度　×2.4.1 ～ ×3.3.31	9,380,000円
A3年度　×3.4.1 ～ ×3.12.31	5,000,000円
〃　　　×4.1.1 ～ ×4.3.31	3,000,000円
A4年度　×4.4.1 ～ ×5.3.31	10,800,000円
A5年度　×5.4.1 ～ ×6.3.31	13,000,000円

B	社
課　税　期　間	課 税 売 上 高
B1年度　×0.7.1 ～ ×1.6.30	10,380,000円
B2年度　×1.7.1 ～ ×2.6.30	10,620,000円
B3年度　×2.7.1 ～ ×3.6.30	10,000,000円
B4年度　×3.7.1 ～ ×3.12.31	5,660,000円

⇨解答：243ページ

第2章

納税義務

　次の資料により、合併法人Ｃ社のＣ１からＣ３までの各課税期間における納税義務の有無を判定しなさい。

〔資　料〕

(1)　Ｃ社は×４年７月１日にＡ社とＢ社の合併により資本金1,000万円で設立された法人である。

(2)　Ｃ社は、適格請求書発行事業者ではなく、登録予定もないものとする。

(3)　「課税事業者の選択」及び「特定期間」について考慮する必要はない。

(4)　Ａ社、Ｂ社及びＣ社の各課税期間における課税売上高（税抜金額）は、次のとおりである。

被 合 併 法 人　Ａ 社	
課　税　期　間	課　税　売　上　高
Ａ１　×２.１.１ ～ ×２.12.31	7,800,000円
Ａ２　×３.１.１ ～ ×３.12.31	8,400,000円
Ａ３　×４.１.１ ～ ×４.６.30	2,010,000円

被 合 併 法 人　Ｂ 社	
課　税　期　間	課　税　売　上　高
Ｂ１　×１.７.１ ～ ×２.６.30	10,200,000円
Ｂ２　×２.７.１ ～ ×３.６.30	10,800,000円
Ｂ３　×３.７.１ ～ ×４.６.30	9,180,000円

合 併 法 人　Ｃ 社	
課　税　期　間	課　税　売　上　高
Ｃ１　×４.７.１ ～ ×５.３.31	7,470,000円
Ｃ２　×５.４.１ ～ ×６.３.31	15,000,000円
Ｃ３　×６.４.１ ～ ×７.３.31	20,000,000円

⇨解答：245ページ

問 題 28 新設合併（その２）

重 要 度 C

次の資料により、C社のC１年度からC３年度までの各課税期間における納税義務の有無を判定しなさい。

〔資 料〕

(1) C社は×４年10月１日にA社とB社の合併により資本金600万円で設立された法人である。

(2) C社は、適格請求書発行事業者ではなく、登録予定もないものとする。

(3) 「課税事業者の選択」、「特定期間」、「新設法人」及び「特定新規設立法人」について考慮する必要はない。

(4) A社、B社及びC社の各課税期間における課税売上高（税抜金額）は、次のとおりである。

A	社
課 税 期 間	課 税 売 上 高
A１年度 ×２.４.１ ～ ×３.３.31	4,800,000円
A２年度 ×３.４.１ ～ ×４.３.31	5,100,000円
A３年度 ×４.４.１ ～ ×４.９.30	3,000,000円

B	社
課 税 期 間	課 税 売 上 高
B１年度 ×１.７.１ ～ ×２.６.30	4,900,000円
B２年度 ×２.７.１ ～ ×３.６.30	5,400,000円
B３年度 ×３.７.１ ～ ×４.６.30	5,625,000円
B４年度 ×４.７.１ ～ ×４.９.30	3,600,000円

C	社
課 税 期 間	課 税 売 上 高
C１年度 ×４.10.１ ～ ×５.３.31	4,980,000円
C２年度 ×５.４.１ ～ ×６.３.31	10,300,000円
C３年度 ×６.４.１ ～ ×７.３.31	12,000,000円

⇨解答：246ページ

第2章

納税義務

次の資料により、A社のA5からA6まで及びB社のB1からB3までの各課税期間における納税義務の有無を判定しなさい。

〔資　料〕

⑴　A社は×3年6月1日に、現物出資により100％子会社B社を設立した。

⑵　A社及びB社は、適格請求書発行事業者ではなく、登録予定もないものとする。

⑶　「課税事業者の選択」、「特定期間」、「新設法人」、「特定新規設立法人」及び「高額特定資産」について考慮する必要はない。

⑷　B社の事業内容はA社の事業と同種のものである。

⑸　A社及びB社の各課税期間における課税売上高（税抜金額）は、次のとおりである。

A	社	
課　税　期　間	課税売上高	
A1年度	×1. 1. 1 ～ ×1.12.31	10,920,000円
A2年度	×2. 1. 1 ～ ×2.12.31	9,960,000円
A3年度	×3. 1. 1 ～ ×3.12.31	7,000,000円
A4年度	×4. 1. 1 ～ ×4.12.31	7,500,000円
A5年度	×5. 1. 1 ～ ×5.12.31	8,000,000円
A6年度	×6. 1. 1 ～ ×6.12.31	8,500,000円

B	社	
課　税　期　間	課税売上高	
B1年度	×3. 6. 1 ～ ×4. 3.31	3,000,000円
B2年度	×4. 4. 1 ～ ×5. 3.31	4,800,000円
B3年度	×5. 4. 1 ～ ×6. 3.31	4,500,000円
B4年度	×6. 4. 1 ～ ×7. 3.31	5,000,000円

⇨解答：247ページ

| 問 題 30 | 新設分割（その2） | 重 要 度 | C |

A社は×3年4月1日に、現物出資により100%子会社B社を設立した。子会社B社の事業内容はA社の事業と同種のものであり、B社株式は設立後×7年9月30日まで継続してA社がその100%を所有している。なお、A社及びB社は適格請求書発行事業者ではない。また、「課税事業者の選択」、「特定期間」、「新設法人」、「特定新規設立法人」及び「高額特定資産」について考慮する必要はない。

A社のA3年度からA7年度までの各課税期間及びB1年度からB5年度までの各課税期間におけるそれぞれの納税義務の有無を判定しなさい。

A社及びB社の各課税期間における課税売上高（税抜金額）は次のとおりである。

A	社	
課 税 期 間	課 税 売 上 高	
A1年度	×1.1.1 ～ ×1.12.31	9,900,000円
A2年度	×2.1.1 ～ ×2.12.31	10,400,000円
A3年度	×3.1.1 ～ ×3.12.31	7,020,000円
A4年度	×4.1.1 ～ ×4.12.31	6,600,000円
A5年度	×5.1.1 ～ ×5.12.31	7,200,000円
A6年度	×6.1.1 ～ ×6.12.31	4,000,000円
A7年度	×7.1.1 ～ ×7.12.31	10,000,000円

B	社	
課 税 期 間	課 税 売 上 高	
B1年度	×3.4.1 ～ ×3.9.30	4,500,000円
B2年度	×3.10.1 ～ ×4.9.30	5,040,000円
B3年度	×4.10.1 ～ ×5.9.30	6,000,000円
B4年度	×5.10.1 ～ ×6.9.30	6,960,000円
B5年度	×6.10.1 ～ ×7.9.30	7,980,000円

⇨解答：248ページ

次の資料により、A社のA３からA５まで及びB社のB１からB３までの各課税期間における納税義務の有無を判定しなさい。

〔資　料〕

⑴　A社は令和３年１月１日に金銭出資により設立された株式会社であるが、令和５年７月１日に営業の一部を分割し、株式会社B社を設立（消費税法第12条第７項第１号に規定する「新設分割」に該当する。）している。なお、A社及びB社の資本金はそれぞれ5,000万円及び1,000万円であり、その後増資等による変更は行われていない。

⑵　A社はB社株式の100％を保有しており、両社は同種の事業を営んでいる。

⑶　A社、B社ともに適格請求書発行事業者ではない。

⑷　A社、B社ともに消費税課税事業者選択届出書は提出していない。

⑸　A社、B社ともに会計帳簿における経理は、すべて消費税込みの金額により処理している。

⑹　A社、B社ともに調整対象固定資産及び高額特定資産に該当する資産の購入は行っていない。

⑺　A社及びB社の各事業年度における課税売上高（輸出取引等に係るものは含まれていない。）は次のとおりである。

⑻　A社、B社ともに所得税法施行規則第100条第１項第１号に規定する給与等の支払額を考慮する必要はない。

A		社	
課　税　期　間	課 税 売 上 高	左記のうち1.1〜6.30の課税売上高	
A１年度　令和３.１.１ 〜 令和３.12.31	10,560,000円	5,562,000円	
A２年度　令和４.１.１ 〜 　4.12.31	10,758,000円	5,555,000円	
A３年度　令和５.１.１ 〜 　5.12.31	9,700,000円	5,145,000円	
A４年度　令和６.１.１ 〜 　6.12.31	8,190,000円	4,000,000円	
A５年度　令和７.１.１ 〜 　7.12.31	12,600,000円	7,128,000円	

B		社	
課　税　期　間	課 税 売 上 高	左記のうち4.1〜9.30（※）の課税売上高	
B１年度　令和５.７.１ 〜 　6.３.31	2,970,000円	1,925,000円	
B２年度　令和６.４.１ 〜 　7.３.31	5,900,000円	3,300,000円	
B３年度　令和７.４.１ 〜 　8.３.31	14,490,000円	8,607,600円	

（※）　B１年度については7.1〜12.31

⇨解答：250ページ

　次の資料により、B社のB4年度からB6年度までの各課税期間におけるそれぞれの納税義務の有無を判定しなさい。

〔資　料〕

⑴　B社は×4年10月1日に、A社の営業を吸収分割により承継している。

⑵　B社は、適格請求書発行事業者ではなく、登録予定もないものとする。

⑶　「課税事業者の選択」、「特定期間」及び「高額特定資産」について考慮する必要はない。

⑷　A社及びB社の各課税期間における課税売上高（税抜金額）は、次のとおりである。

A	社
課　税　期　間	課　税　売　上　高
A1年度　×1.4.1 ～ ×2.3.31	12,000,000円
A2年度　×2.4.1 ～ ×3.3.31	11,520,000円
A3年度　×3.4.1 ～ ×4.3.31	9,900,000円
A4年度　×4.4.1 ～ ×5.3.31	9,300,000円
A5年度　×5.4.1 ～ ×6.3.31	7,600,000円
A6年度　×6.4.1 ～ ×7.3.31	8,000,000円

B	社
課　税　期　間	課　税　売　上　高
B1年度　×1.1.1 ～ ×1.12.31	7,500,000円
B2年度　×2.1.1 ～ ×2.12.31	8,500,000円
B3年度　×3.1.1 ～ ×3.12.31	8,600,000円
B4年度　×4.1.1 ～ ×4.12.31	10,000,000円
B5年度　×5.1.1 ～ ×5.12.31	10,300,000円
B6年度　×6.1.1 ～ ×6.12.31	10,800,000円

⇨解答：251ページ

第2章

納税義務

【問1】

　A社は令和4年11月12日に、資本金1,000万円により新たに設立された法人（新設合併又は分割等により設立されたものではない。）である。

　この場合において、A社のA1年度からA4年度までの各課税期間における納税義務の有無を判定しなさい。なお、A社は、適格請求書発行事業者ではなく、「課税事業者の選択」及び「特定期間」について考慮する必要はない。また、調整対象固定資産及び高額特定資産に該当する資産の購入は行っていない。

　A社の各課税期間における課税売上高（税抜金額）は次のとおりである。

A	社
課　税　期　間	課　税　売　上　高
A1年度　R4.11.12　～　R5.3.31	3,800,000円
A2年度　R5.4.1　～　R6.3.31	13,000,000円
A3年度　R6.4.1　～　R7.3.31	－
A4年度　R7.4.1　～　R8.3.31	－

【問2】

　B社は令和5年11月1日に、資本金2,000万円により新たに設立された法人（新設合併又は分割等により設立されたものではない。）である。

　この場合において、B社のB1年度からB3年度までの各課税期間における納税義務の有無を判定しなさい。なお、B社は、適格請求書発行事業者ではなく、「課税事業者の選択」及び「特定期間」並びに「簡易課税制度」について考慮する必要はない。

　B社の各課税期間における課税売上高（税抜金額）は次のとおりである。

B	社
課　税　期　間	課　税　売　上　高
B1年度　R5.11.1　～　R6.3.31※	1,600,000円
B2年度　R6.4.1　～　R7.3.31	5,500,000円
B3年度　R7.4.1　～　R8.3.31	－

※　B1年度において国内の事業者から営業用車両（調整対象固定資産に該当するものであり、取得年月日は令和6年2月10日である。）を購入している。

⇒解答：252ページ

問題 34　特定新規設立法人　　重要度 B

A社は、令和7年4月1日に、資本金300万円でB社により新たに設立された法人（新設合併又は分割等により設立されたものではない。）であり、B社はA社株式の100%を保有している。

この場合において、A社のA1年度からA3年度までの各課税期間における納税義務の有無を判定しなさい。なお、A社は、適格請求書発行事業者ではなく、「課税事業者の選択」及び「特定期間」について考慮する必要はない。また、A社は調整対象固定資産及び高額特定資産に該当する資産の購入は行っていない。

A社及びB社の各課税期間における課税売上高（税抜金額）は次のとおりである。

A	社
課　税　期　間	課税売上高
A1年度　R7.4.1～R8.3.31	4,500,000円
A2年度　R8.4.1～R9.3.31	－
A3年度　R9.4.1～R10.3.31	－

B	社
課　税　期　間	課税売上高
B1年度　R4.10.1～R5.9.30	525,000,000円
B2年度　R5.10.1～R6.9.30	510,000,000円
B3年度　R6.10.1～R7.9.30	540,000,000円
B4年度　R7.10.1～R8.9.30	－

⇨解答：254ページ

　A社は平成28年4月1日に、資本金1,000万円により新たに設立された法人（新設合併又は分割等により設立されたものではない。）であり、前課税期間まで継続して課税事業者に該当している。

　この場合において、A社の当課税期間（A10年度）における納税義務の有無を判定しなさい。

　なお、A社は、適格請求書発行事業者ではなく、消費税課税事業者選択届出書及び消費税簡易課税制度選択届出書を提出したことはない。

　A社の各課税期間における課税売上高（税抜金額）は次のとおりである。

A	社	
課 税 期 間	課税売上高	
A 8年度　R 5 . 4 . 1～R 6 . 3 . 31	8,800,000円	
A 9年度　R 6 . 4 . 1～R 7 . 3 . 31	9,500,000円 （4,650,000円）	
A10年度　R 7 . 4 . 1～R 8 . 3 . 31	―	

※　カッコ内の金額（内書）は、令和6年4月1日から9月30日までの期間に係るものであり、同期間の給与等の支払額は1,500,000円である。

※　A9年度において国内の事業者から建物（税抜16,000,000円であり、取得年月日は令和6年5月1日である。）を購入している。

⇨解答：254ページ

第3章

資産の譲渡等の時期

Ⅰ 原　則

◆　資産の譲渡等の時期の原則

資産の譲渡等の時期の原則は、引渡しの日である。（＝引渡基準）

◆　取引ごとの資産の譲渡等の時期

取　引　の　態　様		譲　渡　等　の　時　期　の　原　則
(1)	通常の棚卸資産の販売	その引渡しの日
(2)	試用販売	購入の意思表示があった日
(3)	委託販売	受託者がその委託品を販売した日 ただし、売上計算書が一月を超えない一定期間ごとに送付されている場合には、その売上計算書が到着した日
(4)	固定資産の譲渡	その引渡しの日
(5)請負	物を引き渡すもの	その目的物の全部を完成し相手方に引き渡した日
	物を引き渡さないもの	その約した役務の提供を完了した日
(6)	工業所有権等の譲渡	その契約の効力発生の日
(7)資産の貸付け	契約等により支払日が定められているもの	その支払日
	契約等により支払日が定められていないもの	その支払いを受けた日（請求があったときに支払うこととされているものは、その請求日）
(8)	人的役務の提供（請負を除く）	その人的役務の提供を完了した日
(9)	物品切手等と引替給付する場合	その給付又は提供を行った日
(10)	返還を要しない部分の保証金等	その要しないこととなった日
(11)	前払金・仮受金	現実に資産の譲渡等を行った日

Ⅱ　特　例

1．リース譲渡に係る資産の譲渡等の時期の特例

(1)　適用要件

　　　リース譲渡とは、所得税法又は法人税法に規定するリース取引（ファイナンス・リースによる資産の引渡し）をいう。

適用要件	①　リース譲渡を行っていること。 ②　リース譲渡に係る対価の額につき、所得税法又は法人税法に規定する「延払基準」の方法により経理することとしていること。 ③　この規定の適用を受ける旨を申告書に付記していること。

(2)　計算パターン（原則）

　　① 引渡しの課税期間

$$売上計上額 = \begin{matrix}その課税期間に\\引き渡した資産の対価\end{matrix} - \begin{matrix}うちその課税期間の\\支払期日未到来額\end{matrix} + \begin{matrix}未到来部分のうち既に\\支払いを受けた金額\end{matrix}$$

　　② 引渡しの課税期間後の課税期間

$$売上計上額 = \begin{matrix}その課税期間の\\支払期日到来額\end{matrix} - \begin{matrix}うち前課税期間以前\\に支払いを受けた金額\end{matrix} + \begin{matrix}未到来部分のうち既に\\支払いを受けた金額\end{matrix}$$

　　③ 延払基準が不適用となる場合等

$$売上計上額 = 引き渡した資産の対価 - 既に売上計上済の金額$$

◆　適用要件

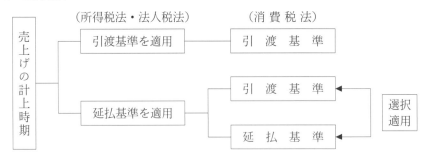

【設例】

　当社は、当期に機械（リース資産）につきリース譲渡を行った。×1事業年度～×3事業年度において、売上計上する金額を求めなさい。

　なお、当社は、法人税法に規定する延払基準の方法により経理することとしている。

　また、与えられた金額はすべて税抜金額とする。

譲渡価額：26,000千円

引渡日　：×1.8.31

回収方法：×1.8.31を初回に毎月末日 1,000千円の26回均等払い

回収状況：㋑×2.4.30に回収期日が到来する賦払金につき×2.3.31に支払いを受けている。

　　　　　㋺×3.3.31に回収期日が到来する賦払金につき×3.4.30に支払いを受けている。

〈解　説〉

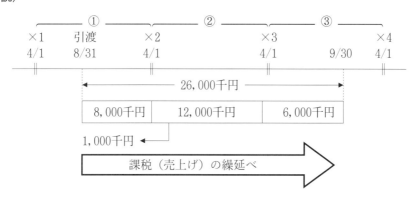

原　　　則① 　×1事業年度　26,000千円

（引渡基準）

特　　　例① 　×1事業年度　8,000千円＋1,000千円＝9,000千円
　　　　　　　　　　　　　　　　　　　 ×2.4月分

（延払基準）

　　　　② 　×2事業年度　12,000千円－1,000千円＝11,000千円
　　　　　　　　　　　　　　　　　　　 ×2.4月分
　　　　　　　　　　　　　　　　　　（前期回収分）

　　　　③ 　×3事業年度　6,000千円

〈計算のイメージ〉

回収期限到来基準
＋
現金基準
（期日前回収を調整）

　回収状況の㋑は、回収期限到来前の代金受領（期日前回収）であり、受領時に売上を計上しているため、回収期限到来時には、売上計上しない。

　また、回収期限到来時に代金が受領できない場合（回収状況の㋺）は、回収期限到来時点で売上計上する。

2．工事の請負に係る資産の譲渡等の時期の特例

(1) 意　義

長期大規模工事	①　工事の着手の日からその工事に係る契約において定められている目的物の引渡しの期日までの期間が１年以上であること。 ②　請負対価の額が10億円以上であること。 ③　その工事に係る契約において、その請負の対価の額の２分の１超が、その工事の目的物の引渡しの期日から１年以内に支払われることが定められているものであること。
工　　　　　事	上記の「長期大規模工事」以外の工事で、その着工した年（事業年度）中に、その目的物の引渡しが行われないものをいう。

(2) 適用要件

長期大規模工事	①　事業者が「長期大規模工事の請負に係る契約」に基づき資産の譲渡等を行っていること。 ②　長期大規模工事の目的物につき、「所得税法」又は「法人税法」上の「工事進行基準」の方法により計算していること。 ③　この規定の適用を受ける旨を申告書に付記していること。
工　　　　　事	①　事業者が「工事の請負に係る契約」に基づき資産の譲渡等を行っていること。 ②　工事の目的物につき、「所得税法」又は「法人税法」上の「工事進行基準」の方法により経理することとしていること。 ③　この規定の適用を受ける旨を申告書に付記していること。

(3) 計算パターン

①　着工の課税期間から引渡し直前の課税期間まで

$$売上計上額 = 当課税期間末の工事請負対価の額 \times \frac{着工から当課税期間までの実際工事原価累計額}{当課税期間末見積工事原価} - 前課税期間までに売上計上済の金額$$

②　完成引渡しの課税期間

$$売上計上額 = 確定した工事請負対価の額 - 前課税期間までに売上計上済の金額$$

③　工事進行基準が不適用となる場合

$$売上計上額 = 工事の請負対価の額 - 不適用となるまでに売上計上済の金額$$

◆　適用要件

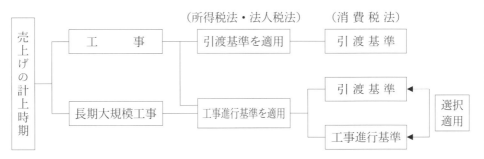

【設例】

当社は、次の工事の請負（特定工事に該当する。）を行っている。×1事業年度～×3事業年度に売上計上する金額を求めなさい。

なお、当社は、法人税法に規定する工事進行基準の方法により経理することとしている。

また、与えられた金額はすべて税抜金額とする。

請 負 金 額：100,000千円

契　　約　　日：×1.6.10

着　　工　　日：×1.7.10

引　　渡　　日：×3.12.1

見積工事原価：80,000千円

実際工事原価：×1期（10,000千円）×2期（50,000千円）×3期（20,000千円）

〈解　説〉

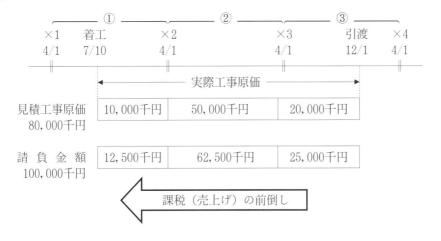

原　　　則　③　×3事業年度

（引渡基準）　　100,000千円

特　　　例　①　×1事業年度

（工事進行基準）　$100,000千円 \times \dfrac{10,000千円}{80,000千円} = 12,500千円$

②　×2事業年度

$100,000千円 \times \dfrac{10,000千円 + 50,000千円}{80,000千円} - ①$

$= 62,500千円$

③　×3事業年度

$100,000千円 - （　① + ②　） = 25,000千円$

第4章

課 税 標 準

課 税 標 準

1．原 則

⑴ 課税資産の譲渡等に係る消費税の課税標準

課税資産の譲渡等の対価の額とする。

※1 留意点

上記の課税資産の譲渡等からは、特定資産の譲渡等を除く。

※2 対価の額

対 価 の 額	対価として収受し、又は収受すべき一切の金銭又は金銭以外の物、権利その他経済的な利益の額とする。 つまり、課税資産の譲渡等を行った場合の当該課税資産等の価額をいうのではなく、その譲渡等に係る当事者間で授受することとした金額をいう。
税 抜 価 額	対価の額には、課税資産の譲渡等につき課されるべき消費税額及びその消費税額を課税標準として課されるべき地方消費税額に相当する額を含まないものとする。
金銭以外の物・経済的利益の額	金銭以外の物、権利その他経済的な利益の額は、その物、権利を取得し又はその利益を享受する時における価額とする。

⑵ 特定課税仕入れに係る消費税の課税標準

特定課税仕入れに係る支払対価の額とする。
XXX,XXX円 → XXX,000円（千円未満切捨）

※ 次の課税期間においては、当分の間、「特定課税仕入れ」はなかったものとして消費税法を適用する。

① 課税売上割合が95％以上の場合の原則課税である課税期間

② 簡易課税である課税期間

③ 2割特例（第8章（インボイス制度）参照）の適用を受ける課税期間

2．低額譲渡

⑴ 意 義

法人が資産をその役員に対して著しく低い価額で譲渡することをいう。

⑵ 対価の額とみなされる金額

譲渡の時における譲渡資産の価額に相当する金額

(3) 低額譲渡に該当するか否かの判定

① 棚卸資産以外の資産の場合	時価 × 50% ＞ 譲渡金額
② 棚卸資産の場合	時価 × 50% ＞ 譲渡金額 又は 仕入価額（注）＞ 譲渡金額

（注）製品の場合には、製造原価のうち課税仕入れからなる金額

3．みなし譲渡

(1) 意　義

個　人	個人事業者が棚卸資産又は棚卸資産以外の事業用資産を家事のために消費又は使用した場合におけるその消費又は使用
法　人	法人が資産をその役員に対して贈与した場合におけるその贈与

(2) 対価の額とみなされる金額

個　人	その消費又は使用の時の資産の価額に相当する金額
法　人	その贈与時の資産の価額に相当する金額

4．一定の行為に係る対価の額

(1) 代物弁済

① 意　義

債務者が債権者の承諾を得て、約定されていた弁済の手段に代えて他の給付をもって弁済する場合の資産の譲渡をいう。

② 対価の額

代物弁済により消滅する債務の額（ ＋ 受け取った金銭 － 支払った金銭）

(2) 負担付き贈与

① 意　義

その贈与に係る受贈者に一定の給付をする義務を負担させる資産の贈与をいう。

② 対価の額

負担付き贈与に係る負担の価額

(3) 金銭以外の資産の出資（現物出資）

対価の額 ＝ 出資により取得する株式の取得時の価額

(4) 資産の交換

① 金銭の授受がない場合

> 対価の額 = 交換取得資産の取得時の価額

② 金銭を受け取る場合

> 対価の額 = 交換取得資産の取得時の価額 + 受け取った金銭の額

③ 金銭を支払う場合

> 対価の額 = 交換取得資産の取得時の価額 − 支払った金銭の額

※ 交換の場合には、売上げと同時に仕入れが発生する。

(5) 特定受益証券発行信託又は法人課税信託の委託者が金銭以外の資産の信託をした場合の資産の移転等

> 対価の額 = 資産の移転等の時における価額

(6) 一括譲渡

① 意 義

> 課税資産、軽減対象課税資産及び非課税資産のうち異なる2以上の資産を同一の者に対して同時に譲渡した場合をいう。

② 対価の額の計算

> 譲渡対価の額が各資産ごとに合理的に区分されていない場合には、各資産の価額の割合に応じて課税標準を計算する。(時価の比で按分)

◆ 未経過固定資産税等

固定資産税、自動車税等の課税の対象となる資産の譲渡に伴う、固定資産税等のその未経過分に相当する金額は、その資産の譲渡の金額に含まれる。

(例) 建物の売却代金 50,300,000円の中には、未経過固定資産税が 300,000円含まれている。

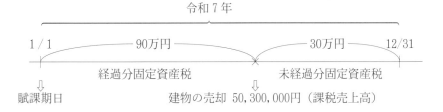

◆ **個別消費税**

　課税資産の譲渡等の対価の額には、酒税、たばこ税、揮発油税、石油石炭税、石油ガス税等が含まれるが、軽油引取税、ゴルフ場利用税及び入湯税は、利用者等が納税義務者となっているのであるから対価の額に含まれないことに留意する。

　ただし、その税額に相当する金額について明確に区分されていない場合は、対価の額に含むものとする。

酒税、たばこ税、石油石炭税等（区分されていないもの）	課税資産の譲渡等の対価の額に含まれる
ゴルフ場利用税、入湯税等（区分されているもの）	課税資産の譲渡等の対価の額に含まれない

◆ **下取り**

　資産の下取りを行った場合には、その下取りに係る価額をその対価の額から控除した後の金額とすることはできない。

※　下取りの場合には、売上げと同時に仕入れが発生する。

5．軽減税率

(1) 実施時期

　令和元年10月1日

(2) 税率

　消費税6.24％、地方消費税1.76％（標準税率は消費税7.8％、地方消費税2.2％）

(3) 対象品目

　・酒類、外食を除く飲食料品
　・週2回以上発行される新聞（定期購読契約に基づくもの）

問 題 36　課税標準（その１）

重 要 度 A

　次の資料から、割戻し計算により、甲社（課税事業者に該当する。）の当課税期間（令和 7 年 4 月 1 日から令和 8 年 3 月31日まで）における課税標準額を計算しなさい。

〔資　料〕

(1)　国内商品売上高（非課税とされるものはない。）は、26,200,000円である。

(2)　上記(1)のほかに次の取引を行っている。

　①　事務所用建物を貸し付けており、家賃 1,500,000円及び共益費 75,000円を受け取った。

　②　得意先 B 社との間で、甲社の中古トラック（時価 630,000円）と B 社所有の中古自動車（時価 735,000円）との交換を行った。なお、甲社は差額 105,000円を現金で支払った。

　③　得意先 C 社の役員に、時価 520,000円（仕入価額 305,000円）の甲社の商品を 220,000円で現金販売した。

　④　甲社の役員に対し、商品（通常の販売価額 520,000円、仕入価額 305,000円）を贈与した。

(3)　甲社は、税込経理方式を採用している。

⇨解答：255ページ

問 題 37　課税標準（その２）

重 要 度 A

　次の資料から、割戻し計算により、甲社（課税事業者に該当する。）の当課税期間（令和 7 年 4 月 1 日から令和 8 年 3 月31日まで）における課税標準額を計算しなさい。なお、当課税期間の課税売上割合は95％未満である。

〔資　料〕

(1)　課税売上高（税込）　　400,000,000円

(2)　免税売上高　　　　　　180,000,000円

(3)　非課税売上高　　　　　200,000,000円

(4)　特定課税仕入れ　　　　　5,000,000円

⇨解答：255ページ

問 題 38　課税標準（その３）

　次の資料から、割戻し計算により、甲社（課税事業者に該当する。）の当課税期間（令和7年4月1日から令和8年3月31日まで）における課税標準額を計算しなさい。

〔資　料〕

(1)　国内商品売上高（非課税とされるものはない。）は、282,404,000円である。

　　なお、上記金額のうち軽減税率の対象となるものが108,000円含まれている。

(2)　商品運搬用トラックを 545,000円で売却しており、車両売却損 275,000円が生じている。

(3)　受取家賃 4,200,000円の内訳は、次のとおりである。

　①　社宅使用料収入　　2,400,000円

　②　事務所賃貸料収入　1,800,000円

(4)　受取地代 3,150,000円の内訳は、次のとおりである。

　①　駐車場として貸し付けている部分　　　　　　3,000,000円

　②　更地を資材置き場として3週間貸し付けた部分　150,000円

(5)　貸店舗として使用していた土地付建物を 200,000,000円で売却した。

　　その際、建物と土地の時価の比は2対8であった。

(6)　甲社は、税込経理方式を採用している。

⇨解答：256ページ

次の資料から、割戻し計算により、甲社（課税事業者に該当する。）の当課税期間（令和７年４月１日から令和８年３月31日まで）における課税標準額を計算しなさい。なお、商品には非課税とされるものはなく、取引等は、特に断りのある場合を除き、国内において行われたものである。

〔資　料〕

(1)　商品売上高　　　　　　　　　　　　　　　256,816,000円

　　上記金額には、輸出免税の対象となる売上高 20,000,000円が含まれており、これ以外は国内における売上高である。

(2)　保養所使用料収入　　　　　　　　　　　　680,000円

　　上記金額は、当期から賃借している保養所（年間賃借料 2,400,000円）を従業員に低額で利用させたことによるものである。

(3)　受取家賃　　　　　　　　　　　　　　　　1,800,000円

　　上記金額は、貸事務所の賃貸料（家賃は月額 150,000円で契約において建物の貸付けに係る対価 120,000円と土地の貸付けに係る対価 30,000円とに区分している。）の12カ月分を受け取ったものである。

(4)　有価証券売却益　　　　　　　　　　　　　700,000円

　　上記金額は、当期に売却した上場株式（取得価額 3,600,000円、売却価額 4,200,000円）とゴルフ会員権（取得価額 1,500,000円、売却価額 1,600,000円)に係るものである。

(5)　上記(1)のほか商品（通常の販売価額 800,000円、仕入価額 500,000円）については次の事由が生じている。

　①　当社の役員に対し、５個贈与を行っている。

　②　当社の役員に対し、１個 200,000円で20個販売している。

　③　当社の従業員に対し、１個 300,000円で50個販売している。

　④　得意先の役員に対し、１個 400,000円で10個販売している。

　⑤　陳腐化した商品30個を廃棄している。

(6)　甲社は税込経理方式を採用している。

⇨解答：256ページ

　下記の資料に基づき、割戻し計算により、当課税期間（令和７年４月１日から令和８年３月31日まで）の課税標準額を求めなさい。なお、当社（課税事業者に該当する。）は税込経理方式を採用しており、商品の中には非課税とされるものは含まれていない。

〔資　料〕

１．国内商品売上高は 100,000,000円 であるが、このほかに棚卸資産（通常の販売価額 850,000円、仕入価額 480,000円）について、次のことが生じている。

(1)　得意先の役員に対し売却時に 62,500円値引して 787,500円で販売した。

(2)　当社の役員に対し１個贈与を行っている。

(3)　当社の役員に対し 462,000円で販売している。

(4)　得意先からの借入金 700,000円の弁済に充てるために引き渡した。なお、通常の販売価額と借入金の差額については請求しないこととした。

(5)　得意先に対し販売した際、旧型資産を 150,000円で下取りし、下取価額控除後の金額（690,000円）を請求することとしている。

２．土地又は建物の貸付けにつき、次のことが生じている。

(1)　建物建設のための敷地として貸し付け、3,600,000円を受け取っている。

(2)　駐車場として貸し付け、11,000,000円を受け取っている。

(3)　更地を資材置場として２週間貸し付け、50,000円を受け取っている。

(4)　居住用として貸し付け、家賃 4,800,000円を受け取っている。

(5)　居住用の家屋（通常収受すべき家賃 2,400,000円）を当社の役員に無償で貸し付けている。

(6)　店舗用として貸し付け、家賃 7,600,000円を受け取っている。

(7)　土地付一戸建て建物を事務所として貸し付け、家賃 1,200,000円を受け取っている。なお、家賃は月額 100,000円（契約において建物の貸付けに係る対価 80,000円と土地の貸付けに係る対価 20,000円に区分されている。）で12カ月分を受け取ったものである。

３．その他の収入として次のものを計上している。

(1)　社債利息　　300,000円

(2)　株式配当金　450,000円

(3)　従業員の社宅として使用していた土地付一戸建て建物の売却収入　　　300,000,000円

　　　なお、建物と土地の時価の比は４対６である。

４．その他の事項

(1)　当社の役員に対し、絵画（時価 3,000,000円、取得価額 1,000,000円）を贈与している。

(2)　当社の株主に対し、当社の借入金 2,000,000円を肩代わりしてもらうことを条件に乗用車（時価 2,500,000円、取得価額 3,675,000円）を贈与している。

⇨解答：257ページ

　甲株式会社（以下「甲社」という。）は、食料品及び日用雑貨の小売業を営んでいる。甲社が行った次の取引のうち、軽減税率が適用されるものを選びなさい。

　なお、与えられた取引はすべて国内取引の要件を満たすものである。

(1)　甲社が菓子を消費者に販売した。

(2)　甲社がビールを事業者に販売した。

(3)　甲社がみりん（酒類に該当する。）を消費者に販売した。

(4)　甲社がミネラルウォーターを消費者に販売した。

(5)　甲社が栄養ドリンク（医薬部外品に該当する。）を消費者に販売した。

(6)　甲社が仏壇用の生花を消費者に販売した。

(7)　甲社がペットフードを消費者に販売した。

(8)　甲社が食用の氷を消費者に販売した。

(9)　甲社が冷凍食品を消費者に販売した。

(10)　甲社が上記(9)の販売に際してドライアイス（消費者が購入した冷凍食品を保冷した状態で持ち帰るためのものである。）を消費者に販売した。

(11)　甲社が社内で使用するウォーターサーバーのレンタル料を支払った。

(12)　甲社が上記(11)のウォーターサーバーで使用する水を購入した。

(13)　甲社が来客用として自動販売機でペットボトル入り飲料を購入した。

(14)　甲社が社内会議用の弁当を購入した。

(15)　甲社が上記(14)の弁当の持ち帰り用のレジ袋を購入した。

(16)　甲社が社内懇親会用の軽食をデリバリー専門店から購入した。

(17)　甲社が上記(16)の軽食代とは別に配送料を支払った。

(18)　甲社が取引先との接待のために飲食店で会食をし、その食事代を支払った。

(19)　甲社が顧問税理士へのお歳暮としてお菓子を購入した。

(20)　甲社が新聞販売店に対して日刊新聞の購読料（定期購読契約によるもの）を支払った。

⇨解答：258ページ

次の資料から、割戻し計算により、甲社（課税事業者に該当する。）の当期（令和7年4月1日から令和8年3月31日まで）の納付すべき消費税額を計算しなさい。

〔資　料〕

(1)　当期の収入に関する事項

①　商品売上高　　　　　　　　　　　　　　　　　　　　　440,040,000円

　　上記金額のうち 40,000円は、甲社の役員に対して通常の販売価額 110,000円（仕入価額 60,000円）の商品を販売した際に計上したものである。

②　商品売上高　　　　　　　　　　　　　　　　　　　　　20,000,000円

　　軽減税率の対象となる売上高である。

③　営業外収益に関する収入

　イ　受取利息　　　　　　　　　　　　　　　　　　　　　84,000円

　ロ　受取配当金　　　　　　　　　　　　　　　　　　　　735,000円

　ハ　保養所利用料収入　　　　　　　　　　　　　　　　　2,400,000円

④　特別利益に関する収入

　イ　固定資産売却収入　　　　　　　　　　　　　　　　　29,790,000円

　　上記金額は、甲社が所有する土地付建物を売却した際に計上したものであり、その建物と土地の時価の比は3対7である。

　　また、上記金額以外に、未経過固定資産税相当額として、210,000円（建物に係るもの 63,000円、土地に係るもの 147,000円）を別途収受している。

　ロ　有価証券売却収入　　　　　　　　　　　　　　　　　20,500,000円

　　上記金額は、甲社が保有していた社債の一部を売却した際の 10,000,000円とゴルフ場利用株式を売却した際の 10,500,000円の合計額である。

　ハ　保険金収入　　　　　　　　　　　　　　　　　　　　10,000,000円

　　上記金額は、甲社の商品倉庫が火災に遭い全焼したことにより取得したものであり、その内訳は以下のとおりである。

　　a　焼失した商品につき取得した金額　　　5,250,000円

　　b　焼失した倉庫につき取得した金額　　　4,750,000円

⑤　その他の事項

　イ　得意先の役員に対して甲社が所有する絵画（時価 6,500,000円、簿価 5,250,000円）を贈与した。

　ロ　甲社の役員Aに対して当社が所有する自動車（時価 5,600,000円、取得価額 8,000,000円）を贈与した。

ハ　甲社の役員Bに対して甲社の商品（通常の販売価額 160,000円、仕入価額 90,000円）を贈与した。

(2)　当期の支出に関する事項

当期の国内における課税仕入れの金額は 346,079,438円であり、軽減税率の対象となるものが16,000,000円含まれている。

(3)　その他の事項

①　甲社が当期に中間申告した消費税額は、3,742,600円である。

②　甲社は税込経理方式を採用している。

③　特に指示がないものについては、国内において行われたものである。

④　課税仕入れ等の税額については、全額控除できるものとする。

⑤　税率の経過措置が適用される取引はないものとする。

⑥　その他、消費税の計算に影響のある取引は生じていない。

⇨解答：259ページ

第4章

課税標準

第5章

税　額　控　除

I　仕入税額控除（その１）

1．課税仕入れ等

仕入れ	国内取引	課　税　仕　入　れ	税額控除の対象になる
		特定課税仕入れ	
		そ　の　他　の　仕　入　れ	税額控除の対象にならない
	輸入取引	課税貨物の引取り	税額控除の対象になる
		その他の貨物の引取り	税額控除の対象にならない
国　　外　　取　　引			

※1　特定課税仕入れ

　　課税仕入れのうち特定仕入れに該当するものをいう。

※2　特定仕入れ

　　事業として他の者から受けた特定資産の譲渡等をいう。

2．課税仕入れ

事業者が、事業として他の者（注1）から課税資産の譲渡等（注2）を受けることをいう。

（注1）課税事業者の他、免税事業者、消費者が含まれる。

（注2）輸出免税等に該当するものを除く。

3．課税貨物

保税地域から引き取られる外国貨物のうち、輸入取引の非課税の規定により消費税を課さないこととされるもの以外のものをいう。

◆　課税仕入れ等の留意点

⑴　給与等を対価とする役務の提供

　①　給与等を対価とするものは、課税仕入れに該当しない。

　②　出向社員に係る給与負担金は、①と同様、課税仕入れに該当しない。（基通5－5－10）

　③　労働者の派遣に伴い支払う派遣料等は、課税仕入れに該当する。（基通5－5－11）

⑵　出張旅費、宿泊費、日当等

　　出張旅費、宿泊費、日当等のうち、出張等のために通常必要であると認められる部分の金額は、課税仕入れに係る支払対価に該当する。

国内出張に係るもの	課税仕入れに該当する
海外出張に係るもの	課税仕入れに該当しない

第5章

税額控除

(3) **通勤手当**

通勤手当のうち、通勤に通常必要であると認められる部分の金額は、課税仕入れに該当する。

(4) **会費、組合費等**（基通5－5－3（注）、11－2－4）

事業者が同業者団体、組合等に対して支払ったいわゆる通常会費は、課税仕入れに該当しない。

ただし、名目が会費等とされている場合であっても、それが実質的に出版物の購読料、映画・演劇等の入場料、職員研修の受講料又は施設の利用料等と認められるときは、その会費等は、課税仕入れに該当する。

課税仕入れに該当する	出版物の購読料、職員研修の受講料、施設の利用料等（明確な対価関係あり）
課税仕入れに該当しない	通常会費、通常組合費等（明確な対価関係なし）

(5) **入会金**（基通5－5－4、5－5－5、11－2－4、11－2－5）

同業者団体、組合等が受ける入会金については、その判定が困難なものにつき、受取り側で資産の譲渡等に係る対価に該当しないものとし、かつ、その会費を支払う事業者側でも課税仕入れに該当しないこととしている場合には、これを認める。

ただし事業者が、ゴルフクラブ、宿泊施設、体育施設、遊戯施設その他レジャー施設を会員に利用させることを目的とするクラブ等の会員となった際の入会金（脱退等に際し返還されないものに限る。）の支払は、課税仕入れに該当する。

脱退等に際し返還されるもの	課税仕入れに該当しない
脱退等に際し返還されないもの	課税仕入れに該当する

(6) **保険金等による資産の取得**（基通11－2－8）

保険金、補助金、損害賠償金等を資産の取得等に充てた場合であっても、その資産の取得等が課税仕入れに該当するときは、その課税仕入れにつき仕入れに係る消費税額の控除の規定が適用される。

(7) **滅失等した資産に係る仕入税額控除**（基通11－2－9）

課税仕入れ等に係る資産が、事故等により滅失・亡失・盗難等したことにより、資産の譲渡等ができなくなった場合であっても、購入した時に消費税を支払っていることから、仕入税額控除の対象となる。

(8)　**金銭以外の資産の贈与**（基通11－2－17）

　　資産を贈与した場合のその資産の取得が課税仕入れ等に該当するときは、税額控除の規定を適用する。

金銭以外の資産（課税仕入れ等に該当するもの）の寄附	税額控除の適用あり
金銭による寄附	税額控除の適用なし

(9)　**費途不明の交際費等**（基通11－2－23）

　　事業者が交際費、機密費等の名義をもって支出した金銭でその費途が明らかでないものについては、税額控除の適用を受けることはできない。

(10)　**割賦購入資産**（基通11－3－2）

　　割賦購入の方法又はリース取引による課税資産の譲り受けにより課税仕入れを行った場合には、その代金が未払いであっても、資産の引渡しを受けた日の属する課税期間において、資産の購入金額全体が仕入税額控除の対象となる。

(11)　**減価償却資産**（基通11－3－3）

　　課税仕入れ等に係る資産が減価償却資産であっても、その資産の課税仕入れ等を行った課税期間において、その全額が仕入税額控除の対象となる。

※　仕入税額控除の時期…課税仕入れ等を行った日の属する課税期間（基通11－3－1、11－3－9）

課税仕入れの場合	課税仕入れに該当することとされる資産の譲受け若しくは借受けをした日又は役務の提供を受けた日をいう。
課税貨物の場合	課税貨物を保税地域から引き取った日。なお、課税貨物を引き取った日とは、輸入の許可を受けた日をいう。 （注）保税地域から引き取る課税貨物につき特例申告書を提出した場合には、その特例申告書を提出した日

(12)　**短期前払費用**（基通11－3－8）

　　その費用を支出した日の属する課税期間の課税仕入れとして仕入税額控除を行う。

(13)　**下取り**（基通10－1－17（注））

　　課税資産の下取りをした場合には、その下取りは課税仕入れに該当する。

(14)　**物品切手等又は郵便切手類**（基通11－3－7）

原　則	購入時には課税仕入れには該当せず、役務又は物品の引換給付を受けた時に、その引換給付を受けた事業者の課税仕入れとなる。
例　外	**自ら引換給付を受けるもの**については、**継続適用を要件**に、支払日の属する課税期間の課税仕入れとすることができる。

4．計算式（割戻し計算）

$$\text{控除対象仕入税額} = \begin{array}{l}\text{国内課税仕入れの}\\\text{合計額（税込み）}\end{array} \times \frac{7.8}{110} \text{※} + \begin{array}{l}\text{特定課税仕入れに}\\\text{係る支払対価の額}\end{array} \times 7.8\%$$
$$+ \text{引取りに係る消費税額}$$

※　軽減税率の場合は $\times \dfrac{6.24}{108}$

※　積上げ計算は第8章（インボイス制度）参照。

※　次の課税期間においては、当分の間、「特定課税仕入れ」はなかったものとして消費税法を適用する。

①　課税売上割合が95％以上の場合の原則課税である課税期間

②　簡易課税である課税期間

③　2割特例（第8章（インボイス制度）参照）の適用を受ける課税期間

【参考】課税仕入れの判定

区　　分		課税仕入れ	課税仕入れ以外
売　上　原　価		当期商品仕入高	
販売費及び一般管理費	(1) 従業員給与手当	① 通勤手当 ② 労働派遣料	① 月々の給料等 ② 住宅手当 ③ 給与負担金
	(2) 荷造運送費	① 国内運賃 ② 国内高速道路料 ③ ガソリン代	① 国際運賃 ② 保険料 ③ 外国貨物に係る保管料 ④ 軽油引取税 ⑤ 通関業務料金
	(3) 福利厚生費	① スポーツクラブの入会金（返還不要のもの） ② 健康診断費用・人間ドック費用 ③ 従業員慶弔花輪代 ④ 残業夜食代（弁当購入費） ⑤ 従業員国内慰安旅行費用	① スポーツクラブの入会金（返還義務があるもの） ② 法定福利費（社会保険料、健康保険料） ③ 従業員の慶弔に伴う祝金、見舞金（現金） ④ 従業員への香典
	(4) 広告宣伝費	① 商品広告費用 ② 贈答用プリペイドカードへの社名印刷費用 ③ 入居者募集広告料 ④ パンフレット作成費用 ⑤ ホームページ制作委託料	贈答用プリペイドカードの購入費用

区　　分		課税仕入れ	課税仕入れ以外
販売費及び一般管理費	(5) 接待交際費	① 飲食宿泊費 ② ゴルフ場の年会費 ③ ゴルフプレー費 ④ 贈答用物品の購入費 ⑤ お神酒（清酒）の購入費 ⑥ 得意先慶弔花輪代	① ゴルフ場利用税 ② 入湯税 ③ 贈答用商品券・ビール券の購入費 ④ 使途不明金、役員に対する渡切交際費 ⑤ 得意先等の慶弔に伴う祝金、見舞金（現金）
	(6) 旅費交通費	① 国内出張旅費 ② 日当（国内出張分）	① 国際航空運賃 ② 海外での宿泊費等 ③ 日当（海外出張分）
	(7) 地代家賃	① 事務所家賃 ② 店舗・商品倉庫家賃 ③ 保養所借上料 ④ 駐車場賃借料	① 社宅借上料 ② 支払地代（１月以上）
	(8) 寄附金	寄附するための物品（課税資産）の購入費	① 金銭による寄附 ② 寄附するための車いすの購入費
	(9) 諸会費	① 研修費 ② 購読料	通常会費
	(10) 通信費	① 国内電話料金 ② 国内郵便料金	① 国際電話料金 ② 国際郵便料金
	(11) 支払手数料	① 不動産仲介手数料 ② 税理士報酬 ③ 不動産登記に係る代行料	① 海外への送金手数料 ② 行政手数料（法令に定めるもの）
営業外費用	(1) 支払利息		支払利息
	(2) 手形売却損		手形売却損
	(3) 棚卸減耗損		棚卸減耗損
	(4) 為替差損		為替差損
特別損失	(1) 支払手数料	① 建物売買手数料 ② 土地売買手数料 ③ 有価証券売買手数料	
	(2) 建物売却損		建物売却損
	(3) 土地売却損		土地売却損
	(4) 有価証券売却損		有価証券売却損
	(5) 投資有価証券評価損		投資有価証券評価損

第5章

税額控除

（注）上記区分はあくまでも基本的な取扱いを示したものであり、実際は個々の取引の実態により判定する。

5．居住用賃貸建物に係る仕入税額控除の制限

事業者が、国内において行う居住用賃貸建物（非課税とされる住宅の貸付けの用に供しないことが明らかな建物以外の建物であって高額特定資産又は調整対象自己建設高額資産（※）に該当するもの）に係る課税仕入れ等の税額については、仕入税額控除の対象としない。

※　調整対象自己建設高額資産

他の者との契約に基づき、又は事業者の棚卸資産として自ら建設等をした棚卸資産で、その建設等に要した課税仕入れに係る支払対価の額の $\frac{100}{110}$ に相当する金額等の累計額が1,000万円以上となったものをいう。

　次の支出の中から課税仕入れを選びなさい。なお、商品は課税資産に該当し、特に指示のない
ものについては、国内において行われたものとする。

⑴　店舗の家賃

⑵　国内出張旅費

⑶　国内出張に際し通常必要と認められる日当

⑷　土地売却手数料

⑸　消費者から下取りした中古課税資産の買取り

⑹　費途不明交際費

⑺　同業者団体に支払った通常会費

⑻　町内会に寄附した大型テレビの購入費用

⑼　免税事業者からの商品仕入れ

⑽　社宅の購入費用（建物部分）

⑾　社宅の購入費用（土地部分）

⑿　損害賠償金により行った建物の修理代

⒀　雇用主負担の社会保険料

⒁　水道光熱費

⒂　株式売却手数料

⒃　お中元（ビール券）の購入代金

⒄　お歳暮（ビール）の購入代金

⒅　支払利息

⒆　従業員に対する給料の支払い

⒇　減価償却費

㉑　通常必要と認められる通勤手当

㉒　健康診断費用の支払い

㉓　外国貨物の保管料

㉔　スポーツクラブの入会金（脱退時に返還されないもの）

㉕　ＡＴＭ（自動現金預け払い機）の時間外利用手数料

㉖　海外視察旅行のための往復飛行機代

㉗　盗難にあった商品の購入費用

㉘　土地付建物の売却手数料（建物部分）

㉙　土地付建物の売却手数料（土地部分）

㉚　老人ホームに寄附した車椅子（身体障害者用物品）の購入費用

⇨解答：261ページ

第5章

税額控除

問 題 44　課税仕入れ（その２）　　重要度 A

　次の資料から、割戻し計算により、甲社の当課税期間（令和 7 年 4 月 1 日から令和 8 年 3 月31日まで）における控除対象仕入税額を計算しなさい。

　なお、計算にあたっては次の事項を前提として計算すること。

1．商品は課税資産に該当し、特に指示のないものについては、国内において行われたものとする。

2．甲社は課税事業者に該当し、消費税の経理については、税込経理方式を採用している。

3．甲社の当課税期間の課税売上割合は95％以上であり、課税売上高は 5 億円以下である。

〔資　料〕

(1)　商品仕入高　　　　　　　　　　　　　　　　　　　　　　　　　62,551,000円

　　上記金額は、すべて国内において仕入れたものである。

　　なお、軽減税率の対象となるものが4,320,000円含まれている。

(2)　役員報酬　　　　　　　　　　　　　　　　　　　　　　　　　　18,645,000円

(3)　従業員給与手当　　　　　　　　　　　　　　　　　　　　　　　64,399,000円

　　上記金額のうち 3,216,000円は、従業員に対する通勤定期代である。

(4)　広告宣伝費　　　　　　　　　　　　　　　　　　　　　　　　　 1,010,000円

　　上記金額には、商品の宣伝のために得意先に配布した商品券の購入費用 360,000円が含まれているが、他はすべて課税仕入れに該当する。

(5)　商品荷造運搬費　　　　　　　　　　　　　　　　　　　　　　　 1,166,000円

　　上記金額の内訳は次のとおりである。

　①　輸出商品に係る国内の港から海外の港までの運賃　222,000円

　②　国内販売商品に係る国内運賃及び荷造費　　　　　944,000円

(6)　通信費　　　　　　　　　　　　　　　　　　　　　　　　　　　　 624,000円

　　上記金額は、電話料金であるが、国際電話料金 105,000円が含まれている。

(7)　減価償却費　　　　　　　　　　　　　　　　　　　　　　　　　 2,747,000円

　　上記金額には、当課税期間に新築した居住賃貸用の建物（建物部分の取得価額 28,600,000円）の減価償却費 668,571円が含まれている。

(8)　その他の販管費　　　　　　　　　　　　　　　　　　　　　　　 3,230,000円

　　上記金額のうち課税仕入れに該当する費用は 2,531,000円である。

(9)　支払利息　　　　　　　　　　　　　　　　　　　　　　　　　　 1,000,000円

　　上記金額は、銀行借入金 100,000,000円に係るものである。

(10)　有価証券売却手数料　　　　　　　　　　　　　　　　　　　　　 330,750円

　　上記金額は、当課税期間に株式を売却した際に証券会社に支払った金額である。

⇨解答：261ページ

Ⅱ　その他の税額控除

1．売上げに係る対価の返還等に係る消費税額の控除

(1) 意　義

売上げに係る対価の返還等とは、国内において行った課税資産の譲渡等につき、返品を受け又は値引若しくは割戻しをしたことによる、その課税資産の譲渡等の税込価額の全部若しくは一部の返還又はその税込価額に係る売掛金等の全部若しくは一部の減額をいう。

(2) 税額控除の要件及び処理

要　件	課税事業者が国内において行った**課税資産の譲渡等（消費税が免除されるものを除く。）**につき、売上げに係る対価の返還等をしたこと。
処　理	その売上げに係る対価の返還等をした日の属する課税期間の課税標準額に対する消費税額から売上げに係る対価の返還等の金額に係る消費税額の合計額を控除する。

(3) 計算式（割戻し計算）

$$\text{売上げに係る税込} \atop \text{対価の返還等の金額} \times \frac{7.8}{110} \; ※ = {\text{売上げに係る対価の} \atop \text{返還等に係る消費税額}}$$

$$※ \quad 軽減税率の場合は \times \frac{6.24}{108}$$

※　積上げ計算は第8章（インボイス制度）参照。

(4) 範　囲

① 売上返品

② 売上値引

③ 売上割戻

④ 売上割引（基通14－1－4）

⑤ 販売奨励金（基通14－1－2）

⑥ 事業分量配当金（基通14－1－3）

◆　留意点

(1) 事業者が支払う販売奨励金等（基通14－1－2）

　事業者が販売促進の目的で販売奨励金等の対象とされる課税資産の販売数量、販売高等に応じて取引先（課税資産の販売の直接の相手方としての卸売業者等のほかその販売先である小売業者等の取引関係者を含む。）に対して**金銭により支払う販売奨励金等**は、売上げに係る対価の返還等に該当する。

(2) 売上割引（基通14－1－4）

　　課税資産の譲渡等に係る対価をその支払期日よりも前に支払いを受けたこと等を基因として支払う売上割引は、売上げに係る対価の返還等に該当する。

(3) 一括割戻し（基通14－1－5）

　　事業者が、一の取引先に対して課税資産の譲渡等（軽減対象課税資産の譲渡等を除く。）、軽減対象課税資産の譲渡等及びこれら以外の資産の譲渡等のうち2以上の区分の資産の譲渡等を同時に行った場合において、当該2以上の区分の資産の譲渡等の対価の額につき、一括して売上げに係る割戻しを行ったときは、それぞれの資産の譲渡等に係る部分の割戻金額を合理的に区分したところにより売上げに係る対価の返還等をした場合の消費税額の控除の規定を適用することとなる。

2．特定課税仕入れに係る対価の返還等に係る消費税額の控除

(1) 税額控除の要件及び処理

要　件	課税事業者が国内において行った特定課税仕入れにつき、特定課税仕入れに係る対価の返還等を受けた場合
処　理	その特定課税仕入れに係る対価の返還等を受けた日の属する課税期間の課税標準額に対する消費税額から特定課税仕入れに係る対価の返還等の金額に係る消費税額の合計額を控除する。

(2) 計算式

特定課税仕入れに係る対価の返還等の金額×7.8% ＝特定課税仕入れに係る対価の返還等に係る消費税額

(3) 範　囲

① 値引き ② 割戻し

3．貸倒れに係る消費税額の控除等

(1) 貸倒れの範囲

区分	原因となる事由	貸倒損失の額
法的な債権の消滅	① 更生計画認可の決定 ② 再生計画認可の決定・特別清算に係る協定の認可の決定 ③ 債権者集会の協議決定 ④ 行政機関、金融機関等のあっせんによる契約で、③に準ずるもの	切　捨　額
	⑤ 債務超過の状態が相当期間継続し弁済不能	書面による債務免除額

経済的認識	債務者の財産状況・支払能力等からみて債務の全額が回収不能（注）	売掛金等の全額
貸倒れの特例	① 債務者との継続的取引停止以後1年以上経過（注） ② 同一地域の当該債権の総額が取立費用に満たない場合で、支払いの督促にもかかわらず弁済なし	売掛金等の額 － 備忘価額（1円以上）

（注）担保物があるときは処分した後でなければ適用することはできない。

(2) 税額控除の要件及び処理

要　件	課税事業者が国内において**課税資産の譲渡等（消費税が免除されるものを除く。）**を行った場合に、その課税資産の譲渡等の相手方に対する売掛金等につき貸倒れの事実が生じたため、その全部又は一部の領収をすることができなくなったこと。
処　理	その領収できなくなった日の属する課税期間の課税標準額に対する消費税額からその領収できなくなった課税資産の譲渡等に係る消費税額の合計額を控除する。

(3) 償却債権取立益（貸倒回収）

要　件	貸倒れに係る消費税額の控除の規定の適用を受けた事業者が、貸倒れとなった課税資産の譲渡等の税込価額の全部又は一部の領収をしたこと。
処　理	領収をした税込価額に係る消費税額を課税資産の譲渡等に係る消費税額とみなして、領収をした日の属する課税期間の課税標準額に対する消費税額に加算する。

(4) 計算式

① 貸倒れに係る消費税額

> 貸倒れの金額 $\times \dfrac{7.8}{110}$ ※＝ 貸倒れに係る消費税額
>
> ※ 令和元年9月30日以前は $\times \dfrac{6.3}{108}$ 、軽減税率の場合は $\times \dfrac{6.24}{108}$

② 貸倒回収に係る消費税額

> 領収をした売掛金等の税込金額 $\times \dfrac{7.8}{110}$ ※＝ 貸倒回収に係る消費税額
>
> ※ 令和元年9月30日以前は $\times \dfrac{6.3}{108}$ 、軽減税率の場合は $\times \dfrac{6.24}{108}$

問 題 45　売上返還等・貸倒れ（その１）　　重要度 A

　次の資料から、割戻し計算により、甲社の当課税期間（令和７年４月１日から令和８年３月31日まで、以下「当期」という。）における納付すべき消費税額を計算しなさい。

〔資　料〕

⑴　商品（非課税とされるものではない）売上高　　　100,000,000円

　　上記金額は、すべて国内の事業者に対するものである。

⑵　売上値引・戻り高　　　　　　　　　　　　　　　925,000円

　　上記金額は、当期の商品売上げに係るものである。

⑶　課税仕入高　　　　　　　　　　　　　　　　70,000,000円

⑷　貸倒損失　　　　　　　　　　　　　　　　　3,000,000円

　　上記金額は、前期（令和６年４月１日から令和７年３月31日まで）の得意先に対する貸付金2,500,000円と当期の商品売上げに係る売掛金500,000円に係るものであり、いずれも税法上の貸倒れに該当する。

⑸　甲社は、以前から消費税の課税事業者に該当しており、経理方法として税込経理方式を採用している。

⑹　課税仕入れ等の税額は、全額税額控除の対象となるものとする。

⇨解答：262ページ

売上返還等・貸倒れ（その２） 重要度 A

　次の資料から、割戻し計算により、甲社の当課税期間（令和７年４月１日から令和８年３月31日まで、以下「当期」という。）における納付すべき消費税額を計算しなさい。なお、商品については、非課税とされるものは含まれていない。

〔資　料〕

(1)　国内商品売上高　　　　　　　　　　　　　　　　78,800,000円

(2)　売上値引・戻り高　　　　　　　　　　　　　　　　576,000円

　　すべて前期（令和６年４月１日から令和７年３月31日まで）の商品売上げに係るものである。

(3)　課税仕入高　　　　　　　　　　　　　　　　　42,200,000円

(4)　売上割引　　　　　　　　　　　　　　　　　　　234,000円

　　当期の商品売上げに係る売掛金について期日より早期に回収できたことによるものである。

(5)　貸倒損失　　　　　　　　　　　　　　　　　　3,575,000円

　　令和６年４月の商品売上げに係る売掛金が、当期に貸倒れたことにより計上したものである。

(6)　償却債権取立益　　　　　　　　　　　　　　　　360,000円

　　平成31年２月の商品売上げに係る売掛金を前期に貸倒れとして処理していたものが、当期に回収できたことにより計上したものである。

(7)　当期に係る中間納付消費税額は 600,000円である。

(8)　甲社は、以前から消費税の課税事業者に該当しており、経理方法として税込経理方式を採用している。

(9)　課税仕入れ等の税額は全額控除できるものとする。

⇨解答：263ページ

　次のそれぞれの設問について、課税商品の卸売業を営む甲社（設立以来、消費税の課税事業者に該当する。）の当課税期間（令和7年4月1日から令和8年3月31日まで）における貸倒損失額を求めなさい。

　なお、甲社は消費税の経理について税込経理方式を採用しており、甲社の事業年度は4月1日から翌年3月31日までである。

〔設問1〕　国内の得意先A商店について更生計画の認可の決定があり、売掛金 5,000,000円のうち 2,500,000円が切り捨てられることとなった。

〔設問2〕　国内の得意先B商店は相当期間債務超過の状況にあり、当社の有する売掛金 4,000,000円の弁済については回収が困難であると認められる。そこで、当期に売掛金 4,000,000円を免除する旨を文書により通知し、貸倒損失として 4,000,000円を計上した。

〔設問3〕　国内の得意先C商事に対して 10,000,000円の売掛金を有していたが、同商事の資産状況、支払能力からみて、回収できないことが明らかである。次の(1)〜(3)の場合のそれぞれについて答えなさい。

　　(1)　担保物として建物の権利書（時価 7,000,000円）を預かっており、全額が回収不能と考えられるとき

　　(2)　担保物はないが回収不能と考えられる金額が 8,000,000円のとき

　　(3)　全額が回収不能と考えられ、さらに担保物がないとき

〔設問4〕　国内の取引先D社は、支払能力が悪化したため取引を停止して1年以上経過している。D社に対し売掛金 5,000,000円がある。

〔設問5〕　九州地区に所在するE及びF商店における売掛金は次のとおりであるが、各商店に対し支払いをするように督促したが未だに支払いがない。

	売掛金	取立費用
E商店	50,000円	100,000円
F商店	30,000円	

〔設問6〕　国内の得意先G商店に対して前期の売上げに係る売掛金 10,000,000円を有していた。本年4月に債権者集会において次のように決定した。

　　(1)　債権額の50%は切り捨てる。

　　(2)　債権額のうち(1)の残額については、翌々年4月1日を第1回として10年年賦により均等返済を行う。これにより、貸倒引当金繰入額として 3,000,000円計上している。

⇨解答：263ページ

　次の資料から、割戻し計算により、甲社（適格請求書発行事業者に該当している。）の当課税期間（令和7年4月1日から令和8年3月31日まで、以下「当期」という。）における納付すべき消費税額を計算しなさい。なお、税率に関する経過措置について考慮する必要はない。

〔資　料〕

(1)　当期の損益計算書の内容は次のとおりである。

損　益　計　算　書

自令和7年4月1日　至令和8年3月31日　　　（単位：円）

期 首 商 品 棚 卸 高	3,600,000	商 品 売 上 高	424,940,000
当 期 商 品 仕 入 高	200,000,000	期 末 商 品 棚 卸 高	3,800,000
売 上 値 引	6,912,000	受 取 利 息	1,000,000
販売・一般管理費	211,488,000	受 取 家 賃	600,000
支 払 利 息	2,500,000	受 取 地 代	1,200,000
売 上 割 引	1,850,000	受 取 配 当 金	655,000
諸 手 数 料	1,692,000	有 価 証 券 売 却 益	1,000,000
貸 倒 損 失	12,000,000	土 地 売 却 益	10,000,000
当 期 利 益	5,958,000	償 却 債 権 取 立 益	2,805,000
	446,000,000		446,000,000

(2)　商品売上高は、仕入商品に係る売上高であり、非課税取引に係るものは含まれていないが、輸出免税の対象となる売上高 50,000,000円が含まれている。

(3)　売上値引は、当期の国内の事業者に対する商品売上げに係るものである。

(4)　当期商品仕入高は、すべて課税仕入れに該当する。

(5)　販売・一般管理費の内訳は次のとおりである。

①　役員報酬　　　　　　　　　　　　　　　20,000,000円

②　従業員給与手当　　　　　　　　　　　　52,000,000円

　　上記金額には、通勤定期代 2,080,000円が含まれている。

③　広告宣伝費　　　　　　　　　　　　　　1,600,000円

　　上記金額は、販売商品に係る新聞の折り込み広告代である。

④　商品荷造運搬費　　　　　　　　　　　　9,800,000円

　　上記金額には、国際運輸料金 1,260,000円が含まれている。

⑤　福利厚生費　　　　　　　　　　　　　　8,632,000円

　　上記金額には、雇用主負担の社会保険料 5,912,000円が含まれているが、他はすべて課税

仕入れに該当する。

 ⑥ 減価償却費   2,665,000円

  上記金額には、商品運搬中の事故に伴い、相手先から支払いを受けた損害賠償金で当期に購入した車両（取得価額 2,200,000円）の減価償却費 123,750円が含まれている。

 ⑦ その他の販売・一般管理費   116,791,000円

  上記金額のうち、課税仕入れとなる費用は 58,138,000円である。

(6) 受取家賃は、社宅の使用料として従業員から徴収したものである。

(7) 売上割引は、当期に発生した国内商品売上げに係る売掛金が、期日よりも早期に回収できたことにより計上したものである。

(8) 有価証券売却益は、上場株式を売却した際のものであり、売却価額 4,900,000円と帳簿価額 3,900,000円との差額を計上したものである。

(9) 土地売却益は、売却価額 15,000,000円と帳簿価額 5,000,000円との差額を計上したものである。

(10) 償却債権取立益は、令和3年6月の国内商品売上げに係る売掛金を前期（令和6年4月1日から令和7年3月31日まで）に貸倒れ処理していたものが、当期に回収できたことにより計上したものである。

(11) 諸手数料の内訳は次のとおりである。

 ① (8)に係る株式売却手数料   54,000円

 ② (9)に係る土地売却手数料   1,638,000円

(12) 貸倒損失は、債権者集会の協議決定で合理的な基準により、当期の国内商品売上げに係る売掛金 12,000,000円の全額が切り捨てられたものである。

(13) 甲社が当期に中間申告した消費税額は、1,500,000円である。

(14) 甲社は設立以来、消費税法第9条第1項《小規模事業者に係る納税義務の免除》の規定の適用を受けたことはない。

(15) 甲社は経理方法として、税込経理方式を採用している。

(16) 取引等は、特に断りのある場合を除き、国内において行われたものであり、課税仕入れ等の税額は全額控除できるものとする。

⇨解答：264ページ

Ⅲ　仕入税額控除（その２）

1．仕入税額控除の考え方

⑴　課税売上高が５億円を超える場合等

課税期間における課税売上高が５億円を超えるとき、又は課税売上割合が95％に満たないときは、課税仕入れ等の税額の合計額は、個別対応方式又は一括比例配分方式のいずれかで計算する。

⑵　判　定

①　５億円超の場合

当課税期間における課税売上高　＞　５億円　　∴　按分必要

②　５億円以下の場合

(a)　当課税期間における課税売上高　≦　５億円

(b)　課　税　売　上　割　合 $\begin{cases} \geqq 95\% & ∴ \quad \text{全額控除} \\ < 95\% & ∴ \quad \text{按分必要} \end{cases}$

2．課税期間における課税売上高

(a)　総課税売上高（税抜）

国内課税売上高（税込）$\times \dfrac{100}{110}$＋免税売上高

(b)　課税売上返還等（税抜）

国内課税売上返還等（税込）$\times \dfrac{100}{110}$＋免税売上返還等

(c)　純課税売上高（税抜）

(a)－(b)

※　当課税期間が１年未満の場合には、課税期間における課税売上高を年換算した金額をいう。

3．課税売上割合

⑴　意　義

課税売上割合とは、課税期間中に国内において行った資産の譲渡等の対価の額の合計額のうちに課税期間中に国内において行った課税資産の譲渡等の対価の額の合計額の占める割合として一定の方法により計算した割合をいう。

(2) 計算式

$$課税売上割合 = \frac{課税期間中に国内で行った課税資産の譲渡等の対価の額の合計額}{課税期間中に国内で行った資産の譲渡等の対価の額の合計額}$$

$$= \frac{課税売上高}{課税売上高 \ + \ 非課税売上高}$$

◆ 非課税売上高の計算上の注意点

(1) 有価証券等

有価証券	国債、地方債、社債、株式、受益証券、ＣＰ、海外ＣＤ	5％相当額を含める
有価証券に類するもの	登録国債、金銭債権（貸付金、預金、国内ＣＤ等）	
	出資者持分	全額含める
	資産の譲渡等の対価として取得した金銭債権（売掛金等）	全額含めない
支払手段	現金、小切手、手形、ＴＣ	
支払手段に類するもの	電子決済手段、暗号資産	

(2) 利子・利息等

| 非課税売上高に算入するもの | 利子、保証料、保険料、収益分配金、国債等の償還差益 |
| 非課税売上高から控除するもの | 国債等の償還差損 |

(3) その他の注意点

① 非課税資産の輸出等

　イ　非課税資産の輸出……非課税資産の輸出売上高を分子に加算する。

　ロ　資産の国外移送………本船甲板渡し価格を分母・分子に加算する。

② 現先取引

　イ　売現先…………………消費税の計算には関係させない。

　ロ　買現先…………………差額部分を非課税売上高に加算又は減算する。

◆ 金銭債権の譲渡

(1) 金銭債権の範囲

① 貸付金　② 預金　③ 売掛金　④ その他の金銭債権

（注）受取手形は金銭債権ではなく、支払手段に該当する。

(2) 消費税法上の取扱い

① 資産の譲渡等の対価として取得した金銭債権（売掛金等）

> 課税売上割合の計算上、資産の譲渡等の対価の額（非課税売上高）に含めない

② ①以外の金銭債権（貸付金等）

> 課税売上割合の計算上、譲渡対価の５％相当額を資産の譲渡等の対価の額（非課税
> 売上高）に含める

◆ 支払手段の譲渡

(1) 支払手段の範囲

① 銀行券、政府紙幣、硬貨　②　小切手（トラベラーズチェックを含む。）

③ 為替手形、約束手形　④　信用状など

(2) 消費税法上の取扱い

> 課税売上割合の計算上、資産の譲渡等の対価の額（非課税売上高）に含めない

◆ 現先取引

(1) 現先取引の内容

① 債券等の売戻条件付買入取引（買現先）

一定期間後に一定の価格（買値に金利相当額を上乗せした金額）で売り戻すことを条件に債券等を買入れする取引

（注）有価証券を担保とする金銭の貸付けである。

② 債券等の買戻条件付売却取引（売現先）

一定期間後に一定の価格（売値に金利相当額を上乗せした金額）で買い戻すことを条件に債券等を売却する取引

（注）有価証券を担保とする金銭の借入れである。

(2) 消費税法上の取扱い

① 買現先取引

> 課税売上割合の計算上、売戻し差益を非課税売上高に算入する

（注）売戻し差損が生じた場合には、非課税売上高からマイナスする。

② 売現先取引

> 処理は行わない

4．個別対応方式又は一括比例配分方式による場合

⑴ **課税仕入れ等の区分**

① **課税資産の譲渡等にのみ要するもの（Ａ対応）**

………将来、課税資産の譲渡等（7.8％課税売上げ、免税売上げ）のために必要な課税

仕入れ

（具体例）　商品仕入高、商品荷造運搬費、商品倉庫の賃借料、商品広告宣伝費、

商品配達用トラックの購入費用、建物売却手数料

② **その他の資産の譲渡等にのみ要するもの（Ｂ対応）**

………将来、非課税売上げのために必要な課税仕入れ

（具体例）　土地売却手数料、株式売却手数料、社宅の修繕費

③ **共通して要するもの（Ｃ対応）**

………Ａ対応とＢ対応の両方に該当する及びいずれにも該当しない課税仕入れ

（具体例）　通勤手当、接待交際費、従業員の福利厚生費、旅費交通費、水道光熱費、

通信費、事務用消耗品費、社屋の購入費用

◆　**留意点**

⑴ **国外取引に係る仕入税額控除**（基通11－2－11）

国外において行う資産の譲渡等のための課税仕入れ等がある場合には、その課税仕入れ

等については、仕入れに係る消費税額の控除の規定が適用される。

また、個別対応方式を採用する場合には、課税資産の譲渡等にのみ要する課税仕入れ等

に該当するものとして取り扱う。

⑵ **資産の譲渡等に該当しない取引のために要する課税仕入れの取扱い**（基通11－2－16）

個別対応方式による仕入税額控除に規定する課税資産の譲渡等とその他の資産の譲渡等

に共通して要するものとは、原則として課税資産の譲渡等とその他の資産の譲渡等に共通

して要する課税仕入れ等をいうのであるが、例えば株券の発行にあたって印刷業者に支払

う印刷費、証券会社に支払う引受手数料等のように資産の譲渡等に該当しない取引に要す

る課税仕入れ等は、課税資産の譲渡等とその他の資産の譲渡等に共通して要するものに該

当するものとして取り扱う。

⑶ **計算パターン**

① 個別対応方式…………… Ａ対応の税額 ＋ Ｃ対応の税額 × 課税売上割合

（注）Ａ対応、Ｃ対応の税額について、引取りに係る税額（輸入の際、税関に納付した

消費税額）がある場合には、その税額を含む。

② 一括比例配分方式………… 課税仕入れ等の税額の合計額 × 課税売上割合

5．課税売上割合に準ずる割合

　　個別対応方式で控除対象仕入税額を計算する場合において、Ｃ対応部分については、課税売上割合に代えて、課税売上割合に準ずる割合を乗じて計算することができる。（税務署長の承認必要）

　　具体的には

⑴　使用人の数又は従事日数の割合　　⑵　事業部門ごとの課税売上割合

⑶　床面積按分　　⑷　取引件数割合　など合理的な割合

◆　　仕入税額控除の体系

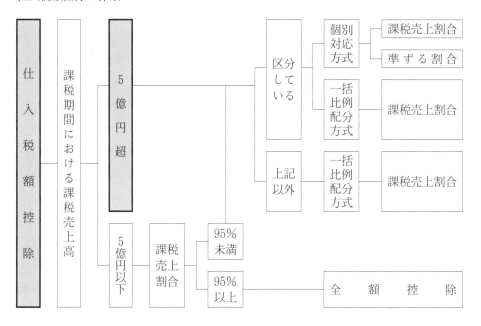

次の資料から、甲社の当課税期間（令和7年4月1日から令和8年3月31日まで）の課税売上割合を求めなさい。なお、甲社は課税事業者に該当し、税込経理方式を採用している。また、取引等は、特に断りのある場合を除き、国内において行われたものである。

〔資　料〕

(1)　商品売上高　　　　　　　　　　　　　　　　　　　　　　　　　　50,000,000円

　　　上記金額には、非課税取引に係るものは含まれておらず、その内訳は次のとおりである。

　　①　国内の消費者に対する売上高　　　　　45,000,000円

　　②　輸出免税の対象となる売上高　　　　　 5,000,000円

(2)　売上値引・戻り高　　　　　　　　　　　　　　　　　　　　　　　 3,000,000円

　　　上記(1)①に係るものである。

(3)　受取利息　　　　　　　　　　　　　　　　　　　　　　　　　　　 1,200,000円

(4)　受取配当金　　　　　　　　　　　　　　　　　　　　　　　　　　 2,000,000円

(5)　土地売却代金　　　　　　　　　　　　　　　　　　　　　　　　　20,000,000円

(6)　上場株式売却代金　　　　　　　　　　　　　　　　　　　　　　　15,000,000円

⇨解答：265ページ

次の資料から、甲社の当課税期間（令和７年４月１日から令和８年３月31日まで）の課税売上割合を求めなさい。なお、甲社の基準期間における課税売上高は5,000万円であり、税込経理方式を採用している。また、取引等は、特に断りのある場合を除き、国内において行われたものである。

〔資　料〕

(1)　商品売上高　　　　　　　　　　　　　　　　　　　　　100,000,000円

上記金額には、非課税取引に係るものは含まれておらず、その内訳は次のとおりである。

①　国内の消費者に対する売上高　　　92,000,000円

②　輸出免税の対象となる売上高　　　 8,000,000円

(2)　売上値引　　　　　　　　　　　　　　　　　　　　　　 10,000,000円

上記金額の内訳は、次のとおりである。

①　上記(1)①に係るもの　　　　　　 9,000,000円

②　上記(1)②に係るもの　　　　　　 1,000,000円

(3)　受取利息　　　　　　　　　　　　　　　　　　　　　　　1,800,000円

(4)　受取配当金　　　　　　　　　　　　　　　　　　　　　　2,000,000円

上記金額には、証券投資信託の収益分配金 600,000円が含まれている。

(5)　土地付建物の売却代金　　　　　　　　　　　　　　　　 20,000,000円

土地と建物の時価の比は、８対２である。

(6)　上場株式売却代金　　　　　　　　　　　　　　　　　　　7,000,000円

⇨解答：265ページ

　甲株式会社（以下「甲社」という。）は、雑貨の卸売業を営んでおり、甲社の第31期（令和7年4月1日から令和8年3月31日まで）の課税期間（事業年度）における取引等の状況は、次の資料のとおりである。これに基づき、当課税期間における課税売上割合を求めなさい。なお、資料以外の事項については考慮する必要はない。

　また、甲社は設立以来消費税法第9条第1項《小規模事業者に係る納税義務の免除》の規定の適用を受けた課税期間はなく、消費税は税込経理により処理している。

〔資　料〕

I　売上高に関する事項（非課税とされるものは含まれていない。）

(1)　総売上高（1,172,460,000円）

　①　輸出免税の対象となる売上高　　154,820,000円

　②　国内における課税売上高　　　1,017,640,000円

(2)　売上値引（15,680,000円）

　　すべて前期の国内における課税売上高に対して行ったものである。なお、甲社は、売上げの値引についてはすべて売上値引勘定で処理している。

II　営業外収益・営業外費用に関する事項

(1)　受取利息（3,240,000円）

　　受取利息の内訳は、預金利息 846,000円、割引国債の償還を受けたことによる償還差益 950,000円、貸付金利息 916,000円及び公社債投資信託の収益分配金 528,000円である。

(2)　受取配当金（1,348,000円）

(3)　社宅使用料収入（3,800,000円）

(4)　貨物保管料収入（250,000円）

　　指定保税地域内に賃借している倉庫において、他の事業者の貨物（内国貨物）を保管したことにより収受した金額である。

(5)　保証料収入（1,800,000円）

　　国内の取引先であるA社の債務保証をしたことにより、A社から収受した物上保証料である。

(6)　支払手数料（240,000円）

　　支払手数料の内訳は、次のとおりである。

　①　甲社が行った国内商品販売に係る売掛債権（5,400,000円）をクレジット会社に譲渡した際の債権金額と支払いを受けた金額（5,230,000円）との差額 170,000円

　②　A社に対する貸付債権（2,000,000円）を国内の取引先であるB社に譲渡した際の債権金額と支払いを受けた金額（1,930,000円）との差額 70,000円

Ⅲ 特別利益・特別損失に関する事項

(1) 有価証券売却益（500,000円）

帳簿価額 4,500,000円の有価証券を 5,000,000円で売却したことにより生じたものである。

(2) 固定資産売却損（5,000,000円）

営業所ビル（土地付建物に該当し、土地の帳簿価額 60,000,000円、建物の帳簿価額 20,000,000円である。）を 75,000,000円で売却したことにより生じたものである。なお、土地と建物の時価の比は 7 対 3 である。

Ⅳ その他の事項

(1) 甲社が有する車両（帳簿価額 1,750,000円、時価 1,800,000円）と国内の取引先であるC社が有する車両（帳簿価額 2,050,000円、時価 1,900,000円）を交換し、交換差金 100,000円を支払っている。

(2) 甲社の事業年度は、毎年 4 月 1 日から翌年 3 月31日までである。

(3) 取引等は、特に断りのある場合を除き、国内において行われたものである。

⇨解答：266ページ

第5章

税額控除

　甲株式会社（以下「甲社」という。）は、電気機器の製造・小売業を営んでいるが、甲社の令和７年４月１日から令和８年３月31日までの課税期間（事業年度）における取引等の状況は、次の資料のとおりである。これに基づき、当課税期間における課税売上割合を求めなさい。

　なお、甲社は設立以来消費税法第９条第１項《小規模事業者に係る納税義務の免除》の規定の適用を受けた課税期間はなく、消費税は税込経理により処理している。また、資料以外の事項については考慮する必要はない。

〔資　料〕

Ⅰ　売上高に関する事項

(1)　総売上高（1,488,788,000円）

　　総売上高の内訳は、次のとおりである。いずれも販売した商品に係る売上高であり、非課税取引に該当するものは含まれていない。

　　①　国内工場で製造した商品の国内における売上高　　　　　　　　1,122,728,000円

　　②　国内工場で製造した商品を海外企業へ販売した輸出売上高　　　　65,715,000円

　　③　海外工場で製造した商品を輸入せずに海外企業へ直接販売した売上高　300,345,000円

(2)　売上値引（153,895,600円）

　　上記金額の内訳は、当課税期間において国内売上げに対して行ったもの 105,831,000円、国内工場で製造した商品の輸出売上げに対して行ったもの 12,087,600円、海外工場で製造した商品を輸入せずに海外の企業へ直接販売した売上げに対して行ったもの 35,977,000円である。

　　なお、甲社は、売上げの値引については、すべて売上値引勘定で処理をしており、また、値引に係る金額の明細を記録した帳簿は保存されている。

Ⅱ　販売費及び一般管理費に関する事項

(1)　販売奨励金（3,200,000円）

　　上記金額は、当課税期間の商品の販売数量等に応じ、国内の得意先に金銭により支払った金額 500,000円と得意先に対して交付した販売奨励物品の購入費用 2,700,000円の合計額である。

(2)　支払手数料（698,000円）

　　上記金額は、割賦販売に係る売掛債権を信販会社に譲渡したことに伴う譲渡債権額（7,685,000円）と支払いを受けた金額（6,987,000円）との差額である。

Ⅲ　営業外収益・営業外費用に関する事項

(1)　受取利息配当金（2,910,000円）

　　上記金額の内訳は、次のとおりである。

　　①　預金利息　　　　　　　　　　　　　　　　　　　　　　　　　　440,000円

　　②　有価証券利息（公社債に係るもの）　　　　　　　　　　　　　　750,000円

③ 受取配当金 600,000円

このうち、280,000円は特定株式投資信託の収益分配金である。

④ 貸付金利息 1,120,000円

上記金額のうちには、現先取引に係るものが 400,000円含まれている。当該金額は、甲社が、令和7年6月20日に、内国法人であるA社が保有する社債を 50,000,000円で購入し、令和7年11月20日にA社に対し 50,400,000円で売り戻す約定をし、この約定に従って売戻しを行ったことにより生じたものである。

(2) 保養所利用料収入 (1,230,000円)

(3) 雑収入 (1,460,000円)

上記金額の内訳は、次のとおりである。

① 甲社が賃借していたテナントビル（店舗用）の建替えに伴い、賃貸借契約が解除されたことにより賃貸人（免税事業者に該当する。）から収受した立退料 800,000円

② 国内の取引先B社が銀行から融資を受ける際に、債務保証をしたことによりB社から受け取った保証料 560,000円

③ 前課税期間にB社から譲り受けた金銭債権（B社がB社の取引先C社に対して有していた売掛債権であり、取得価額は 1,400,000円である。）につき、当課税期間において弁済（1,500,000円）を受けたことにより計上した金額 100,000円

(4) 売上割引 (490,000円)

国内の事業者に対する当課税期間の商品売上げに係る売掛金につき、その支払期日よりも前に支払いを受けたことにより支払った金額である。

(5) 手形売却損 (50,000円)

上記金額は、国内の取引先D社が振り出した手形 25,000,000円を取引銀行で割り引き、24,950,000円の支払いを受けた際に生じたものである。

IV 特別利益・特別損失に関する事項

(1) 土地売却益 (3,500,000円)

当課税期間に売却した土地（売却価額 50,000,000円、帳簿価額 46,500,000円）に係るものであるが、このほか売却時に未経過固定資産税相当額 140,000円を収受しており、租税公課勘定と相殺する処理を行っている。

(2) 有価証券売却損 (200,000円)

当課税期間に売却した社債（売却価額 12,000,000円、帳簿価額 12,200,000円）に係るものである。

⇒解答：267ページ

| 問 題 53 | 控除対象仕入税額（その１） | 重 要 度 | A |

次の資料から、個別対応方式及び一括比例配分方式により甲社の控除対象仕入税額を計算しなさい。

〔資　料〕

(1) 課税仕入れ等の税額の合計額

　　7,464,000円

(2) 課税資産の譲渡等にのみ要する課税仕入れ等の税額の合計額

　　4,640,000円

(3) その他の資産の譲渡等にのみ要する課税仕入れ等の税額の合計額

　　184,000円

(4) 課税資産の譲渡等とその他の資産の譲渡等に共通して要する課税仕入れ等の税額の合計額

　　2,640,000円

(5) 課税売上割合

　　90%

⇨解答：268ページ

| 問 題 54 | 控除対象仕入税額（その２） | 重 要 度 | A |

次の資料から、個別対応方式及び一括比例配分方式により甲社の控除対象仕入税額を計算しなさい。

〔資　料〕

(1) 課税仕入れ等の税額の合計額

　　30,454,000円

(2) 課税資産の譲渡等にのみ要する課税仕入れ等の税額の合計額

　　5,230,000円

(3) その他の資産の譲渡等にのみ要する課税仕入れ等の税額の合計額

　　18,674,000円

(4) 課税資産の譲渡等とその他の資産の譲渡等に共通して要する課税仕入れ等の税額の合計額

　　6,550,000円

(5) 課税売上割合

$$\frac{438,271,609円}{493,827,160円}$$

⇨解答：268ページ

| 問 題 | 55 | 控除対象仕入税額（その3） | 重 要 度 | A |

次の資料から、個別対応方式及び一括比例配分方式により甲社の当期（令和7年4月1日から令和8年3月31日まで）の控除対象仕入税額を計算（割戻し計算によるものとする。）しなさい。

〔資 料〕

(1) 商品（課税商品）仕入高　　　　　　　　　　　　　　　　　　　72,195,000円

　　上記金額には、甲社が輸入し、保税地域から引き取った商品分 2,200,000円（うち税関に納付した消費税額 156,000円及び地方消費税額 44,000円）が含まれており、これ以外については、国内における課税仕入れに該当するものである。

　　なお、甲社は消費税法第47条第3項に規定する特例申告は行っていない。

(2) 役員報酬　　　　　　　　　　　　　　　　　　　　　　　　　　15,000,000円

(3) 従業員給与手当　　　　　　　　　　　　　　　　　　　　　　　52,345,000円

　　上記金額には、通勤定期代 2,634,000円と国内出張に係る日当 150,000円が含まれており、いずれも通常必要と認められる金額である。

(4) 福利厚生費　　　　　　　　　　　　　　　　　　　　　　　　　6,466,000円

　　上記金額は、事業主負担の社会保険料 4,966,000円及び従業員に低額で利用させている保養所の借上げ料 1,500,000円の合計額である。

(5) 広告宣伝費　　　　　　　　　　　　　　　　　　　　　　　　　850,000円

　　上記金額は、商品販売のためのポスター・チラシの制作費である。

(6) 商品荷造運搬費　　　　　　　　　　　　　　　　　　　　　　　3,476,000円

　　上記金額は、いずれも販売商品に係るもので、その内訳は次のとおりである。

　① 輸出商品に係る国内の港から海外の港までの運賃　　998,000円

　② 外国貨物の荷役及び保管料　　　　　　　　　　　145,000円

　③ 国内販売商品に係る国内運賃及び荷造費　　　　2,333,000円

(7) 通信費　　　　　　　　　　　　　　　　　　　　　　　　　　763,000円

　　上記金額には、国際電話料金 58,000円が含まれているが、他はすべて課税仕入れに該当する。

(8) 減価償却費　　　　　　　　　　　　　　　　　　　　　　　　1,325,000円

(9) その他の販管費　　　　　　　　　　　　　　　　　　　　　　19,871,000円

　　上記金額のうち課税仕入れに該当する費用は 15,486,000円であり、軽減税率の対象となるものが86,000円含まれている。

(10) 上記(2)、(3)、(7)、(9)のうち課税仕入れとなるものは、課税資産の譲渡等とその他の資産の譲渡等に共通して要する課税仕入れに該当する。

(11) 有価証券売却手数料　　　　　　　　　　　　　　　　　　　　2,205,000円

　　上記金額は、当期に売却した株式の売却手数料である。

(12) 当期の課税売上割合は90%とする。

(13) 甲社は、設立以来、課税事業者に該当している。

(14) 甲社は経理方法として、税込経理方式を採用している。

(15) 取引等は、特に断りのある場合を除き、国内において行われたものである。

(16) 〔資料〕以外の事項について考慮する必要はない。

⇒解答：269ページ

当法人は、課税資産の譲渡等及び非課税資産の譲渡等を行う法人である。この法人の以下の支出について、課税資産の譲渡等にのみ要する課税仕入れ（A）、その他の資産の譲渡等にのみ要する課税仕入れ（B）、課税資産の譲渡等とその他の資産の譲渡等に共通して要する課税仕入れ（C）及び課税仕入れ以外の仕入れ（×）に区分しなさい。

なお、取引等は、特に断りのある場合を除き、国内において行われたものである。

⑴　販売用の土地の造成費用

⑵　従業員慰安旅行費

⑶　販売用の土地の購入代金

⑷　健康保険法の規定に基づく診療のために必要な医薬品等の仕入れ

⑸　外国為替手数料

⑹　土地売却に伴う仲介手数料

⑺　従業員法定福利費（健康保険料、厚生年金保険料、労働保険料）

⑻　建物売却に伴う仲介手数料

⑼　社屋に係る火災保険料

⑽　有価証券（売却目的）売却に係る株式委託手数料

⑾　社宅使用料を徴収し貸し付けている従業員社宅の借上げ費用

⑿　有価証券（売却目的）購入に係る株式委託手数料

⒀　アパート（居住用賃貸物件）に係る修繕費

⒁　本社の社屋に係る修繕費

⒂　商品（課税資産）に係る火災保険料

⒃　売却する土地の上にある建物の取壊費用

⒄　車両（棚卸資産に該当するものではない）を贈与した場合のその車両の取得費用

⒅　商品（課税資産）の販売に係る接待ゴルフ代

⒆　商品（課税資産）の販売に係る接待ゴルフに係るゴルフ場利用税

⒇　従業員の福利厚生のための施設入会金（脱退に際し返還されないもの）

㉑　広告宣伝費のうち社名の宣伝に係るもの

㉒　事業資金の借入利息

㉓　本社の社屋の建築費用

㉔　製品（課税資産）の製造用原材料費

㉕　一般管理費（水道光熱費等）

㉖　店舗家賃（店舗では課税資産の販売業務のみ営んでいるものとする）

㉗　土地付建物売却に係る仲介手数料

(28)　賃貸ビル（店舗用）の建設費用

(29)　そのまま他に譲渡される商品（課税資産）の仕入れ

(30)　課税資産の譲渡等の得意先社長に対する入院見舞金

(31)　商品（課税資産）の容器代

(32)　商品（課税資産）の運送用トラックに係る自動車税

(33)　商品（課税資産）の運送中のスピード違反に係る罰金

(34)　商品（課税資産）に使用される包装代

(35)　同業者団体の通常会費

(36)　商品（課税資産）の製造用機械の取得費

(37)　本社で使用する消耗品購入費用

(38)　製品（課税資産）の製造用工具の取得費

(39)　貸金庫の使用料

(40)　製品（課税資産）の製造用器具の取得費

(41)　本社の社屋に係る減価償却費

(42)　製品（課税資産）の製造用にのみ使用される備品代

(43)　商品（課税資産）の販売員に対する給料

(44)　商品（課税資産）の倉庫料（保管費用）

(45)　国に対する寄附金（金銭による寄附）

(46)　商品（課税資産）の運送費

(47)　売上債権に係る貸倒引当金繰入額

(48)　商品（課税資産）の運送用トラック購入代金

(49)　従業員賞与引当金繰入額

(50)　輸出用商品（課税資産）の仕入れ

(51)　管理部門における交際費（飲食代）

(52)　商品（課税資産）の広告宣伝費

(53)　信販会社に支払ったクレジット手数料

(54)　商品（課税資産）の委託販売に係る支払手数料

(55)　税理士に対する報酬

(56)　製品（課税資産）の支払加工賃

(57)　得意先等に販売促進等のために試供品として配布した商品（課税資産）に係る仕入れ

(58)　滅失、亡失、盗難等した商品（課税資産）に係る仕入れ

(59)　管理部門にて使用するコンピュータの取得費

⇒解答：270ページ

次の資料から、個別対応方式及び一括比例配分方式により甲社の当期（令和７年４月１日から令和８年３月31日まで）の控除対象仕入税額を計算（割戻し計算によるものとする。）しなさい。なお、商品のうちには、非課税とされるものはない。

〔資　料〕

損 益 計 算 書（一部）　　　　（単位：円）

Ⅱ　売 上 原 価

	期首商品棚卸高	23,445,000	
	当期商品仕入高	400,873,000	
	計	424,318,000	
	期末商品棚卸高	24,174,000	400,144,000

Ⅲ　販売費及び一般管理費

	従業員給与手当	60,110,000	
	福 利 厚 生 費	9,705,000	
	広 告 宣 伝 費	5,871,000	
	旅 費 交 通 費	1,015,000	
	水 道 光 熱 費	353,000	
	通 信 費	1,618,000	
	地 代 家 賃	9,736,000	
	その他の費用	2,307,000	90,715,000

(1)　「当期商品仕入高」には、甲社が輸入し保税地域から引き取った商品 58,203,000円が含まれており、これ以外のものについては、国内における課税仕入れに該当するものである。

　　なお、甲社は保税地域から引き取ったA商品について、当期から消費税法第47条第３項に規定する特例申告を行っている。保税地域から引き取った商品のうち 52,278,500円（うち、消費税額 3,707,000円、地方消費税額 1,045,500円）は、当期の３月に引き取ったA商品（特例申告書は当期において提出していない。）に係るものであり、5,924,500円（うち、消費税額 420,100円、地方消費税額 118,400円）は、当期の２月に外国法人乙社から輸入したB商品（特例申告貨物には該当しない。）に係るものである。

(2)　「従業員給与手当」のうち、2,265,000円は通勤手当に該当しており、通常必要と認められるものである。

(3)　「福利厚生費」のうち、事業主負担の社会保険料は 6,834,000円であり、その他の金額のうち課税仕入れに該当するものは 1,871,000円である。

(4) 「広告宣伝費」の内訳は次のとおりである。

 ① 新商品の広告に際し、国内の広告会社に支払った金額   5,540,000円

 ② ハワイに所有するマンションを売却するために支払った国内での広告宣伝費   331,000円

(5) 「旅費交通費」には、従業員の海外出張における旅費が 745,000円含まれており、それ以外は国内出張に係る旅費である。

(6) 「通信費」はすべて課税仕入れに該当する。

(7) 「地代家賃」の内訳は、次のとおりである。

 ① 本社ビルの賃借料   5,500,000円

 ② 従業員の社宅の借上げ料   3,232,000円

 ③ 商品保管用倉庫の賃借料   1,004,000円

(8) 「その他の費用」のうち課税仕入れに該当するものは 1,134,000円である。

(9) 「販売費及び一般管理費」に属する勘定科目で、「従業員給与手当」、「福利厚生費」、「旅費交通費」、「水道光熱費」、「通信費」及び「その他の費用」のうち課税仕入れに該当するものは、課税資産の譲渡等とその他の資産の譲渡等に共通して要する課税仕入れに該当する。

(10) 甲社の当期における課税売上割合は80%とする。

(11) 甲社は消費税の経理処理については、税込経理方式を採用し、設立以来消費税法第9条第1項《小規模事業者に係る納税義務の免除》の規定の適用を受けたことはない。

⇨解答：272ページ

次の資料に基づき、個別対応方式及び一括比例配分方式により甲社の当課税期間（令和7年4月1日から令和8年3月31日まで）における控除対象仕入税額（割戻し計算によるものとする。）を求めなさい。なお、当課税期間に係る課税売上割合は85%であり、甲社は設立以来、消費税法第9条第1項《小規模事業者に係る納税義務の免除》の規定の適用を受けたことはない。また、甲社は、経理方法として、税込経理方式を採用しており、取引等は、特に断りのある場合を除き、国内において行われたものである。

〔資　料〕

(1) 国内商品仕入高　　　　　　　　28,500,000円（非課税とされるものは含まれていない。）

(2) 販売費及び一般管理費

　①　旅費交通費　　　　　　　　694,000円

　②　事務用品費　　　　　　　　230,000円

　③　接待交際費　　　　　　　1,102,000円

　④　水道光熱費　　　　　　　　850,000円

(3) 特別損失

　①　有価証券売却手数料　　　　35,000円

　　上記金額は、甲社が保有していた株式（帳簿価額 10,000,000円、売却価額 12,800,000円）を売却した際に証券会社に支払ったものである。

　②　固定資産売却手数料　　　　950,000円

　　上記金額は、甲社が所有していた土地付建物 （帳簿価額は土地 12,000,000円、建物 3,000,000円であり、譲渡価額は土地と建物で 14,000,000円である。）の売却に際し不動産会社に支払ったものである。なお、土地と建物の時価の比は8：2である。また、当該手数料は、課税資産の譲渡等とその他の資産の譲渡等に共通して要する課税仕入れに該当する。

(4) 販売費及び一般管理費に属する科目は、すべて課税資産の譲渡等とその他の資産の譲渡等に共通して要する課税仕入れに該当する。

(5) 当課税期間中に甲社の納税地を所轄する税務署長に対し、消費税法第30条第3項に規定する《消費税課税売上割合に準ずる割合の適用承認申請書》を提出し、水道光熱費について課税売上割合に準ずる割合（95%）を適用することにつき、承認を受けている。

⇨解答：273ページ

次の資料から、割戻し計算により、甲社（適格請求書発行事業者に該当している。）の当期（令和７年４月１日から令和８年３月31日まで）の納付すべき消費税額を計算しなさい。

〔資　料〕

(1)　甲社の当期に係る損益計算書は次のとおりである。

損　益　計　算　書

自令和７年４月１日　至令和８年３月31日　　　（単位：円）

期 首 商 品 棚 卸 高	40,500,000	商 品 売 上 高	674,470,000
当 期 商 品 仕 入 高	420,000,000	期 末 商 品 棚 卸 高	38,000,000
売 上 値 引	3,795,000	受 取 利 息	5,000,000
販売費・一般管理費	121,550,000	受 取 配 当 金	5,500,000
支 払 利 息	5,190,000	受 取 家 賃	1,800,000
機 械 売 却 損	376,000	社 宅 使 用 料 収 入	2,400,000
貸 倒 損 失	3,500,000	有 価 証 券 売 却 益	25,448,750
当 期 利 益	328,194,750	土 地 売 却 益	170,487,000
	923,105,750		923,105,750

(2)　商品売上高は、仕入商品に係る売上高であり、非課税取引に係るものは含まれていないが、輸出免税の対象となる売上高 50,000,000円が含まれている。

(3)　売上値引は、当期の国内の事業者に対する商品売上げに係るものである。

(4)　当期商品仕入高には、保税地域から引き取った商品分 8,800,000円（うち税関に納付した消費税額 624,000円、地方消費税額 176,000円)が含まれており、それ以外は国内における課税仕入れに該当する。

　　なお、甲社は、消費税法第47条第３項に規定する特例申告は行っていない。

(5)　販売費・一般管理費の内訳は次のとおりである。

①　役員報酬　　　　　　　　　20,000,000円

②　従業員給与手当　　　　　　72,000,000円

　　上記金額には、通勤定期代 3,724,000円が含まれている。

③　販売促進費　　　　　　　　300,000円

　　上記金額は、当期の商品の販売数量等に応じ、国内の得意先に支出した金銭の額である。

④　福利厚生費　　　　　　　　5,926,000円

　　上記金額は、全額課税仕入れに該当する。

⑤　広告宣伝費　　　　　　　　1,250,000円

商品販売の広告宣伝に係るものであり、全額課税仕入れに該当する。

⑥　接待交際費　　　　　　　　　　　2,800,000円（うちゴルフ場利用税 72,000円）

⑦　商品荷造運搬費　　　　　　　　　3,216,000円

　　上記金額には、国際運輸料金 862,000円が含まれているが、他はすべて課税仕入れに該当する。

⑧　その他の販売費・一般管理費　16,058,000円

　　上記金額のうち課税仕入れに該当する費用の額は、13,476,000円である。

⑨　上記①、②、④、⑥、⑧のうち課税仕入れに該当するものは、課税資産の譲渡等とその他の資産の譲渡等に共通して要する課税仕入れに該当する。なお、甲社は、福利厚生費について、納税地の所轄税務署長から従業員の数に応じた課税売上割合に準ずる割合 95%を使用することの承認を受けている。

(6)　受取利息は、国内の取引先に対する貸付金に係るものである。

(7)　受取家賃は、貸店舗の賃貸料である。

(8)　社宅使用料収入は、従業員に低額で使用させている社宅の賃貸料である。

(9)　有価証券売却益は、株式の売却価額 50,000,000円から帳簿価額 24,000,000円と証券会社に支払った売却手数料 551,250円を控除した金額である。

(10)　土地売却益は、土地の売却価額 300,000,000円から帳簿価額 120,000,000円と不動産業者に支払った売却手数料 9,513,000円を控除した金額である。

(11)　機械売却損は、機械の売却価額 200,000円から帳簿価額 576,000円を控除した金額である。

(12)　貸倒損失は、平成31年4月の国内の得意先に対する売掛金 2,000,000円と貸付金 1,500,000円が貸し倒れたことにより計上したものである。

(13)　甲社の当期に係る消費税の中間納付税額は、4,200,000円である。

(14)　甲社は、設立以来、消費税法第9条第1項《小規模事業者に係る納税義務の免除》の規定の適用を受けたことはない。

(15)　甲社は経理方法として、税込経理方式を採用している。

(16)　取引等は、特に断りのある場合を除き、国内において行われたものである。

(17)　税率の経過措置及び軽減税率が適用される取引はないものとする。

⇨解答：274ページ

問題 60　総合問題（その2）　重要度 A

次の資料から、割戻し計算により、甲社（適格請求書発行事業者に該当している。）の当期（令和7年4月1日から令和8年3月31日まで）の納付すべき消費税額を計算しなさい。

〔資　料〕

(1) 甲社の当期に係る損益計算書は次のとおりである。

損　益　計　算　書

自令和7年4月1日　至令和8年3月31日　　（単位：円）

期首商品棚卸高	20,182,800	商　品　売　上　高	184,520,000
当期商品仕入高	111,207,600	期末商品棚卸高	15,000,000
売　上　値　引	1,500,000	受　取　利　息	2,520,000
販売費・一般管理費	103,280,400	受　取　配　当　金	3,600,000
支　払　利　息	5,190,000	受　取　家　賃	4,800,000
貸　倒　損　失	2,150,000	有価証券売却益	9,559,000
当　期　利　益	79,801,200	固定資産売却益	103,313,000
	323,312,000		323,312,000

(2) 商品売上高は、仕入商品に係る売上高であり、非課税取引に係るものは含まれていないが、輸出免税の対象となる売上高 20,000,000円が含まれている。

(3) 売上値引は、すべて当期の国内の事業者に対する商品売上げに係るものである。

(4) 当期商品仕入高には、保税地域から引き取った商品 16,457,200円が含まれており、これら以外のものは、国内における課税仕入れに該当するものである。

　なお、保税地域から引き取った商品の金額には、輸入の際に税関に納付した消費税額 878,000円及び地方消費税額 247,600円、当期中に引き取った課税貨物につき納期限の延長を受けて未納となっている消費税額 288,000円及び地方消費税額 81,200円が含まれている。

(5) 販売費・一般管理費の内訳は次のとおりである。

① 役員報酬　　　　　　　　　　15,000,000円

② 従業員給与手当　　　　　　　52,000,000円

　上記金額には、通勤定期代 2,513,000円が含まれている。

③ 福利厚生費　　　　　　　　　5,926,000円

　上記金額には、従業員慰安の国内旅行費用 3,460,000円（うち入湯税 30,000円）が含まれているが、他は課税仕入れに該当する。

④ 広告宣伝費　　　　　　　　　1,250,000円

　商品販売の広告宣伝を、国内の事業者に依頼した際のものである。

⑤ 接待交際費 　　　　　　　　2,800,000円

　　　上記金額は、商品販売に係る接待のために要した飲食費 1,682,000円及びゴルフプレー費 1,118,000円（うちゴルフ場利用税 80,200円）の合計額である。

⑥ 支払家賃 　　　　　　　　10,800,000円

　　　上記金額は、社宅の借上げ料である。

⑦ その他の販売費・一般管理費 　15,504,400円

　　　上記金額のうち課税仕入れに該当する費用の額は、7,777,000円である。

⑧ 上記①、②、③、⑦のうち課税仕入れに該当するものは、課税資産の譲渡等とその他の資産の譲渡等に共通して要する課税仕入れに該当する。

(6) 受取利息は、国内の事業者に対する貸付金に係るものである。

(7) 受取家賃は、従業員に低額で使用させている社宅の賃貸料である。

(8) 有価証券売却益は、株式の売却価額 40,000,000円から帳簿価額 30,000,000円と証券会社に支払った売却手数料 441,000円を控除した金額である。

(9) 固定資産売却益は、当期に商品倉庫（土地付建物）を 200,000,000円で売却した際、上記金額から帳簿価額（倉庫 8,324,000円、土地 82,000,000円）及び売却手数料 6,363,000円を控除したものであり、売却手数料は、課税資産の譲渡等とその他の資産の譲渡等に共通して要する課税仕入れに該当する。

　　　なお、売却時における土地と倉庫の価額の比は 9 対 1 である。

(10) 貸倒損失は、令和 3 年12月の国内の事業者に対する売掛金が貸し倒れたものであり、税法上の貸倒れに該当する。

(11) 甲社の当期に係る消費税の中間納付税額は、1,000,000円である。

(12) 甲社は、設立以来、消費税の課税事業者に該当している。

(13) 甲社は経理方法として、税込経理方式を採用している。

(14) 取引等は、特に断りのある場合を除き、国内において行われたものである。

(15) 税率の経過措置及び軽減税率が適用される取引はないものとする。

⇨解答：276ページ

次の資料から、割戻し計算により、甲社（適格請求書発行事業者に該当している。）の当期（令和７年４月１日から令和８年３月31日まで）の納付すべき消費税額を計算しなさい。

〔資 料〕

(1) 甲社の当期に係る損益計算書は次のとおりである。

損 益 計 算 書
自令和７年４月１日　至令和８年３月31日　　（単位：円）

期 首 商 品 棚 卸 高	5,845,600	商 品 売 上 高	97,550,000
当 期 商 品 仕 入 高	36,750,000	期 末 商 品 棚 卸 高	6,754,200
売 上 値 引	42,000	受 取 利 息	1,800
販売費・一般管理費	74,200,000	受 取 配 当 金	400
支 払 利 息	328,400	固 定 資 産 売 却 益	32,420,000
当 期 利 益	19,605,400	有 価 証 券 売 却 益	45,000
	136,771,400		136,771,400

(2) 商品売上高は、仕入商品に係る売上高であり、非課税取引に係るものは含まれていないが、輸出免税の対象となる売上高17,000,000円が含まれている。

(3) 売上値引は、すべて当期の国内の事業者に対する商品売上げに係るものである。

(4) 当期商品仕入高は、すべて国内における課税仕入れに該当するものである。

(5) 販売費・一般管理費の内訳は次のとおりである。

① 役員報酬　　　　　　　　　12,000,000円

② 給与手当　　　　　　　　　37,600,000円

③ 福利厚生費　　　　　　　　　487,000円

　　上記金額には、従業員の健康診断費用168,000円、従業員への香典20,000円が含まれているが、他は課税仕入れに該当する。

④ 広告宣伝費　　　　　　　　2,668,200円

　　上記金額は国内の事業者に支払った商品の雑誌掲載料金1,708,200円と海外の事業者（非居住者）に支払ったインターネット上での商品の広告掲載料960,000円の合計額であり、広告掲載料については事業者向け電気通信利用役務の提供に該当するものである。

⑤　新聞図書費　　　　　　　　　　188,000円

上記金額のうち、8,600円は海外の事業者（非居住者）からの電子書籍の購入代金であるが、他は課税仕入れに該当する。なお、当該海外の事業者については、適格請求書発行事業者に該当するものである。

⑥　接待交際費　　　　　　　　　　2,480,000円

上記金額には、商品券の購入費用150,000円が含まれているが、他は課税仕入れに該当する。

⑦　その他の販売費・一般管理費　18,776,800円

上記金額のうち課税仕入れに該当する費用は、9,687,000円である。

⑧　上記①、②、③、⑤、⑥、⑦のうち課税仕入れに該当するものは、課税資産の譲渡等とその他の資産の譲渡等に共通して要する課税仕入れに該当する。

(6)　受取利息は、国内の銀行の普通預金利息に係るもの700円と国内の銀行の外貨預金利息に係るもの1,100円の合計額である。

(7)　固定資産売却益は、当期に57,000,000円で売却した土地に係るものであり、売却手数料1,911,600円を控除後の金額である。

(8)　有価証券売却益は、当期に450,000円で売却したゴルフ場の会員権に係るものである。

(9)　甲社の当期に係る消費税の中間納付税額は、520,000円である。

(10)　甲社は当期において簡易課税制度の適用は受けていない。

(11)　甲社は経理方法として、税込経理方式を採用している。

(12)　税率の経過措置及び軽減税率が適用される取引はないものとする。

⇨解答：278ページ

Ⅳ　非課税資産の輸出等

1．非課税資産の輸出

(1)　内　容

課税事業者が、国内において非課税資産の譲渡等のうち輸出取引等に該当するものを行った場合には、一定の証明を要件に、**課税資産の譲渡等に係る輸出取引等に該当するものとみなして、仕入れに係る消費税額の控除の規定を適用する。**

(2)　課税売上割合の計算

$$課税売上割合 = \frac{課税売上高 ＋ \textbf{非課税資産の輸出売上高}}{課税売上高 ＋ 非課税売上高}$$

(3)　課税仕入れ等の区分

非課税資産の輸出に係る国内における課税仕入れ等 → **A対応として処理**

(4)　非課税資産の輸出の具体例

① 非課税資産（身体障害者用物品等）の輸出

② 国外の者（非居住者）に対する信用の保証としての役務の提供

③ 国外の者（非居住者）に対する貸付金等に係る受取利息

④ 国外の金融機関（非居住者）への預貯金等に係る受取利息

⑤ 外国債等に係る受取利息

2．資産の国外移送

(1)　内　容

課税事業者が、国外における資産の譲渡等又は自己の使用のため、資産を輸出した場合には、一定の証明を要件に、**課税資産の譲渡等に係る輸出取引等に該当するものとみなして、仕入れに係る消費税額の控除の規定を適用する。**

(2)　課税売上割合の計算

$$課税売上割合 = \frac{課税売上高 ＋ \textbf{本船甲板渡し価格}}{課税売上高 ＋ 非課税売上高 ＋ \textbf{本船甲板渡し価格}}$$

(3)　課税仕入れ等の区分

資産の国外移送に係る国内における課税仕入れ等 → **A対応として処理**

⑷　資産の国外移送の具体例

> ①　国外支店において使用するための事務機器等を、その支店あてに輸出する場合
>
> ②　国外支店において販売するための商品等を、その支店あてに輸出する場合

◆　**本船甲板渡し価格**

　　輸出する者が輸送船等に積み込むまでに負担する費用（仕入価額、輸送費用等）や保険料等の合計金額をいう。**ＦＯＢ価格**とも呼ばれる。

※　**貨物船に積み込むまでに要した費用すべての合計が「本船甲板渡し価格」となる。**

> 購入費用 ＋ 運送料 ＋ 保険料 ＋ 通関費 ＋ 鑑定料 ＋ 荷役費 …
> 　＝ 本船甲板渡し価格

次の資料から、甲社の当課税期間（令和７年４月１日から令和８年３月31日まで）の課税売上割合を計算しなさい。

〔資　料〕

(1)　商品売上高　　　　　　　　　　　　　　　　　　　　　　　60,000,000円

　　上記金額には、非課税取引に係るものはない。その内訳は次のとおりである。

　　①　国内の消費者に対する売上高　　　　45,000,000円

　　②　輸出免税の対象となる売上高　　　　 5,000,000円

　　③　海外支店における売上高　　　　　　10,000,000円

(2)　売上値引・戻り高　　　　　　　　　　　　　　　　　　　　 5,500,000円

　　上記金額の内訳は次のとおりである。

　　①　上記(1)①に係るもの　　　　　　　 4,400,000円

　　②　上記(1)②に係るもの　　　　　　　 1,100,000円

(3)　受取利息　　　　　　　　　　　　　　　　　　　　　　　　 1,200,000円

　　上記金額には、非居住者に対する貸付金の利息 150,000円が含まれている。

(4)　受取配当金　　　　　　　　　　　　　　　　　　　　　　　 2,000,000円

(5)　土地売却代金　　　　　　　　　　　　　　　　　　　　　　20,000,000円

(6)　上場株式売却代金　　　　　　　　　　　　　　　　　　　　15,000,000円

(7)　海外支店に輸出した商品の本船甲板渡し価格は、8,000,000円である。

(8)　資産の輸出については、輸出取引等に該当するものであることにつき、財務省令で定めるところにより証明がされている。

(9)　甲社は経理方法として、税込経理方式を採用している。

(10)　取引等は、特に断りのある場合を除き、国内において行われたものである。

⇨解答：280ページ

問題 63 非課税資産の輸出等（その2）　　重要度 C

次の資料に基づいて、当課税期間（令和7年4月1日から令和8年3月31日まで）の課税売上割合を計算しなさい。なお、当社は税込経理方式を採用している。

〔資　料〕

(1) 資産の譲渡等に関する事項

① 課税資産の譲渡等の内訳は次のとおりである。

イ	輸出取引等に該当する売上高	100,000,000円
ロ	国内の事業者に対する売上高	744,030,000円
ハ	国内の消費者に対する売上高	55,000,000円

② 非課税資産の譲渡等の内訳は次のとおりである。

イ	輸出取引等に該当する売上高	50,500,000円
ロ	国内の事業者に対する売上高	80,000,000円
ハ	国内の消費者に対する売上高	20,500,000円

(2) 売上げに係る対価の返還等に関する事項

上記(1)の売上げに対し、それぞれ次に掲げる売上げに係る対価の返還等があった。その内訳は次のとおりである。

①	上記(1)①イ	1,000,000円
②	上記(1)①ロ	7,700,000円
③	上記(1)①ハ	660,000円
④	上記(1)②イ	500,000円
⑤	上記(1)②ロ	350,000円
⑥	上記(1)②ハ	150,000円

(3) 資産の輸出については、輸出取引等に該当するものであることにつき、財務省令で定めるところにより証明がされている。

⇨解答：280ページ

次の資料により、課税売上割合を計算しなさい。

なお、消費税が課税されるものについては、消費税込みの金額により表示しており、特段、断りのないものは、国内における取引に係るものである。

〔資　料〕

1．営業取引（非課税となるものはなく、輸出売上高はすべて免税の対象になるものである。）

(1)　国内売上高　　　　　　　781,000,000円

(2)　輸出売上高　　　　　　　150,000,000円

(3)　国外売上高　　　　　　　 26,000,000円

　　　上記国外売上高は、アメリカにある支店の売上高である。

2．営業外取引

(1)　受取利息　　　　　　　　　2,500,000円

(2)　受取配当金　　　　　　　　1,000,000円

(3)　土地売却代金　　　　95,000,000円（帳簿価額　25,000,000円）

(4)　建物売却代金　　　　22,000,000円（帳簿価額　18,000,000円）

(5)　上場株式売却代金　　50,000,000円（帳簿価額　30,000,000円）

3．その他の取引

　　アメリカ支店に対し商品を輸出しており、当該商品は輸出されたことにつき財務省令で定めるところにより証明されている。

　　なお、当該商品について次の費用が生じている。

(1)　仕入価額　　　　　　　　19,740,000円

　　　当該商品を国内で仕入れた際の金額である。

(2)　通関手数料　　　　　　　　 260,000円

(3)　輸送料　　　　　　　　　　 500,000円

　　　国内の港からアメリカ支店までの金額である。

4．課税期間は、令和7年4月1日から令和8年3月31日までである。

⇨解答：281ページ

V 仕入返還等

1．仕入れに係る対価の返還等を受けた場合

(1) 意　義

> 仕入れに係る対価の返還等とは、国内において行った課税仕入れに係る支払対価の額若しくは特定課税仕入れに係る支払対価の額の全部若しくは一部の返還又はその支払対価の額に係る買掛金等の全部若しくは一部の減額をいう。

(2) 要件及び処理

要　件	課税事業者が国内において行った課税仕入れ（仕入れに係る消費税額の控除の規定の適用を受けたものに限る。）又は特定課税仕入れにつき、仕入れに係る対価の返還等を受けたこと。
処　理	対価の返還等を受けた日の属する課税期間における課税仕入れ等の税額の合計額から、対価の返還等を受けた金額に係る消費税額の合計額を控除した残額を、課税仕入れ等の税額の合計額とみなす。

(3) 計算式（割戻し計算）

$$仕入れに係る税込対価の返還等の金額 \times \frac{7.8}{110} ※ + 特定課税仕入れに係る対価の返還等 \times 7.8\% = 仕入れに係る対価の返還等に係る消費税額$$

$$※　軽減税率の場合は \times \frac{6.24}{108}$$

※　積上げ計算は第8章（インボイス制度）参照。

全額控除	課税仕入れ等に係る消費税額 － 仕入れに係る対価の返還等に係る消費税額
個別対応方　式	Ⓐ ＝ A対応の課税仕入れ等に係る消費税額 － A対応の仕入れに係る対価の返還等に係る消費税額 Ⓒ ＝ [C対応の課税仕入れ等に係る消費税額 × 課税売上割合] － [C対応の仕入れに係る対価の返還等に係る消費税額 × 課税売上割合] 控除対象仕入税額 ＝ Ⓐ ＋ Ⓒ
一括比例配分方式	[課税仕入れ等に係る消費税額 × 課税売上割合] － [仕入れに係る対価の返還等に係る消費税額 × 課税売上割合]

(4) 範　囲

| ① 仕入返品 |
| ② 仕入値引 |
| ③ 仕入割戻 |
| ④ 仕入割引（基通12－1－4） |
| ⑤ 販売奨励金（基通12－1－2） |
| ⑥ 事業分量配当金（基通12－1－3） |

◆　留意点

(1) **事業者が収受する販売奨励金等**（基通12－1－2）

　　事業者が販売促進の目的で販売奨励金等の対象とされる課税資産の販売数量、販売高等に応じて取引先（課税仕入れの相手方のほか、その課税資産の製造者、卸売業者等の取引関係者を含む。）から**金銭により支払を受ける販売奨励金等**は、仕入れに係る対価の返還等に該当する。

(2) **仕入割引**（基通12－1－4）

　　課税仕入れに係る対価をその支払期日よりも前に支払ったこと等を基因として支払いを受ける仕入割引は、仕入れに係る対価の返還等に該当する。

(3) **課税仕入れとそれ以外の取引を一括して対象とする仕入割戻し**（基通12－1－6）

　　事業者が、一の取引先から課税資産の譲渡等（軽減対象課税資産の譲渡等を除く。）、軽減対象課税資産の譲渡等及びこれら以外の資産の譲渡等のうち異なる2以上の区分の資産の譲渡等を同時に受けた場合において、当該2以上の資産の譲渡等に係る取引につき、一括して仕入れに係る割戻しを受けたときは、割戻金額をそれぞれの取引に係る部分に合理的に区分したところにより法第32条《仕入れに係る対価の返還等を受けた場合の仕入れに係る消費税額の控除の特例》の規定を適用する。

(4) **債務免除**（基通12－1－7）

　　事業者が課税仕入れの相手方に対する買掛金その他の債務の全部又は一部について債務免除を受けた場合における当該**債務免除は、仕入れに係る対価の返還等に該当しない**。

2．課税貨物に係る消費税額の還付を受ける場合

(1) **要件及び処理**

要　件	課税事業者が保税地域からの引取りに係る課税貨物に係る消費税額の全部又は一部につき他の法律の規定により還付を受けること。
処　理	課税貨物に係る消費税額の還付を受ける日の属する課税期間における課税仕入れ等の税額の合計額から、還付を受ける消費税額の合計額を控除した残額を、**課税仕入れ等の税額の合計額とみなす**。

(2) 計算式

全額控除	課税仕入れ等に係る消費税額－引取りの還付税額（注）		
個別対応 方　式	Ⓐ ＝ A対応の課税仕入れ 等に係る消費税額 － A対応の引取り の還付税額 Ⓒ ＝ ［C対応の課税仕入れ 等に係る消費税額 × 課税売 上割合］ － ［C対応の引取り の還付税額 × 課税売 上割合］ 控除対象仕入税額 ＝ Ⓐ ＋ Ⓒ		
一括比例 配分方式	［課税仕入れ等に 係る消費税額 × 課税売 上割合］ － ［引取りの 還付税額 × 課税売 上割合］		

（注）税関から還付された税額をそのまま使用する。試験では通常与えられる。

(3) 課税貨物に係る消費税の還付の流れ

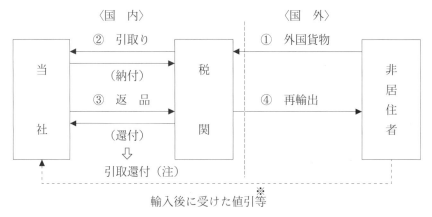

（注）税関から還付を受けたもののみ処理が必要である。

※ **輸入品に係る仕入割戻し**（基通12－1－5）

　保税地域からの引取りに係る課税貨物について、その課税貨物の購入先からその課税貨物の購入に係る割戻しを受けた場合のその割戻しは、仕入れに係る対価の返還等に該当しない。

　（注）非居住者からの輸入貨物に係る値引、割戻し等は、税関から還付を受けた消費税額がないため処理しない。

　仕入返還等（その１）　　　　　　　　重　要　度　A

　次の資料から、個別対応方式及び一括比例配分方式により甲社の当課税期間（令和７年４月１日から令和８年３月31日まで）の控除対象仕入税額を計算（割戻し計算によるものとする。）しなさい。なお、甲社は課税事業者に該当し、消費税の経理処理については、税込経理方式を採用している。

〔資　料〕

(1)　課税仕入れ（200,000,000円）の内訳

　　①　課税資産の譲渡等にのみ要するもの

　　　　150,000,000円

　　②　その他の資産の譲渡等にのみ要するもの

　　　　2,000,000円

　　③　課税資産の譲渡等とその他の資産の譲渡等に共通して要するもの

　　　　48,000,000円

(2)　課税仕入れについての返品は 2,200,000円であり、すべて課税資産の譲渡等にのみ要するものに係るものである。

(3)　課税資産の譲渡等にのみ要する課税貨物に係る消費税額

　　400,000円（国税部分）

(4)　(3)につき税関から還付を受けた消費税額

　　20,000円（国税部分）

(5)　課税売上割合

$$\frac{442,649,000円}{569,216,000円}$$

⇨解答：282ページ

第5章

税額控除

問 題 66　仕入返還等（その２）

重要度　A

　次の資料から、個別対応方式及び一括比例配分方式により甲社の当課税期間（令和７年４月１日から令和８年３月31日まで）の控除対象仕入税額を計算（割戻し計算によるものとする。）しなさい。なお、計算にあっては次の事項を前提として答えなさい。

(1)　甲社は消費税の課税事業者に該当し、設立以来消費税法第９条第１項（小規模事業者に係る納税義務の免除）の規定の適用を受けたことはない。

(2)　会計帳簿による経理は、すべて消費税及び地方消費税込みの金額により処理している。

(3)　商品仕入れに関する事項については、非課税取引に該当するものは含まれていない。

〔資　料〕

Ⅰ　甲社の当課税期間における課税売上割合に関する事項

$$\frac{1,477,780,427円}{3,173,904,427円}$$

Ⅱ　商品仕入れに関する事項

(1)　当期商品仕入高（1,058,432,000円）

　　上記金額には、甲社が輸入し、保税地域から引き取った商品分 224,579,300円が含まれており、これ以外のものについては、国内における課税仕入れに該当する。

　　なお、224,579,300円には、輸入の際税関に対して納付した消費税額 11,666,600円及び地方消費税額 3,290,500円、当課税期間に引き取った課税貨物につき納期限の延長を受けて未納となっている消費税額 3,500,000円及び地方消費税額 987,100円、当課税期間中に輸入した貨物につき、貨物の引取り後に輸入価格の更正を受けたことに伴い当課税期間に納付した消費税額 758,300円及び地方消費税額 213,800円が含まれている。

(2)　仕入値引・戻し高（5,460,000円）

　　上記金額は、当課税期間中の課税仕入れ等に係るものであるが、このうち 1,100,000円は、輸入品の品違いが判明したが、税関長の承認を受けてその商品を再輸出したことに伴い税関から還付を受けた消費税額 78,000円及び地方消費税額 22,000円と、仕入先から返還を受けた金額 1,000,000円との合計額である。

　　また、「仕入値引・戻し高」のうち、790,000円は、輸入貨物について仕入先から受けた値引であり、税関手続きはしていない。

Ⅲ　その他の事項

　上記のほか、課税仕入れに関する事項は次のとおりである。

(1)　課税資産の譲渡等のにのみ要するもの（28,386,000円）

(2)　その他の資産の譲渡等のにのみ要するもの（1,390,000円）

(3)　課税資産の譲渡等とその他の資産の譲渡等に共通して要するもの（45,733,000円）

⇨解答：283ページ

Ⅵ　調整対象固定資産

1．調整対象固定資産

　　調整対象固定資産は、棚卸資産以外の資産で次に掲げるもののうち、その資産に係る課税仕入れに係る支払対価の額の110分の100（平成26年3月31日以前は105分の100、令和元年9月30日以前は108分の100）に相当する金額、その資産に係る特定課税仕入れに係る支払対価の額又は保税地域から引き取られるその資産の課税標準である金額が、一の取引単位につき100万円以上のものとする。

> (1)　建物及びその附属設備
> (2)　構築物
> (3)　機械及び装置
> (4)　船　　舶
> (5)　航空機
> (6)　車両及び運搬具
> (7)　工具、器具及び備品
> (8)　一定の無形固定資産
> (9)　ゴルフ場利用株式等
> (10)　一定の生物
> (11)　上記の資産に準ずるもの

2．課税売上割合の著しい変動

(1)　要件及び処理

要　件	①	課税事業者が国内において調整対象固定資産の課税仕入れ若しくは特定課税仕入れを行い、又は調整対象固定資産に該当する課税貨物を保税地域から引き取ること。
	②	調整対象固定資産に係る課税仕入れ等の税額につき比例配分法（注1）により仕入れに係る消費税額を計算していること。
	③	第3年度の課税期間（注2）の末日において、その調整対象固定資産を保有していること。
	④	第3年度の課税期間における通算課税売上割合が仕入れ等の課税期間における課税売上割合に対して著しく増加した場合又は著しく減少した場合（注3）に該当すること。
処　理	著しい増加	調整税額を第3年度の課税期間の仕入れに係る消費税額に加算する。
	著しい減少	調整税額を第3年度の課税期間の仕入れに係る消費税額から控除する。

（注１）比例配分法（法33②）

　　　　課税売上割合を乗じて計算することをいい、具体的には次のものを指す。

　　① 個別対応方式の共通対応部分の計算

　　② 一括比例配分方式

　　※ 課税仕入れ等の税額の全額が控除された場合を含む。

（注２）第３年度の課税期間

　　　　仕入れ等の課税期間の開始の日から３年を経過する日の属する課税期間をいう。

（注３）著しい変動の判定（令53①②）

　　　　次のいずれにも該当すること。

　　① 変動差

　　　　「仕入れ時の課税売上割合」と「通算課税売上割合」との差 ≧ ５％

　　② 変動率

$$\frac{「仕入れ時の課税売上割合」と「通算課税売上割合」との差}{仕入れ時の課税売上割合} ≧ 50\%$$

(2) **計算パターン**

① 調整対象固定資産の判定

　調整対象固定資産の支払対価 $\times \frac{100}{110}$ ※＝ ×××円 ≧ 1,000,000円

　　　　　　　　　　　　　　　　　　　　　　　∴ 該当する

　　※ 平成26年３月31日以前は $\times \frac{100}{105}$ 、令和元年９月30日以前は $\times \frac{100}{108}$

② 著しい変動の判定

(イ) 仕入れ時の課税売上割合

$$\frac{仕入課税期間の課税売上高}{仕入課税期間の課税売上高 ＋ 仕入課税期間の非課税売上高}$$

(ロ) 通算課税売上割合

$$\frac{通算課税期間中の課税売上高}{通算課税期間中の課税売上高 ＋ 通算課税期間中の非課税売上高}$$

(ハ) 変動差

　「仕入れ時の課税売上割合」と
　「通算課税売上割合」との差 ≧ ５％

(ニ) 変動率

$$\frac{変動差}{仕入れ時の課税売上割合} ≧ 50\%$$

∴ 著しい変動に該当する

③　調整税額

(イ)　調整対象基準税額

$$\frac{\text{課税仕入れに係る調整対象固定資産の}}{\text{適格請求書等に記載された消費税額等}} \times 78\% \ ※$$

(ロ)　仕入れ時の控除税額

調整対象基準税額 × 仕入れ時の課税売上割合 ＝ ×××円

(ハ)　通算課税売上割合による税額

調整対象基準税額 × 通算課税売上割合 ＝ ×××円

(ニ)　調整税額

(ロ)と(ハ)の差額

④　控除対象仕入税額

(イ)　著しく増加した場合（②(イ)＜②(ロ)）

本来の控除対象仕入税額 ＋ 調整税額

(ロ)　著しく減少した場合（②(イ)＞②(ロ)）

本来の控除対象仕入税額 － 調整税額

※　令和元年10月1日から令和5年9月30日までに取得した調整対象固定資産については、調整対象固定資産の支払対価 $\times \dfrac{7.8}{110}$ により計算する。

◆　留意点

(1)　**仕入れ等の課税期間において課税資産の譲渡等がない場合**

「課税売上割合が著しく変動した場合」の規定の適用にあたり、次の①～③の要件を満たす場合には「**課税売上割合が著しく増加した場合**」に該当するものとして取扱う。

①　仕入れ等の課税期間において課税資産の譲渡等の対価の額がないこと。

②　仕入れ等の課税期間の翌課税期間から第3年度の課税期間において、課税資産の譲渡等の対価の額があること。

③　通算課税売上割合が5％以上であること。

【参考】

	仕入れ等の課税期間	中　　間　　年　　度	第3年度の課税期間
課税資産の譲渡等	0円	×××円	×××円
課税売上割合	0％	××％	××％

通算課税売上割合（A％）

（著しい変動の判定）

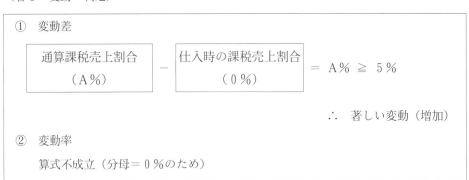

① 変動差

| 通算課税売上割合（A％） | － | 仕入時の課税売上割合（0％） | ＝ A％ ≧ 5％ |

∴ 著しい変動（増加）

② 変動率

算式不成立（分母＝0％のため）

（注）調整対象固定資産の資料が与えられた場合で、仕入れ等の課税期間における「課税資産の譲渡等の対価の額」がゼロ（又は課税売上割合がゼロ）の指示が与えられた場合に注意する。

(2) 第3年度の課税期間

仕入れ等の課税期間や前期及び前々期が1年未満である場合は、「第3年度の課税期間」は**翌々々期**となることに注意が必要である。

この場合、通算課税期間は4期間分となる。

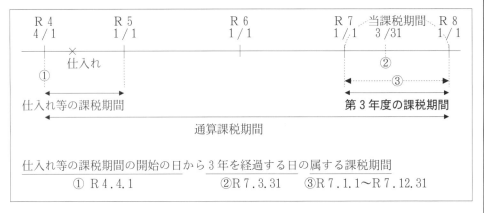

仕入れ等の課税期間の開始の日から3年を経過する日の属する課税期間
　　①R4.4.1　　　②R7.3.31　　③R7.1.1～R7.12.31

（注）なお、R5.1.1～R5.12.31までの間に仕入れたものについても、当課税期間が「第3年度の課税期間」に該当することに注意すること。

３．調整対象固定資産の転用

(1) 要件及び処理

要　件	① 課税事業者が国内において調整対象固定資産の課税仕入れ若しくは特定課税仕入れを行い、又は調整対象固定資産に該当する課税貨物を保税地域から引き取ること。 ② 調整対象固定資産に係る課税仕入れ等の税額（調整対象税額）につき、個別対応方式により課税資産の譲渡等にのみ要するものとして仕入れに係る消費税額を計算したこと又はその他の資産の譲渡等にのみ要するものとして仕入れに係る消費税額がないこととしたこと。 ③ 調整対象固定資産を、その課税仕入れ若しくは特定課税仕入れの日又はその保税地域からの引取りの日から３年以内にその他の資産の譲渡等に係る業務の用又は課税資産の譲渡等に係る業務の用に供したこと。	
処　理	課　税 ⇒ 非課税	(2)に掲げる消費税額を業務の用に供した課税期間における仕入れに係る消費税額から控除する。
	非課税 ⇒ 課　税	(2)に掲げる消費税額を業務の用に供した課税期間における仕入れに係る消費税額に加算する。

(2) 調整税額

① 仕入れ等の日から１年以内の転用 ……………… 調整対象税額の全額 ② 仕入れ等の日から１年超２年以内の転用 …… 調整対象税額の３分の２相当額 ③ 仕入れ等の日から２年超３年以内の転用 …… 調整対象税額の３分の１相当額

(3) 計算パターン

① 調整対象固定資産の判定

調整対象固定資産の支払対価 $\times \dfrac{100}{110}$ ※＝ ×××円 ≧ 1,000,000円

∴ 該当する

※ 平成26年３月31日以前は $\times \dfrac{100}{105}$ 、令和元年９月30日以前は $\times \dfrac{100}{108}$

② 調整対象税額

課税仕入れに係る調整対象固定資産の適格請求書等に記載された消費税額等 $\times$ 78% ※

③ 調整税額

(イ) 仕入れ等の日から１年以内の転用

調整対象税額の全額 ＝ 調整税額

(ロ) 仕入れ等の日から1年を超え、2年以内の転用

$$調整対象税額 \times \frac{2}{3} = 調整税額$$

(ハ) 仕入れ等の日から2年を超え、3年以内の転用

$$調整対象税額 \times \frac{1}{3} = 調整税額$$

④ 控除対象仕入税額

(イ) 課税から非課税に転用した場合

本来の控除対象仕入税額 － 調整税額 ＝ 控除対象仕入税額

(ロ) 非課税から課税に転用した場合

本来の控除対象仕入税額 ＋ 調整税額 ＝ 控除対象仕入税額

※ 令和元年10月1日から令和5年9月30日までに取得した調整対象固定資産については、調整対象固定資産の支払対価 $\times \dfrac{7.8}{110}$ により計算する。

問 題 67　調整対象固定資産　　　重要度 A

次の資料から、調整対象固定資産を選びなさい。

〔資　料〕

(1)　土　　　　地　　　　105,000,000円

(2)　機　　　　械　　　　　1,089,000円

(3)　車　　　　両　　　　　2,420,000円

(4)　建　　　　物　　　　22,000,000円

(5)　ゴルフ会員権　　　　　1,080,000円（令和元年6月取得）

　（注1）上記(1)～(5)については、すべて棚卸資産以外の資産であり、(5)以外は令和5年8月に取得したものである。

　（注2）上記(1)～(5)のうち消費税が課税されるものについては、いずれも消費税込みの金額である。

⇨解答：285ページ

問 題 68　著しい変動（その1）　　　重要度 A

　次の資料から、当期（令和7年4月1日から令和8年3月31日まで）の調整対象固定資産に係る消費税の調整税額を計算しなさい。なお、当社は設立以来、課税事業者に該当している。

〔資　料〕

(1)　前々期（令和5年4月1日から令和6年3月31日まで）の9月に、110,000,000円（税込）で建物を購入し、社屋（課税非課税共通業務用）として使用している。

(2)　前々期、前期及び当期の資産の譲渡等の状況は次のとおりである。

　　ただし、いずれも税抜金額である。

（単位：円）

	前々期	前期	当期
課 税 売 上 高	60,000,000	240,000,000	420,000,000
非 課 税 売 上 高	240,000,000	160,000,000	80,000,000
資 産 の 譲 渡 等	300,000,000	400,000,000	500,000,000

(3)　前々期において控除対象仕入税額は、個別対応方式により計算している。

(4)　上記社屋は、当期末において保有している。

⇨解答：285ページ

　次の資料から、甲社の当期（令和7年4月1日から令和8年3月31日まで）の仕入れに係る消費税額の調整税額を求めなさい。

　なお、甲社の事業年度は毎期4月1日から翌年3月31日までであり、課税売上割合が95％未満の課税期間又は課税期間における課税売上高が5億円を超える課税期間については、個別対応方式により仕入れに係る消費税額を計算することとしている。

〔資　料〕

1．各事業年度の売上げに関する事項

　　各事業年度における売上高の状況は次のとおりであるが、設立以来消費税法第9条第1項《小規模事業者に係る納税義務の免除》の規定の適用を受けた課税期間はない。

区　　分	前　々　期	前　　期	当　　期
課 税 売 上 高	417,394,285円	395,662,000円	1,238,873,000円
非 課 税 売 上 高	3,360,000円	389,100,000円	1,857,244,000円

　（注1）当期の非課税売上高には、非課税資産の輸出売上高が 144,000円含まれている。

　（注2）前期は簡易課税の規定の適用を受けている。

2．資産の購入に関する事項

　　甲社は、前々期の9月において従業員福利厚生用のレジャー施設の会員権（ゴルフ場利用株式等に該当する。）、商品製造用機械2台、パソコン3台を購入しており、これらの資産はいずれも当期末において保有している。

　　これらの資産の取得価額は、レジャー施設の会員権 3,620,000円、商品製造用機械 3,230,000円（1台当たり 1,615,000円であり、据付け費用が1台当たり 23,000円含まれている。）、パソコン 1,080,000円（1台当たり 360,000円）である。

3．当社は税込経理方式を採用している。

⇨解答：286ページ

次の資料から、甲社の当期（設立第4期　令和7年4月1日から令和8年3月31日まで）の仕入れに係る消費税額の調整税額を求めなさい。

甲社は令和5年1月19日に資本金 3,000万円で設立された法人であり、その事業年度は設立第1期は令和5年1月19日から令和5年3月31日までであり、その後は毎期4月1日から翌年3月31日までである。

なお、甲社は消費税の経理方法として税込経理方式を採用しており、課税売上割合が95％未満の課税期間又は課税期間における課税売上高が5億円を超える課税期間については、個別対応方式により仕入れに係る消費税額を計算することとしている。また、甲社は、消費税課税事業者選択届出書及び消費税簡易課税制度選択届出書を提出したことはなく、「前年等の課税売上高による納税義務の免除の特例」について考慮する必要はない。

〔資　料〕

1．各事業年度の売上げ等に関する事項

甲社の事業活動の状況は、設立第1期（令和5年1月19日から令和5年3月31日まで）は、開業準備行為のみで課税資産の譲渡等の対価の額はなく、設立第2期（令和5年4月1日から令和6年3月31日まで）より事業を開始しており、設立第2期、設立第3期（令和6年4月1日から令和7年3月31日まで）及び設立第4期（当期）における売上高の状況は次のとおりである。

区　　　分	設立第2期	設立第3期	設立第4期
課 税 売 上 高	78,236,000円	87,552,992円	132,778,286円
非 課 税 売 上 高	420,000円	780,000円	15,450,000円

（注1）課税売上高は税込金額であり、軽減税率の対象となる取引はない。

（注2）設立第4期より資産の国外移送を行っており、上記のほか、関税法施行令第59条の2第2項に規定する本邦の輸出港における本船甲板渡し価格が 2,220,000円ある。

2．資産の購入に関する事項

甲社は、設立第1期に本社ビル（土地付建物）、課税商品運搬用車両2台、特許権（製品開発に係るものであり、国内において登録されているものである。）及び備品を購入しており、いずれも当期末において保有している。これらの資産の取得価額は以下のとおりである。

(1)　本社ビル　　　　　　　60,000,000円

土地付建物に該当し、土地と建物の時価の比は8：2である。

(2)　課税商品運搬用車両　　2,500,000円（1台当たり 1,250,000円）

(3)　特許権　　　　　　　　1,780,000円

(4)　備品　　　　　　　　　3,500,000円

このうち、一取引当たりの単価が最も高額なものは、パソコン 580,000円である。

⇨解答：288ページ

問題 71　転用　重要度 A

次の資料から、甲社（従来より課税事業者に該当している。）の当期（令和 7 年 4 月 1 日から令和 8 年 3 月 31 日まで）の調整対象固定資産に係る消費税の調整税額を計算しなさい。

〔資　料〕

(1)　令和 4 年 5 月 25 日に機械を33,000,000円（税込）で購入し、非課税業務用として使用していた。

(2)　購入した課税期間において、控除対象仕入税額の計算は、個別対応方式を採用している。

(3)　令和 7 年 5 月 1 日（当期）から上記機械を課税業務用としての使用に用途変更している。

⇨解答：290ページ

問題 72　調整対象固定資産（まとめ）　重要度 A

次の資料から、個別対応方式及び一括比例配分方式により甲社（1 年決算法人）の当期（令和 7 年 4 月 1 日から令和 8 年 3 月 31 日まで）の控除対象仕入税額を計算しなさい。

〔資　料〕

(1)　課税仕入れの区分

①　課税資産の譲渡等にのみ要するもの

300,000,000円

②　その他の資産の譲渡等にのみ要するもの

20,000,000円

③　共通して要するもの

90,000,000円

④　課税仕入れに係る支払対価の額の合計額

410,000,000円

(2)　前々期において次の資産を購入している。

資産の種類	取得金額	取得日
建　物　A	55,000,000円	令和 5 年 5 月25日
機　械　B	3,960,000円	令和 5 年 7 月 2 日
車　両　C	3,300,000円	令和 5 年 9 月19日

(3) 仕入れ時の資産の使用状況

① 課税資産の譲渡等にのみ要するもの

車両C

② その他の資産の譲渡等にのみ要するもの

機械B

③ 共通して要するもの

建物A

(4) その他の事項

① 上記建物A、機械B、車両Cは、いずれも当期末において保有している。

② 車両Cについては、令和7年11月16日にその他の資産の譲渡等に係る業務の用に使用形態を変更している。

③ 前々期の控除対象仕入税額は、個別対応方式により計算している。

(5) 過年度等の資産の譲渡等（税抜金額）の状況は次のとおりである。

	前々期	前期	当期
課税売上高	140,000,000円	410,000,000円	700,000,000円
非課税売上高	560,000,000円	390,000,000円	300,000,000円
資産の譲渡等	700,000,000円	800,000,000円	1,000,000,000円

(6) 甲社は、設立以来、消費税法第9条第1項の規定の適用を受けたことはない。

(7) 甲社の事業年度は毎期4月1日から翌年3月31日までである。

⇨解答：291ページ

Ⅶ 居住用賃貸建物

1．仕入税額控除の制限

(1) 居住用賃貸建物に係る仕入税額控除の制限

> 事業者が国内において行う居住用賃貸建物に係る課税仕入れ等の税額については、仕入れに係る消費税額の控除の規定を適用しない。

(2) 居住用賃貸建物の意義

> 非課税とされる住宅の貸付けの用に供しないことが明らかな建物（附属設備を含む。）以外の建物（高額特定資産又は調整対象自己建設高額資産に限る。）をいう。

(3) 計算パターン

> 【控除対象仕入税額】
>
> 〜中略〜
>
> ① 個別対応方式
>
> ② 一括比例配分方式
>
> ③ 判 定
>
> 　　① ＞ ② ∴ ×××円
>
> ※ 居住用賃貸建物の判定
>
> 　　課税仕入れ等に係る支払対価 $\times \dfrac{100}{110}$ ＝ ×××円 ≧ 10,000,000円
>
> 　　　　　　　　　∴ 居住用賃貸建物に該当するため、税額控除適用なし

2．居住用賃貸建物を課税賃貸用に供した場合

(1) 概 要

> 居住用賃貸建物を取得した場合には、その課税仕入れ等の税額については仕入税額控除が制限されることになる。
>
> しかし、その後の課税期間において当該建物の用途を変更することも考えられる。その場合、当該建物の使用状況に応じて仕入控除税額を調整することとなっている。

(2) 居住用賃貸建物を課税賃貸用に供した場合の消費税額の調整

要　件	〔仕入れ等の課税期間の要件〕 (1)　課税事業者が居住用賃貸建物に係る仕入税額控除の制限の適用を受けたこと。 〔第3年度の課税期間の要件〕 (2)　第3年度の課税期間の末日において、居住用賃貸建物を保有していること。 (3)　居住用賃貸建物を、その仕入れ等の日から第3年度の課税期間の末日までの間（調整期間）に住宅の貸付け以外の貸付けの用（課税賃貸用）に供したこと。
処　理	調整税額を第3年度の課税期間の仕入れに係る消費税額に加算する。

(3) 用語の意義

居住用賃貸建物	非課税とされる住宅の貸付けの用に供しないことが明らかな建物（附属設備を含む。）以外の建物（高額特定資産又は調整対象自己建設高額資産に限る。）をいう。
第3年度の課税期間	居住用賃貸建物の仕入れ等の日の属する課税期間の開始の日から3年を経過する日の属する課税期間をいう。
居住用賃貸建物の仕入れ等の日	居住用賃貸建物の課税仕入れの日（注）をいう。 （注）その居住用賃貸建物が自己建設高額特定資産である場合にあっては、その建設等が完了した日
調整期間	居住用賃貸建物の仕入れ等の日から第3年度の課税期間の末日までの間をいう。
課税賃貸割合	調整期間に行ったその居住用賃貸建物の貸付けの対価の額の合計額のうちに、その居住用賃貸建物の課税賃貸用の貸付けの対価の額の合計額の占める割合として一定の方法により計算した割合をいう。

第5章

税額控除

(4) 計算パターン

【控除対象仕入税額】

　　　〜中略〜

① 個別対応方式

② 一括比例配分方式

③ 判　定

　　　① ＞ ② ∴　×××円

【居住用賃貸建物に係る仕入れに係る消費税額の調整】

(1) 居住用賃貸建物の判定

　　課税仕入れ等に係る支払対価× $\dfrac{100}{110}$ ＝ ×××円 ≧ 10,000,000円

　　　　　　　　　　　　　　　　　　　　　　　　∴　該当する

(2) 課税賃貸割合

$$\dfrac{\text{Aのうち課税賃貸用に供したものに係る金額}}{\text{調整期間に行った居住用賃貸建物の貸付けの対価の額（※）の合計額（A）}}$$

　　※　「対価の額」は、税抜金額で算出する。

　　　　また、値引き等（対価の返還等）があれば、これを控除する。

(3) 調整税額

　　課税仕入れ等の税額 × 課税賃貸割合 ＝ ×××円

(4) 控除対象仕入税額（加算調整）

　　本来の控除対象仕入税額 ＋ 調整税額 ＝ ×××円

3．居住用賃貸建物を譲渡した場合

(1) 概　要

　　居住用賃貸建物を取得した場合には、その課税仕入れ等の税額については仕入税額控除が制限されることになる。

　　しかし、その後の課税期間において当該建物を譲渡することも考えられる。その場合、仕入控除税額を調整することとなっている。

(2) 居住用賃貸建物を譲渡した場合の消費税額の調整

要　件	〔仕入れ等の課税期間の要件〕 (1) 課税事業者が居住用賃貸建物に係る仕入税額控除の制限の適用を受けたこと。 〔譲渡した課税期間の要件〕 (2) 居住用賃貸建物を、その仕入れ等の日から第3年度の課税期間の末日までの間（調整期間）に他の者に譲渡したこと。
処　理	調整税額を譲渡した課税期間の仕入れに係る消費税額に加算する。

(3) 用語の意義

居住用賃貸建物	非課税とされる住宅の貸付けの用に供しないことが明らかな建物（附属設備を含む。）以外の建物（高額特定資産又は調整対象自己建設高額資産に限る。）をいう。
第3年度の課税期間	居住用賃貸建物の仕入れ等の日の属する課税期間の開始の日から3年を経過する日の属する課税期間をいう。
居住用賃貸建物の仕入れ等の日	居住用賃貸建物の課税仕入れの日（注）をいう。 （注）その居住用賃貸建物が自己建設高額特定資産である場合にあっては、その建設等が完了した日
調　整　期　間	居住用賃貸建物の仕入れ等の日から第3年度の課税期間の末日までの間をいう。
課税譲渡等調整期間	居住用賃貸建物の仕入れ等の日からその居住用賃貸建物を他の者に譲渡した日までの間をいう。
課税譲渡等割合	課税譲渡等調整期間に行ったその居住用賃貸建物の貸付けの対価の額の合計額及びその居住用賃貸建物の譲渡の対価の額の合計額のうちに、その居住用賃貸建物の課税賃貸用の貸付けの対価の額の合計額及びその居住用賃貸建物の譲渡の対価の額の合計額の占める割合として一定の方法により計算した割合をいう。

(4) 計算パターン

【控除対象仕入税額】

〜中略〜

① 個別対応方式

② 一括比例配分方式

③ 判　定

①　>　②　∴　×××円

【居住用賃貸建物に係る仕入れに係る消費税額の調整】

(1) 居住用賃貸建物の判定

課税仕入れ等に係る支払対価 $\times \dfrac{100}{110}$ = ×××円 ≧ 10,000,000円

∴　該当する

(2) 課税譲渡等割合

$$\dfrac{\text{Bのうち課税賃貸用に供したものに係る金額　+　Cの金額}}{\substack{\text{課税譲渡等調整期間に行った} \\ \text{居住用賃貸建物の貸付けの対価　+　居住用賃貸建物の譲渡の対価の額（※）} \\ \text{の額（※）の合計額（B）}\qquad\qquad\qquad\text{（C）}}}$$

※　「対価の額」は、税抜金額で算出する。

また、値引き等（対価の返還等）があれば、これを控除する。

(3) 調整税額

課税仕入れ等の税額 × 課税譲渡等割合 = ×××円

(4) 控除対象仕入税額（加算調整）

本来の控除対象仕入税額 + 調整税額 = ×××円

問 題 73　居住用賃貸建物の判定

重要度 A

　次の購入資産について、消費税法第30条第10項に規定する《居住用賃貸建物》に該当するかどうか判定をしなさい。

　なお、金額は税込みであり、国内取引の要件を満たすものとする。

(1)　建物（居住賃貸用）の購入費用　　　　　　16,500,000円

(2)　建物（居住賃貸用）の購入費用　　　　　　 8,800,000円

(3)　建物（事務所賃貸用）の購入費用　　　　 242,000,000円

(4)　建物（ホテル用）の購入費用　　　　　　 385,000,000円

(5)　建物の購入費用　　　　　　　　　　　　　16,500,000円

　　販売用の建物（棚卸資産）であり、居住用として貸し付けてはいない。

⇨解答：293ページ

問 題 74　居住用賃貸建物の調整

重要度 B

【設問1】

　次の資料から、当期（令和7年4月1日から令和8年3月31日まで）の控除対象仕入税額を求めなさい。

　なお、当社は、設立以来納税義務の免除を受けたことはない。

〔資　料〕

(1)　個別対応方式による控除対象仕入税額　　　2,500,000円

(2)　一括比例配分方式による控除対象仕入税額　2,100,000円

(3)　前々期（令和5年4月1日から令和6年3月31日まで）の令和5年6月1日に居住賃貸用の建物Xを198,000,000円（税込）で取得し同日以後居住用として貸し付けていた。

(4)　建物Xを、当期から事務所用（課税賃貸用）に供している。

(5)　前々期から当期までの建物Xに係る賃貸料収入の内訳は、次のとおりである。

	前々期	前　期	当　期
居住用	2,500,000円	2,500,000円	0円
居住用以外（税込）	0円	0円	3,300,000円

【設問2】

次の資料から、当期（令和7年4月1日から令和8年3月31日まで）の控除対象仕入税額を求めなさい。

なお、当社は、設立以来納税義務の免除を受けたことはない。

〔資　料〕

(1) 個別対応方式による控除対象仕入税額　　　　　2,200,000円

(2) 一括比例配分方式による控除対象仕入税額　　　1,900,000円

(3) 前々期（令和5年4月1日から令和6年3月31日まで）の令和5年7月1日に居住賃貸用の建物Yを181,500,000円（税込）で取得し同日以後居住用として貸し付けていた。

(4) 建物Yを当期に内国法人へ59,400,000円（税込）で譲渡している。

(5) 前々期から当期までの建物Yに係る賃貸料収入の内訳は、次のとおりである。

	前々期	前　期	当　期
居住用	3,000,000円	3,000,000円	0円
居住用以外（税込）	0円	0円	0円

⇨解答：293ページ

VIII 棚卸資産の調整

1．免税事業者が課税事業者となった場合

(1) 要件及び処理

要　件	免税事業者が課税事業者となった場合において、課税事業者となった課税期間の初日（注1）の前日において**免税事業者であった期間中**に行った課税仕入れに係る棚卸資産等（注2）（注3）を有していること。
処　理	課税仕入れに係る棚卸資産等に係る消費税額を、課税事業者となった課税期間の「仕入れに係る消費税額」の計算の基礎となる「課税仕入れ等の税額」とみなす。

（注1）相続、吸収合併又は吸収分割があった場合の納税義務の免除の特例により課税事業者となった場合には、その課税事業者となった日

（注2）保税地域からの引取りに係る課税貨物で棚卸資産に該当するものを含む。

（注3）棚卸資産とは、商品、製品、半製品、仕掛品、原材料その他の資産で棚卸をすべきものをいう。

(2) 計算式

$$調整税額 = \frac{\text{前課税期間末棚卸資産の課税仕入れの金額}}{\text{又は}\quad\text{前課税期間末棚卸資産の課税貨物の金額}} \times \frac{7.8}{110} ※$$

$$※ \quad 軽減税率の場合は \times \frac{6.24}{108}$$

（注4）棚卸資産の取得価額

その棚卸資産等（注2）の取得に要した費用の額。

2．相続・合併等により事業を承継した場合

(1) 要件及び処理

要　件	課税事業者である個人事業者又は法人が、相続、合併、分割により免税事業者である被相続人、被合併法人、分割法人の事業を承継した場合において、被相続人、被合併法人、分割法人が**免税事業者であった期間中**に行った課税仕入れに係る棚卸資産等（注）を引き継いだこと。
処　理	課税仕入れに係る棚卸資産等に係る消費税額を、その引継ぎを受けた個人事業者又は法人の相続、合併、分割があった日の属する課税期間の「仕入れに係る消費税額」の計算の基礎となる「課税仕入れ等の税額」とみなす。

（注）保税地域からの引取りに係る課税貨物で棚卸資産に該当するものを含む。

◆　免税事業者が課税事業者となった場合の調整

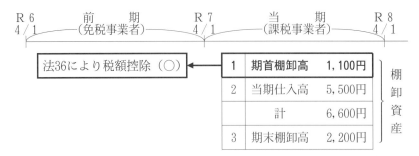

3．課税事業者が免税事業者となった場合

(1)　要件及び処理

要　件	課税事業者が免税事業者となった場合において、免税事業者となった課税期間の初日の前日において**その前日の属する課税期間中**に行った課税仕入れに係る棚卸資産等（注）を有していること。
処　理	課税仕入れに係る棚卸資産等に係る消費税額は、その課税期間の「仕入れに係る消費税額」の計算の基礎となる「課税仕入れ等の税額」に含まれないものとする。

（注）保税地域からの引取りに係る課税貨物で棚卸資産に該当するものを含む。

(2)　計算式

$$調整税額 ＝ \begin{array}{c}当課税期間末棚卸資産の課税仕入れの金額^{※1} \\ \text{又は} \\ 当課税期間末棚卸資産の課税貨物の金額^{※1}\end{array} \times \frac{7.8}{110}　※2$$

※1　当課税期間中に仕入れたものに限る。

※2　軽減税率の場合は $\times \dfrac{6.24}{108}$

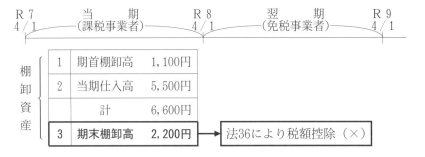

次の〔資料〕に基づいて、個別対応方式及び一括比例配分方式により当期（令和7年4月1日から令和8年3月31日まで）の控除対象仕入税額を計算しなさい。

なお、計算に当たっては、次の事項を前提として答えなさい。

(1)　当期の課税売上割合は80％である。

(2)　前期及び当期は、課税事業者に該当している。

(3)　翌期は、免税事業者に該当している。

(4)　当社は税込経理方式を採用している。

(5)　商品は課税資産に該当する。

〔資　料〕

1　売上原価の内訳は、次のとおりである。

期首商品棚卸高	472,000円	
当期商品仕入高	8,400,000円	
合　　　計	8,872,000円	
期末商品棚卸高	787,000円	8,085,000円

（注1）期首商品棚卸高はすべて前期において国内で仕入れたものである。

（注2）当期商品仕入高はすべて当期において国内で仕入れたものである。

（注3）期末商品棚卸高は、前期に国内で仕入れたもの79,000円及び当期に国内で仕入れたもの708,000円の合計額である。

2　その他の事項

売上原価以外の費用のうち課税仕入れに該当する額は4,129,000円であり，その区分は次のとおりである。

(1)　課税資産の譲渡等にのみ要するもの　　　　　　　　　　　963,600円

(2)　その他の資産の譲渡等にのみ要するもの　　　　　　　　　208,000円

(3)　課税資産の譲渡等とその他の資産の譲渡等に共通して要するもの　2,957,400円

⇨解答：295ページ

次の資料から、割戻し計算により、甲社の当期（令和7年4月1日から令和8年3月31日まで）の納付すべき消費税額を計算しなさい。

なお、甲社は税込経理方式を採用している。

〔資 料〕

(1) 甲社の当期に係る損益計算書は次のとおりである。

損 益 計 算 書

自令和7年4月1日　至令和8年3月31日　　　（単位：円）

期首商品棚卸高	4,536,000	商 品 売 上 高	31,290,000
当期商品仕入高	10,900,000	期末商品棚卸高	3,675,000
売 上 値 引	300,000	受 取 利 息	375,000
販売費・一般管理費	20,000,000	受 取 配 当 金	500,000
支 払 利 息	2,205,000	受 取 家 賃	6,000,000
当 期 利 益	11,878,500	有 価 証 券 売 却 益	7,979,500
	49,819,500		49,819,500

(2) 商品売上高は、仕入商品に係る売上高であり、非課税取引に係るものは含まれていない。

(3) 売上値引は、すべて当期の国内の消費者に対する商品売上げに係るものである。

(4) 期首商品棚卸高は、すべて前期に国内の事業者から購入したものである。

(5) 当期商品仕入高は、すべて国内の事業者から購入したものである。

(6) 期末商品棚卸高は、すべて当期中に購入したものである。

(7) 販売費・一般管理費の内訳は次のとおりである。

① 役員報酬　　　　　　　　10,000,000円

② 従業員給与手当　　　　　5,200,000円

　　上記金額には、通勤手当代251,300円が含まれている。

③ 広告宣伝費　　　　　　　1,250,000円

　　商品販売に係る広告宣伝を、国内の事業者に依頼したものである。

④ 接待交際費　　　　　　　1,026,000円

　　上記金額は、得意先の接待のために要した飲食費等であるが、ゴルフ場利用税 28,500円が含まれている。

⑤ その他の販売費・一般管理費　2,524,000円

　　上記金額のうち課税仕入れに該当する費用の額は 1,234,000円である。

⑥ 上記①、②、④、⑤のうち課税仕入れに該当するものは、課税資産の譲渡等とその他の資産の譲渡等に共通して要する課税仕入れに該当する。

(8) 受取利息は、国内の銀行における預金利息である。

(9) 受取家賃は、居住用マンションの賃貸料である。

(10) 有価証券売却益は、株式の売却価額 20,000,000円から帳簿価額 11,800,000円と証券会社に支払った売却手数料 220,500円を控除した金額である。

(11) 前期は、免税事業者に該当しており、当期及び翌期は、課税事業者に該当している。

(12) 取引等は、特に断りのある場合を除き、国内において行われたものである。

(13) 税率の経過措置及び軽減税率が適用される取引はないものとする。

⇨解答：296ページ

第5章

税額控除

Ⅸ　簡易課税

1．適用要件

(1)　課税事業者であること。

※　令和6年10月1日以後に開始する課税期間から、その課税期間の初日において恒久的施設を有しない国外事業者は、簡易課税制度の適用を受けられないこととされている。

(2)　基準期間における課税売上高が 5,000万円以下（分割等に係る課税期間を除く。）であること。

(3)　消費税簡易課税制度選択届出書を前課税期間末までに提出していること。

2．計算方法

$$\text{控除対象仕入税額} = \underbrace{\left[\begin{array}{c}\text{課税標準額に}\\\text{対する消費税額}\end{array} + \begin{array}{c}\text{貸倒回収に}\\\text{係る消費税額}\end{array} - \begin{array}{c}\text{返還等対価に}\\\text{係る消費税額}\end{array}\right]}_{\text{基礎となる消費税額}} \times \text{みなし仕入率}$$

3．みなし仕入率

⑴　事業区分

第一種事業	卸売業（他の者から購入した商品をその性質及び形状を変更しないで他の事業者に対して販売する事業）をいう。
第二種事業	①　小売業（他の者から購入した商品をその性質及び形状を変更しないで販売する事業で、第一種事業以外のもの）等 ②　農業・林業・漁業（飲食料品の譲渡を行う部分）
第三種事業	次に掲げる事業（加工賃その他これに類する料金を対価とする役務の提供を行う事業を除く。）をいう。 ①　農業・林業・漁業（飲食料品の譲渡を行う部分以外）　②　鉱業 ③　建設業　④　製造業（製造小売業を含む） ⑤　電気業、ガス業、熱供給業及び水道業
第四種事業	第一種事業、第二種事業、第三種事業、第五種事業及び第六種事業以外の事業をいう。 ①　飲食店業　②　事業用固定資産の売却
第五種事業	①　運輸通信業　②　金融保険業 ③　サービス業（飲食店業に該当するものを除く。）
第六種事業	不動産業（賃貸、管理、仲介）

(2)　1種類の事業のみを行っている場合

区　　分	業　　種	みなし仕入率
第一種事業	卸　売　業	90%
第二種事業	小　売　業　等	80%
第三種事業	製　造　業　等	70%
第四種事業	そ　の　他	60%
第五種事業	サービス業等	50%
第六種事業	不　動　産　業	40%

(3)　2種類以上の事業を営んでいる場合

原　　則		売上げに係る消費税額のうちに第一種事業から第六種事業に係る消費税額にそれぞれのみなし仕入率を乗じて計算した金額の合計額の占める割合とする。
特　　例	特定一事業で75％以上	2種類以上の事業を営む事業者で、特定一事業の課税売上高が全体の75％以上を占める場合には、その75％以上を占める特定一事業のみなし仕入率をその特定一事業以外の事業に係る消費税額に対しても適用することができる。
	特定二事業で75％以上	3種類以上の事業を営む事業者で、特定二事業の課税売上高の合計額が全体の75％以上を占める場合には、その特定二事業のうち低い方のみなし仕入率をその特定二事業以外の事業に係る消費税額に対しても適用することができる。
	事業区分をしていない場合の特例	2種類以上の事業を営む事業者が、課税資産の譲渡等の内容を事業ごとに区分していない場合には、その区分していない課税資産の譲渡等については、そのうち最も低いみなし仕入率の事業に係るものとしてみなし仕入率を適用する。

第5章

税額控除

(4)　計算パターン（割戻し計算）

1．判　定

(1)　**納税義務の判定**

基準期間における課税売上高 $\begin{cases} \leqq 1,000万円 & \therefore\quad 納税義務なし \\ > 1,000万円 & \therefore\quad 納税義務あり \end{cases}$

(2)　**簡易課税の判定**

①　消費税簡易課税制度選択届出書の提出あり

②　基準期間における課税売上高 $\begin{cases} \leqq 5,000万円 & \therefore\quad 簡易課税適用あり \\ > 5,000万円 & \therefore\quad 簡易課税適用なし \end{cases}$

2．課税標準額（千円未満切捨）

（この段階で各業種別に区分して売上高を求め、合計すると便利である。）

3．課税標準額に対する消費税額 ⎫

4．貸倒回収に係る消費税額 ⎬ 原則法と同様に計算する。

5．返還等対価に係る税額 ⎭

（この段階で各業種別に区分して返還等を求め、合計すると便利である。）

6．貸倒れに係る税額　………………原則法と同様に計算する。

7．控除対象仕入税額

(1)　**課税売上高(A)**（各々、輸出売上高を除き、計算値は「残額」で考える。）

①　第一種（A 1）

$$税込課税売上高 \times \underset{※}{\frac{100}{110}} - 売上げに係る 対価の返還等 \times \underset{※}{\frac{100}{110}}$$

＝ 第一種事業に係る課税売上高（以下、各業種同様に計算）

②　第二種（A 2）

③　第三種（A 3）

④　第四種（A 4）

⑤　第五種（A 5）

⑥　第六種（A 6）

⑦　合　計（A）

①＋②＋③＋④＋⑤＋⑥ ＝ 課税売上高

※ 軽減税率の場合は $\times \dfrac{100}{108}$

(2) 消費税額（B）

① 第一種（B1）

$$税込課税売上高 \times \frac{7.8}{110}_{※} - 売上げに係る対価の返還等 \times \frac{7.8}{110}_{※}$$

$$= 第一種事業に係る消費税額（以下、各業種同様に計算）$$

② 第二種（B2）

③ 第三種（B3）

④ 第四種（B4）

⑤ 第五種（B5）

⑥ 第六種（B6）

⑦ 合　計（B）

①＋②＋③＋④＋⑤＋⑥ ＝ 売上げに係る消費税額

※　軽減税率の場合は $\times \dfrac{6.24}{108}$

(3) 基礎税額

課税標準額に対する消費税額 ＋ 貸倒回収に係る消費税額

－ 売上げに係る対価の返還等に係る消費税額 ＝ ×××（残額）

(4) 仕入税額

① 原　則

基礎となる消費税額 $\times \dfrac{※}{B}$ ＝ ×××

※　B1×90％＋B2×80％＋B3×70％＋B4×60％＋B5×50％

＋B6×40％＝×××

② 特　例

（例）イ　特定1事業で75％以上（第三種）

$$\frac{A3}{A} \geqq 75\% \quad \therefore \quad 適用あり　70\%$$

基礎となる消費税額 × みなし仕入率（70％）＝ ×××

ロ　特定2事業で75％以上

（イ）第一種と第三種

$$\frac{A1＋A3}{A} \geqq 75\% \quad \therefore \quad 適用あり$$

基礎となる消費税額 $\times \dfrac{※}{B}$ ＝×××

※　B1×90％＋（B－B1）×70％＝×××

$$\frac{A2+A3}{A} \geqq 75\% \qquad \therefore \quad 適用あり$$

$$基礎となる消費税額 \times \frac{※}{B} = \times\times\times$$

$$※ \quad B2 \times 80\% + （B-B2） \times 70\% = \times\times\times$$

（注）その他の特例は明らかに不利であるため、判定省略

（判定省略のものは必ずコメントを付すこと）

(5)　判　定

(4)の税額のうち最も有利なもの（大きいもの）を選択する。

8．控除税額小計

9．差引税額（百円未満切捨）

10．納付税額

＊　貸倒回収に係る消費税額

業種別課税売上高、業種別消費税額の計算では、使用しない。

　次の資料から、甲社の当期（令和７年４月１日から令和８年３月31日まで）に係る簡易課税の適用の有無を判定しなさい。

〔資　料〕

　基準期間（令和５年４月１日から令和６年３月31日まで）における取引の状況等は、次のとおりである。

(1)	国内商品売上高	54,565,000円
	うち、輸出取引に係るもの	2,625,000円
(2)	売上値引	1,317,500円
	うち、輸出取引に係るもの	5,000円
(3)	株式売却額	3,600,000円
(4)	車両売却代金（下取り代金）	150,000円
(5)	社宅使用料収入	2,400,000円
(6)	受取利息	300,000円
(7)	貸倒回収額	1,000,000円

(8)　(1)及び(2)には非課税取引に該当するものは含まれておらず、上記金額のうち、消費税が課税される取引については、消費税込みの金額により計上している。

(9)　前期の令和７年３月10日において簡易課税制度選択届出書を提出している。

(10)　甲社は１年決算法人であり、過年度において事業年度を変更したことはない。また、甲社は、設立以来消費税の課税事業者に該当している。

⇒解答：297ページ

簡易課税（その2） 重要度 A

次の資料から、控除対象仕入税額を計算しなさい。

〔資 料〕

(1) 控除対象仕入税額の計算上、基礎となる消費税額は、4,000,000円である。

(2) 業種別の課税売上高と売上げに係る消費税額は次のとおりである。

		売上高（税抜き）	税 額
①	第一種事業	5,000,000円	390,000円
②	第二種事業	5,750,000円	448,500円
③	第三種事業	37,500,000円	2,925,000円
④	第四種事業	450,000円	35,100円
⑤	第五種事業	500,000円	39,000円
⑥	第六種事業	800,000円	62,400円
⑦	合　計	50,000,000円	3,900,000円

⇨解答：298ページ

問 題 79 簡易課税（その3） 重要度 A

次の資料から、控除対象仕入税額を計算しなさい。

〔資 料〕

(1) 課税標準額に対する消費税額　　　　　　1,800,000円

(2) 貸倒回収に係る消費税額　　　　　　　　12,500円

(3) 返還等対価に係る税額　　　　　　　　　16,000円

(4) 貸倒れに係る税額　　　　　　　　　　　30,000円

(5) みなし仕入率　　　　　　　　　　　　　88%

⇨解答：299ページ

次の事業者の事業区分を答えなさい。

また、免税取引に該当するもの、非課税取引に該当するもの及び不課税取引に該当するものについては、それぞれ「免税取引」、「非課税取引」及び「不課税取引」と解答すること。

なお、特に指示がないものについては国内において行われたものであり、商品及び製品は非課税とされるものではない。

⑴　小売業を営む法人が、仕入商品を消費者に販売した場合の売上高

⑵　小売業を営む法人が、仕入商品をその社の役員に贈与した場合

⑶　小売業を営む法人が、仕入商品の事業者への販売等に伴い生じた段ボールを販売した場合の売上高（その不要物品等が生じた事業区分に属するものとして処理している。）

⑷　小売業を営む法人が、役員が使用する乗用車を売却した場合の売却収入

⑸　製造業を営む法人が、自己の製造した製品を消費者に販売した場合の売上高

⑹　製造業を営む法人が、株式を譲渡した場合の売却収入

⑺　製造業を営む法人が、材料の支給を受けて加工を行った場合の加工料収入

⑻　製造業を営む法人が、仕入商品を海外の事業者に販売した場合の輸出売上高

⑼　不動産業を営む法人が、他から購入した建物を消費者に販売した場合の売上高

⑽　不動産業を営む法人が、事務所を貸し付けた場合の賃貸料収入

⑾　不動産業を営む法人が、土地を売却した場合の売却収入

⑿　不動産業を営む法人が、土地の売却に伴い収受する仲介手数料収入

⒀　喫茶店を営む法人が、店内で飲食をさせた場合の売上高

⒁　喫茶店を営む法人が、自己の製造したケーキを持ち帰り用として消費者に店頭販売した場合の売上高

⒂　喫茶店を営む法人が、他社から仕入れたお菓子を持ち帰り用として消費者に店頭販売した場合の売上高

⒃　喫茶店を営む法人が、非居住者に対し店内で飲食させた場合の売上高

⒄　果樹園を営む法人が、果樹園で収穫した果物の売上高

⒅　製造業を営む個人事業者が、仕入商品を事業者に販売した場合の売上高

⒆　製造業を営む個人事業者が、製品を家事消費した場合の消費

⒇　製造業を営む個人事業者が、自家用乗用車を売却した場合の売却収入

㉑　製造業を営む個人事業者が、土地を賃貸したことにより収受する地代収入

⇨解答：299ページ

次の資料から、甲社（適格請求書発行事業者に該当している。）の当期（第10期・令和７年４月１日から令和８年３月31日まで）の納付すべき消費税額を割戻し計算により計算しなさい。

〔資　料〕

(1) 商品売上高　　　　　　　　　　　　　　　　　　　　　　　　45,125,000円

　　上記金額は次の金額の合計額であるが、非課税取引に係るものは含まれていない。

　　① 国内の事業者に対する売上高　　　　18,375,000円

　　② 国内の消費者に対する売上高　　　　26,250,000円

　　③ 輸出免税の対象となる売上高　　　　　500,000円

(2) 売上値引　　　　　　　　　　　　　　　　　　　　　　　　　417,375円

　　上記金額は次の金額の合計額である。

　　① 上記(1)①に係るもの　　　　　　　　181,125円

　　② 上記(1)②に係るもの　　　　　　　　236,250円

(3) 受取利息　　　　　　　　　　　　　　　　　　　　　　　　　380,000円

　　上記金額には、非居住者に対する貸付金の利息 50,000円が含まれている。

(4) 受取配当金　　　　　　　　　　　　　　　　　　　　　　　　620,000円

　　上記金額には、公社債投資信託の収益分配金 113,000円が含まれている。

(5) 受取家賃　　　　　　　　　　　　　　　　　　　　　　　　　850,500円

　　上記金額は、次の金額の合計額である。

　　① 貸事務所の賃貸料　　　　　　　　　370,500円

　　② 社宅使用料収入　　　　　　　　　　480,000円

(6) 受取地代　　　　　　　　　　　　　　　　　　　　　　　　1,230,000円

　　上記金額には、更地を資材置き場として３週間貸し付けた際の賃貸料 7,500円が含まれている。

(7) 株式売却収入　　　　　　　　　　　　　　　　　　　　　　3,000,000円

(8) 償却債権取立益　　　　　　　　　　　　　　　　　　　　　163,252円

　　上記金額は、第８期の国内の事業者に対する売掛金について、第９期に貸倒処理していたものが、当期に回収できたことにより計上したものである。

(9) 固定資産売却損　　　　　　　　　　　　　　　　　　　　　　47,500円

　　上記金額は、当期に商品運送用に小型トラックを 1,900,000円で購入した際、それまで同じ用途に使用していたトラック（取得価額は900,000円であり、簿価は100,000円である。）を 52,500円で下取りしてもらったことにより生じたものである。

(10) 貸倒損失額　　　　　　　　　　　　　　　　　　　　　　187,500円

　　上記金額は、第6期の国内の事業者に対する売掛金が当期に貸し倒れたことにより計上したものである。

(11) 甲社が当期に中間申告した消費税の額は、245,000円である。

(12) 甲社は、平成28年4月1日に資本金 10,000,000円で設立された株式会社である。甲社の前々事業年度の取引状況等は次のとおりであるが、甲社は設立以来課税事業者に該当している。

　　また、令和2年4月5日に消費税簡易課税制度選択届出書を提出している。

　①　商品売上高　　　　　　　　　　　　　　　48,256,000円

　　　うち、輸出取引に係るもの　　　　　　　　　625,000円

　②　売上値引　　　　　　　　　　　　　　　　　923,750円

　　　うち、輸出取引に係るもの　　　　　　　　　　5,000円

　③　株式売却額　　　　　　　　　　　　　　　3,800,000円

　④　受取家賃　　　　　　　　　　　　　　　　　980,000円

　　　上記金額は次の金額の合計額である。

　　イ　貸事務所の賃貸料　　　　　　　　　　　　436,000円

　　ロ　社宅使用料収入　　　　　　　　　　　　　544,000円

　⑤　受取利息　　　　　　　　　　　　　　　　　300,000円

　　　上記金額には、非居住者に対する貸付金の利息 50,000円が含まれている。

　⑥　①及び②には非課税取引に該当するものは含まれていない。

(13) 甲社の事業年度は、毎年4月1日から翌年3月31日までである。

(14) 甲社は税込経理方式を採用している。

(15) 取引等は、特に断りのある場合を除き、国内において行われたものである。

⇨解答：300ページ

第5章

税額控除

X　国等に対する特例

1．要件及び取扱い

適用対象団体	課税事業者である国・地方公共団体（特別会計を設けて事業を行う場合に限る。）・公共法人等（別表第三に掲げる法人）・人格のない社団等
適 用 要 件	(1)　上記事業者が課税仕入れ等を行うこと。 (2)　その課税仕入れの日又は課税貨物の保税地域からの引取りの日の属する課税期間において資産の譲渡等の対価以外の収入があること。 (3)　その課税期間における特定収入割合が5％を超えること。 (4)　簡易課税又は2割特例の適用を受けていないこと。
取 扱 い	本来の課税仕入れ等の税額の合計額から特定収入に係る課税仕入れ等の税額として一定の方法により計算した金額を控除した残額を控除対象仕入税額とみなす。

2．特定収入の種類

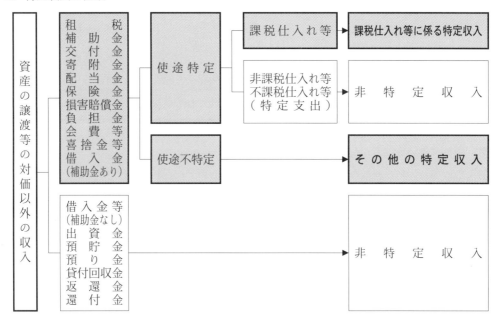

3．控除対象仕入税額の計算

> 控除対象仕入税額 ＝ 課税仕入れ等の税額の合計額 － **特定収入に係る課税仕入れ等の税額**[※]

※　考え方

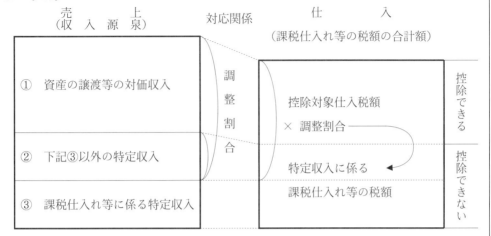

(1)　特定収入割合

$$特定収入割合 ＝ \frac{特定収入の合計額}{資産の譲渡等の対価の額 ＋ 特定収入の合計額} ＝ \frac{②＋③}{①＋②＋③}$$

(2)　調整割合

$$調整割合 ＝ \frac{その他の特定収入}{資産の譲渡等の対価の額 ＋ その他の特定収入} ＝ \frac{②}{①＋②}$$

4．計算パターン

(1)　**特定収入割合**

$$\frac{特定収入の合計額}{資産の譲渡等の対価の額 ＋ 特定収入の合計額} ＞ 5\％$$
$$∴　適用あり$$

（注1）資産の譲渡等の対価の額

① 売上げに係る対価の返還等は、控除しない。

② 株式等、一定の金銭債権の譲渡対価に5％は乗じない。

③ 国外での資産の譲渡等も含む。

（注2）特定収入の合計額

＝ 課税仕入れ等に係る特定収入の金額 ＋ その他の特定収入の金額

(2)　**調整割合**

$$\frac{その他の特定収入の金額}{資産の譲渡等の対価の額 ＋ その他の特定収入の金額}$$

(3) **調整税額**（特定収入により行った課税仕入れ等の税額を計算している。）

① 全額控除の場合

イ　課税仕入れ等に係る特定収入の合計額 $\times \dfrac{7.8}{110}$ ※

ロ　（本来の控除対象仕入税額 － イ）× 調整割合

ハ　イ＋ロ

② 個別対応方式の場合

イ　$\begin{bmatrix}課税売上げにのみ要する課税\\仕入れ等に係る特定収入の合計額\end{bmatrix} \times \dfrac{7.8}{110}$ ※

ロ　$\begin{bmatrix}課税、非課税に共通して要する課税\\仕入れ等に係る特定収入の合計額\end{bmatrix} \times \dfrac{7.8}{110}$ ※× 課税売上割合

ハ　{本来の控除対象仕入税額 －（イ＋ロ）}× 調整割合

ニ　イ＋ロ＋ハ

③ 一括比例配分方式の場合

イ　$\begin{bmatrix}課税仕入れ等に係る\\特定収入の合計額\end{bmatrix} \times \dfrac{7.8}{110}$ ※× 課税売上割合

ロ　（本来の控除対象仕入税額－イ）× 調整割合

ハ　イ＋ロ

※ 軽減対象の課税仕入れ等に係る特定収入の場合は $\times \dfrac{6.24}{108}$

(4) **控除対象仕入税額**

① 全額控除の場合

本来の控除対象仕入税額から、調整税額をマイナスする。

② 個別対応方式・一括比例配分方式の場合

本来の個別、一括の税額から、それぞれの調整税額をマイナスし、有利選択する。

次の資料から、甲社（別表第三に掲げる法人）の課税売上割合、特定収入割合、調整割合を計算しなさい。

〔資　料〕

(1)　課税売上げ　　　　　　　　　　　　　　　　　　　54,900,000円

　　上記金額には、輸出免税の対象となる売上高 1,000,000円が含まれている。

(2)　非課税売上げ　　　　　　　　　　　　　　　　　　39,500,000円

　　上記金額には、上場株式の売却額 10,000,000円が含まれている。

(3)　特定収入　　　　　　　　　　　　　　　　　　　　8,500,000円

　　上記金額の内訳は次のとおりである。

　①　課税仕入れ等に係る特定収入　　　6,000,000円

　②　その他の特定収入　　　　　　　　2,500,000円

(4)　国外における土地売却額　　　　　　　　　　　　2,000,000円

(5)　甲社は課税事業者であり、税込経理方式を採用している。

(6)　取引等は、特に断りのある場合を除き、国内において行われたものである。

⇨解答：303ページ

次の資料から、課税事業者である甲社（公益法人）の当期（令和7年4月1日から令和8年3月31日まで）の納付すべき消費税額を計算しなさい。

〔資　料〕

(1)　収入に関する事項

　①　収益事業（課税資産）に係るもの

　　イ　国内の事業者に対するもの　　　903,650,000円

　　ロ　輸出免税の対象となるもの　　　42,000,000円

　②　補助金収入

　　イ　課税資産の譲渡等にのみ要する課税仕入れに係るもの　　　33,000,000円

　　ロ　使途不特定のもの　　　735,000,000円

　③　受取利息　　　4,500,000円

　④　受取地代　　　18,000,000円

　⑤　受取配当金　　　5,000,000円

　⑥　火災保険金収入　　　60,000,000円

　⑦　株式売却収入　　　120,000,000円

　⑧　土地売却収入

　　イ　国内の土地に係るもの　　　184,000,000円

　　ロ　国外の土地に係るもの　　　10,000,000円

(2)　支出に関する事項

　①　上記(1)①イに係る値引　　　14,850,000円

　②　課税仕入れ

　　イ　課税資産の譲渡等にのみ要するもの　　　440,000,000円

　　ロ　その他の資産の譲渡等にのみ要するもの　　　9,900,000円

　　ハ　課税資産の譲渡等とその他の資産の譲渡等に共通して要するもの　121,000,000円

　③　その他の費用（課税仕入れに該当しない。）　　　180,000,000円

(3)　甲社の消費税の中間納付税額は 12,000,000円である。

(4)　甲社は、税込経理方式を採用している。

(5)　甲社は、設立以来消費税法第9条第1項の規定の適用を受けたことはない。

(6)　取引等は、特に断りのある場合を除き、国内において行われたものである。

(7)　上記資料以外に考慮する必要はない。

⇨解答：304ページ

第6章

中　間　申　告

中　間　申　告

1．中間申告制度

消費税の中間申告回数は、直前の課税期間の確定消費税額を基準として規定されている。

前期確定消費税額	当期中間申告回数
4,800万円超	11回
400万円超　4,800万円以下	3回
48万円超　400万円以下	1回
48万円以下	0回

【図　解】

中間申告回数	0回		年1回		年3回		年11回
	以下	超	以下	超	以下	超	
直前期確定税額	0円	48万円		400万円		4,800万円	

当課税期間

直前期確定税額		R7 4/1 5/1 6/1 7/1 8/1 9/1 10/1 11/1 12/1 R8 1/1 2/1 3/1 R8 4/1	
直前期確定税額	4,800万円超	① ② ③ ④ ⑤ ⑥ ⑦ ⑧ ⑨ ⑩ ⑪	年11回
	400万円超 4,800万円以下	①　　②　　③	年3回
	48万円超 400万円以下	①	年1回

2．前期納税実績

⑴　直前の課税期間の年税額が4,800万円超の場合

一月中間申告対象期間	
提　出 義 務 者	直前の課税期間の1月分の税額が 400万円を超える課税事業者（課税期間を短縮又は変更している事業者を除く。）
提出期限	一月中間申告対象期間の末日の翌日から2月以内（注）
提出不要 課税期間	①　個人事業者 　　事業を開始した日の属する課税期間 ②　法　人 　イ　3月を超えない課税期間 　ロ　新たに設立された法人のうち合併により設立されたもの以外のものの設立の日の属する課税期間

中間申告

（注）提出期限の特例

   ① 個人事業者

     一月中間申告対象期間がその課税期間開始の日から2月を経過した日の前日までの間に終了した一月中間申告対象期間については、その課税期間開始の日から3月を経過した日から2月以内とする。

   ② 法 人

     一月中間申告対象期間がその課税期間開始の日以後1月の期間である場合には、その課税期間開始の日から2月を経過した日から2月以内とする。

(2) 直前の課税期間の年税額が400万円超4,800万円以下の場合

三月中間申告対象期間（一月中間申告対象期間を含むものを除く。）	
提　出義務者	直前の課税期間の3月分の税額が100万円を超え 1,200万円以下である課税事業者（課税期間を短縮又は変更している事業者を除く。）
提出期限	三月中間申告対象期間の末日の翌日から2月以内
提出不要課税期間	① 個人事業者 　事業を開始した日の属する課税期間 ② 法 人 　イ　3月を超えない課税期間 　ロ　新たに設立された法人のうち合併により設立されたもの以外のものの設立の日の属する課税期間

(3) 直前の課税期間の年税額が48万円超400万円以下の場合

六月中間申告対象期間（一月・三月中間申告対象期間を含むものを除く。）	
提　出義務者	直前の課税期間の6月分の税額が24万円を超え 200万円以下である課税事業者（課税期間を短縮又は変更している事業者を除く。）
提出期限	六月中間申告対象期間の末日の翌日から2月以内
提出不要課税期間	① 個人事業者 　事業を開始した日の属する課税期間 ② 法 人 　イ　6月を超えない課税期間 　ロ　新たに設立された法人のうち合併により設立されたもの以外のものの設立の日の属する課税期間

(4) 任意の中間申告

   直前の課税期間の6月分の税額が24万円以下であっても、一定の届出書の提出を行った場合には六月中間申告を行うことができる。

3．計算式

(1) 直前の課税期間の年税額が4,800万円超の場合

$$\frac{その一月中間申告対象期間の末日までに確定した直前の課税期間の確定消費税額^{※}}{直前の課税期間の月数}$$

※ その課税期間開始の日から同日以後2月を経過した日の前日までの間に終了した一月中間申告対象期間については、その課税期間開始の日以後2月を経過した日の前日

(2) 直前の課税期間の年税額が400万円超4,800万円以下の場合

$$\frac{その三月中間申告対象期間の末日までに確定した直前の課税期間の確定消費税額}{直前の課税期間の月数} \times 3$$

(3) 直前の課税期間の年税額が48万円超400万円以下の場合

$$\frac{その六月中間申告対象期間の末日までに確定した直前の課税期間の確定消費税額}{直前の課税期間の月数} \times 6$$

4．中間申告対象期間

(1) 一月中間申告対象期間

その課税期間（注1）開始の日以後1月ごとに区分した各期間（注2）をいう。

（注1）個人事業者にあっては事業を開始した日の属する課税期間、法人にあっては3月を超えない課税期間及び新たに設立された法人（合併により設立されたものを除く。）の設立の日の属する課税期間を除く。

（注2）最後に1月未満の期間を生じたときはその期間とし、その1月ごとに区分された各期間のうち最後の期間を除く。

(2) 三月中間申告対象期間

その課税期間（注1）開始の日以後3月ごとに区分した各期間（注2）をいう。

（注1）個人事業者にあっては事業を開始した日の属する課税期間、法人にあっては3月を超えない課税期間及び新たに設立された法人（合併により設立されたものを除く。）の設立の日の属する課税期間を除く。

（注2）最後に3月未満の期間を生じたときはその期間とし、その3月ごとに区分された各期間のうち最後の期間を除く。

(3) 六月中間申告対象期間

その課税期間（注）開始の日以後6月の期間をいう。

（注）個人事業者にあっては事業を開始した日の属する課税期間、法人にあっては6月を超えない課税期間及び新たに設立された法人（合併により設立されたものを除く。）の設立の日の属する課税期間を除く。

5．仮決算による場合

　中間申告義務を有する課税事業者は、中間申告対象期間を一課税期間とみなして、その期間分の税額計算を行うことにより、中間納付額を計算できる。

【設例1】直前の課税期間の年税額が増加した場合

　前課税期間（×1.4.1～×2.3.31）に係る消費税額は次のとおりであるが、これに基づき、当課税期間（×2.4.1～×3.3.31）の中間納付税額を求めなさい。

(1)　当初申告分（期限内申告）　　　　　47,400,000円

(2)　修正申告分（×2.8.10提出）　　　　840,000円（増加税額）

【解　答】

(1)　一　月

　①　4月～7月（修正前）

　　$\dfrac{47,400,000円}{12}$＝3,950,000円≦4,000,000円　　∴　適用なし

　②　8月～2月（修正後）

　　イ　判　定

　　　$\dfrac{47,400,000円＋840,000円}{12}$＝4,020,000円＞4,000,000円　　∴　適用あり

　　ロ　中間納付税額

　　　4,020,000円×7回＝28,140,000円
　　　（百円未満切捨）

(2)　三　月

　①　4月～6月（修正前）

　　イ　判　定

　　　$\dfrac{47,400,000円}{12}$×3＝11,850,000円＞1,000,000円　　∴　適用あり

　　ロ　中間納付税額

　　　11,850,000円（百円未満切捨）

　②　7月～9月、10月～12月（修正後）

　　　適用なし

(3)　六　月

　　適用なし

(4)　**中間納付税額**

　　(1)＋(2)＋(3)＝39,990,000円

【図解】

修正前 ←→ 修正後

×2 ×3 ×3
4/1 5/1 6/1 7/1 8/1 9/1 10/1 11/1 12/1 1/1 2/1 3/1 4/1

増加

	4/1	5/1	6/1	7/1	8/1	9/1	10/1	11/1	12/1	1/1	2/1	3/1
一月中間申告	×	×	×	×	○	○	○	○	○	○	○	
三月中間申告	○			×			×					
六月中間申告	×											

【設例2】直前の課税期間の年税額が2度増加した場合

前課税期間（×1.4.1～×2.3.31）に係る消費税額は次のとおりであるが、これに基づき、当課税期間（×2.4.1～×3.3.31）の中間納付税額を求めなさい。

(1) 当初申告分（期限内申告）　　　　　3,895,200円

(2) 修正申告分（×2.7.2提出）　　　　246,000円（増加税額）

(3) 修正申告分（×2.11.16提出）　　　　84,000円（増加税額）

【解答】

(1) 一　月

① 4月～6月（修正前）

$$\frac{3,895,200円}{12} = 324,600円 \leqq 4,000,000円 \quad \therefore \quad 適用なし$$

② 7月～10月（修正後）

$$\frac{3,895,200円 + 246,000円}{12} = 345,100円 \leqq 4,000,000円 \quad \therefore \quad 適用なし$$

③ 11月～2月（修正後）

$$\frac{3,895,200円 + 246,000円 + 84,000円}{12} = 352,100円 \leqq 4,000,000円$$

$$\therefore \quad 適用なし$$

(2) 三　月

① 4月～6月（修正前）

$$\frac{3,895,200円}{12} \times 3 = 973,800円 \leqq 1,000,000円 \quad \therefore \quad 適用なし$$

② 7月～9月（修正後）

イ　判　定

$$\frac{3,895,200円 + 246,000円}{12} \times 3 = 1,035,300円 > 1,000,000円 \quad \therefore \quad 適用あり$$

ロ　中間納付税額

1,035,300円（百円未満切捨）

第6章

中間申告

③ 10月〜12月（修正後）

イ　判　定

$$\frac{3,895,200円＋246,000円＋84,000円}{12} × 3＝1,056,300円＞1,000,000円$$

∴　適用あり

ロ　中間納付税額

1,056,300円（百円未満切捨）

(3)　六　月

適用なし

(4)　中間納付税額

1,035,300円＋1,056,300円＝2,091,600円

【図解】

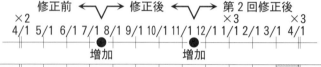

一月中間申告	×	×	×	×	×	×	×	×	×	×	×	
三月中間申告		×			○			○				
六月中間申告				×								

【設例3】直前の課税期間の年税額が減少した場合

　前課税期間（×1.4.1〜×2.3.31）に係る消費税額は次のとおりであるが、これに基づき、当課税期間（×2.4.1〜×3.3.31）の中間納付税額を求めなさい。

(1)　当初申告分（期限内申告）　　　　　　　48,600,000円

(2)　減額更正分（×2.9.9更正）　　　　　　　900,000円

【解 答】

⑴ 一 月

　① 4月～8月（更正前）

　　イ 判 定

$$\frac{48,600,000円}{12}=4,050,000円>4,000,000円 \quad \therefore \quad 適用あり$$

　　ロ 中間納付税額

　　　4,050,000円×5回＝20,250,000円

　　（百円未満切捨）

　② 9月～2月（更正後）

$$\frac{48,600,000円-900,000円}{12}=3,975,000円\leqq4,000,000円 \quad \therefore \quad 適用なし$$

⑵ 三 月

　① 4月～6月（更正前）

　　適用なし

　② 7月～9月（更正後）

　　適用なし

　③ 10月～12月（更正後）

　　イ 判 定

$$\frac{48,600,000円-900,000円}{12}\times3=11,925,000円>1,000,000円 \quad \therefore \quad 適用あり$$

　　ロ 中間納付税額

　　　11,925,000円（百円未満切捨）

⑶ 六 月

　　適用なし

⑷ 中間納付税額

　　⑴＋⑵＋⑶＝32,175,000円

【図 解】

更正前 ←→ 更正後

×2　　　　　　　　　　　　　　　　　　　×3　　×3
4/1 5/1 6/1 7/1 8/1 9/1 10/1 11/1 12/1 1/1 2/1 3/1 4/1

減少

	4/1	5/1	6/1	7/1	8/1	9/1	10/1	11/1	12/1	1/1	2/1	3/1
一月中間申告	○	○	○	○	○	×	×	×	×	×	×	
三月中間申告		×			×			○				
六月中間申告				×								

6．吸収合併があった場合の中間申告

⑴　合併事業年度（Ａ3）の中間申告

		×1 4/1	×2 4/1	×3 合併 4/1 8/1 ×	×4 4/1	×5 4/1
合併法人		Ａ1	Ａ2	Ａ3	Ａ4	Ａ5
被合併法人		Ｂ1	Ｂ2	Ｂ3		
	1/1		1/1	1/1　7/31		

① 直前の課税期間の年税額が4,800万円超の場合

> 中間納付額 ＝ Ａ ＋ Ｂ

$$A = \frac{\text{合併法人の前課税期間の確定消費税額}}{\text{前課税期間の月数}}$$

$$B = \frac{\text{被合併法人の確定消費税額}^{※}}{\text{分子の基礎となった課税期間の月数}}$$

$$\therefore \quad \left[\frac{A2}{12} + \frac{B3}{7}\right] \text{又は} \left[\frac{A2}{12}\right]$$

※　被合併法人の確定消費税額

　　被合併法人のその合併の日の前日の属する課税期間（被合併法人特定課税期間）の確定申告書に記載すべき確定消費税額でその合併法人の一月中間申告対象期間に係る確定日までに確定したもの（被合併法人の特定課税期間の月数が3月に満たない場合又は確定したものがない場合には被合併法人特定課税期間の直前の課税期間（その月数が3月に満たないものを除く。）の確定申告書に記載すべき確定消費税額でその合併法人のその一月中間申告対象期間に係る確定日までに確定したもの）

② 直前の課税期間の年税額が400万円超、4,800万円以下の場合

> 中間納付額 ＝ Ａ ＋ Ｂ × Ｃ

$$A = \frac{\text{合併法人の前課税期間の確定消費税額}}{\text{前課税期間の月数}} \times 3$$

$$B = \frac{\text{被合併法人の確定消費税額}^{※1}}{\text{分子の基礎となった課税期間の月数}}$$

Ｃ＝その合併の日からその三月中間申告対象期間の末日までの期間の月数（その月数が3月を超える場合には3）

$$\therefore \quad \left[\frac{A2}{12} \times 3 + \frac{B3}{7} \times 0^{※2}\right]$$

※1　被合併法人の確定消費税額

　　　被合併法人のその合併の日の前日の属する課税期間（被合併法人特定課税期間）の確定申告書に記載すべき確定消費税額でその合併法人の三月中間申告対象期間の末日までに確定したもの（被合併法人の特定課税期間の月数が３月に満たない場合又は確定したものがない場合には被合併法人特定課税期間の直前の課税期間（その月数が３月に満たないものを除く。）の確定申告書に記載すべき確定消費税額でその合併法人のその三月中間申告対象期間の末日までに確定したもの）

※2　第2期（7/1〜9/30）については2、第3期（10/1〜12/31）については3

③　直前の課税期間の年税額が48万円超、400万円以下

> 中間納付額　＝　Ａ　＋　Ｂ　×　Ｃ

$$A = \frac{合併法人の前課税期間の確定消費税額}{前課税期間の月数} \times 6$$

$$B = \frac{被合併法人の確定消費税額^※}{分子の基礎となった課税期間の月数}$$

Ｃ＝その合併の日からその六月中間申告対象期間の末日までの期間の月数

$$\therefore\ \left[\frac{A\,2}{12} \times 6 + \frac{B\,3}{7} \times 2 \right]$$

※　被合併法人の確定消費税額

　　　被合併法人のその合併の日の前日の属する課税期間（被合併法人特定課税期間）の確定申告書に記載すべき確定消費税額でその合併法人の六月中間申告対象期間の末日までに確定したもの（被合併法人の特定課税期間の月数が６月に満たない場合又は確定したものがない場合には被合併法人特定課税期間の直前の課税期間（その月数が６月に満たないものを除く。）の確定申告書に記載すべき確定消費税額でその合併法人のその六月中間申告対象期間の末日までに確定したもの）

◆　まとめ

被合併法人の確定消費税額

　被合併法人のその合併の日の前日の属する課税期間（被合併法人特定課税期間）の確定申告書に記載すべき消費税額でその合併法人のその中間申告対象期間の末日（一月中間申告の場合は確定日）までに確定したものをいう。

　なお、次の場合には、被合併法人特定課税期間の直前の課税期間の確定消費税額を使用する。

①　中間申告対象期間の末日（一月中間申告の場合は確定日）までに確定したものがない場合

②　被合併法人特定課税期間の月数が３月（六月中間申告の場合は６月）に満たない場合

(2) 合併の翌事業年度（A4）の中間申告

① 直前の課税期間の年税額が 4,800万円超の場合

$$中間納付額 ＝ A ＋ B × C$$

$$A ＝ \frac{合併法人の前課税期間の確定消費税額}{前課税期間の月数}$$

$$B ＝ \frac{被合併法人の確定消費税額}{分子の基礎となった課税期間の月数}$$

$$C ＝ \frac{前課税期間開始の日から合併の日の前日までの期間の月数}{前課税期間の月数}$$

$$\therefore \left[\frac{A3}{12} ＋ \frac{B3}{7} × \frac{4}{12} \right]$$

② 直前の課税期間の年税額が 400万円超 4,800万円以下の場合

$$中間納付額 ＝ A ＋ B × C × 3$$

$$A ＝ \frac{合併法人の前課税期間の確定消費税額}{前課税期間の月数} × 3$$

$$B ＝ \frac{被合併法人の確定消費税額}{分子の基礎となった課税期間の月数}$$

$$C ＝ \frac{前課税期間開始の日から合併の日の前日までの期間の月数}{前課税期間の月数}$$

$$\therefore \left[\frac{A3}{12} × 3 ＋ \frac{B3}{7} × \frac{4}{12} × 3 \right]$$

③ 直前の課税期間の年税額が 48万円超 400万円以下

$$中間納付額 ＝ A ＋ B × C × 6$$

$$A ＝ \frac{合併法人の前課税期間の確定消費税額}{前課税期間の月数} × 6$$

$$B ＝ \frac{被合併法人の確定消費税額}{分子の基礎となった課税期間の月数}$$

$$C ＝ \frac{前課税期間開始の日から合併の日の前日までの期間の月数}{前課税期間の月数}$$

$$\therefore \left[\frac{A3}{12} × 6 ＋ \frac{B3}{7} × \frac{4}{12} × 6 \right]$$

7．新設合併があった場合の合併事業年度（Ｃ１）の中間申告

	×1 4/1	×2 4/1	×3 合併 4/1 8/1	×4 4/1	×5 4/1
被合併法人	Ａ１	Ａ２	Ａ３	Ｃ１	Ｃ２	合併 法人
被合併法人	Ｂ１	Ｂ２	Ｂ３		
	1/1	1/1	1/1 7/31		

① 直前の課税期間の年税額が 4,800万円超の場合

$$\frac{\text{Ａ被合併法人の確定消費税額}}{\text{Ａ被合併法人の課税期間の月数}} + \frac{\text{Ｂ被合併法人の確定消費税額}}{\text{Ｂ被合併法人の課税期間の月数}}$$

$$\therefore \left[\frac{Ａ3}{4} + \frac{Ｂ3}{7} \right]$$

② 直前の課税期間の年税額が 400万円超 4,800万円以下の場合

$$\frac{\text{Ａ被合併法人の確定消費税額}}{\text{Ａ被合併法人の課税期間の月数}} \times 3 + \frac{\text{Ｂ被合併法人の確定消費税額}}{\text{Ｂ被合併法人の課税期間の月数}} \times 3$$

$$\therefore \left[\frac{Ａ3}{4} \times 3 + \frac{Ｂ3}{7} \times 3 \right]$$

③ 直前の課税期間の年税額が 48万円超 400万円以下

$$\frac{\text{Ａ被合併法人の確定消費税額}}{\text{Ａ被合併法人の課税期間の月数}} \times 6 + \frac{\text{Ｂ被合併法人の確定消費税額}}{\text{Ｂ被合併法人の課税期間の月数}} \times 6$$

$$\therefore \left[\frac{Ａ2 \text{（注）}}{12} \times 6 + \frac{Ｂ3}{7} \times 6 \right]$$

（注）Ａ3が6月未満のため、Ａ2を使用する。

| 問 題 84 | 中間申告（その１） | 重 要 度 | A |

次の資料から、甲社（１年決算法人）の当期分の中間納付消費税額を計算しなさい。

〔資　料〕

(1) 前期確定消費税額

＜ケース１＞

令和７年５月31日　確定額　　49,200,000円

＜ケース２＞

令和７年５月31日　確定額　　4,230,000円

＜ケース３＞

令和７年５月31日　確定額　　2,310,000円

(2) 当期は令和７年４月１日から令和８年３月31日である。

⇨解答：306ページ

| 問 題 85 | 中間申告（その２） | 重 要 度 | A |

次の資料から、甲社（１年決算法人）の当期分の中間納付消費税額を計算しなさい。

〔資　料〕

(1) 前期確定消費税額

令和７年５月31日　確定額　　510,000円

(2) 当期は令和７年４月１日から令和８年３月31日である。

(3) 甲社は、決算期を12月から３月に変更したことに伴い、前期については、令和７年１月１日から令和７年３月31日までで終了している。

⇨解答：308ページ

| 問 題 86 | 中間申告（その３） | 重 要 度 | A |

次の資料から、甲社（１年決算法人）の当期分の中間納付消費税額を計算しなさい。

〔資　料〕

(1) 前期確定消費税額

×１年５月31日　確定額　　47,760,000円

×１年11月21日　修正申告　　360,000円（増加）

(2) 当期は×１年４月１日から×２年３月31日である。

⇨解答：309ページ

問 題 87　中間申告（その4）

重 要 度　A

次の資料から、甲社（1年決算法人）の当期分の中間納付消費税額を計算しなさい。

〔資　料〕

(1)　前期確定消費税額

　　　　×1年5月31日　確定額　　　3,900,000円

　　　　×1年7月10日　修正申告　　　153,000円（増加）

　　　　×1年11月21日　減額更正　　　120,000円（減少）

(2)　当期は×1年4月1日から×2年3月31日である。

⇨解答：310ページ

問 題 88　中間申告（その5）

重 要 度　B

次の資料から、甲社（1年決算法人）の当期分の中間納付消費税額を計算しなさい。

〔資　料〕

(1)　前期確定消費税額

　　　　×1年5月31日　確定額　　　4,200,000円

　　　　×1年7月10日　減額更正　　　210,000円（減少）

　　　　×1年11月21日　修正申告　　　300,000円（増加）

(2)　当期は×1年4月1日から×2年3月31日である。

⇨解答：311ページ

次の資料から、当期（×1年4月1日から×2年3月31日まで）に中間申告すべき消費税額を計算しなさい。なお、毎回の中間納付税額が最も少なくなるように中間納付税額を計算すること。

また、仮決算による中間申告を採用するため一定の書類を添付している。

〔資　料〕

(1)　甲社は毎期4月1日から翌年3月31日である。

(2)　前期確定消費税額

　　　×1年5月31日　確定額　　　　3,900,000円

　　　×1年7月21日　修正申告　　　300,000円（増加）

(3)　当期の実績

	第 1 四 半 期	第 2 四 半 期	第 3 四 半 期
課税標準額に対する消費税額	2,520,000円	2,105,000円	2,310,000円
控除対象仕入税額	1,050,000円	1,250,000円	1,340,000円
返還等対価に係る税額	150,000円	90,000円	100,000円
貸倒れに係る税額	——	——	900,000円

　　(注)　①　第1四半期　　×1年4月1日から×1年6月30日

　　　　　②　第2四半期　　×1年7月1日から×1年9月30日

　　　　　③　第3四半期　　×1年10月1日から×1年12月31日

⇨解答：312ページ

問 題 90　吸収合併（その１）

重 要 度　C

　次の資料により、製造業を営むA株式会社（以下「A社」という。）の当期（令和7年4月1日から令和8年3月31日まで）における中間申告により納付すべき消費税額を計算しなさい。

〔資　料〕

1．A社は令和7年10月1日を合併期日としてB株式会社（以下「B社」という。）を吸収合併した。

2．A社及びB社の近年に申告及び納付した消費税額は、次のとおりである。

　　なお、A社及びB社は更正等の処分を受けたことはない。

　⑴　A　社

　　①　令和6年5月31日に納付した確定申告納付税額　　3,600,000円

　　②　令和7年5月31日に納付した確定申告納付税額　　4,008,000円

　⑵　B　社

　　①　令和6年2月29日に納付した確定申告納付税額　　1,800,000円

　　②　令和7年2月28日に納付した確定申告納付税額　　2,400,000円

　　③　令和7年11月30日に納付した確定申告納付税額　　2,160,000円

3．その他の事項

　　A社の事業年度は、毎期4月1日から翌年3月31日、B社の事業年度は、各年の1月1日から12月31日である。

⇨解答：313ページ

問 題 91　吸収合併（その２）

重 要 度　C

　次の資料により、製造業を営むA株式会社（以下「A社」という。）の当期（令和7年4月1日から令和8年3月31日まで）における中間申告により納付すべき消費税額を計算しなさい。

〔資　料〕

1．A社は令和6年10月1日を合併期日としてB株式会社（以下「B社」という。）を吸収合併した。

2．A社及びB社の近年に納付した消費税額は、次のとおりである。

　　なお、A社及びB社は更正等の処分を受けたことはない。

　⑴　A　社（事業年度は、毎期4月1日から翌年3月31日である）

　　①　令和6年5月31日に納付した確定申告納付税額　　4,008,000円

　　②　令和7年5月31日に納付した確定申告納付税額　　4,800,000円

　⑵　B　社（事業年度は、各年の1月1日から12月31日である）

　　①　令和6年2月29日に納付した確定申告納付税額　　2,400,000円

　　②　令和6年11月30日に納付した確定申告納付税額　　2,160,000円

⇨解答：314ページ

第6章　中間申告

　次の資料により、製造業を営むA株式会社（以下「A社」という。）の当期（令和7年4月1日から令和8年3月31日まで）における中間申告により納付すべき消費税額を税額が最も少なくなるように計算しなさい。

〔資　料〕

1．A社は令和6年10月1日を合併期日としてB株式会社（以下「B社」という。）を吸収合併した。

2．A社及びB社の近年納付した消費税額は、次のとおりである。

　　なお、A社及びB社は更正等の処分を受けたことはない。

　(1)　A　社

　　　①　令和5年5月31日に納付した確定申告納付税額　　360,000円

　　　②　令和5年11月30日に納付した中間申告納付税額　　390,000円

　　　③　令和6年5月31日に納付した確定申告納付税額　　450,000円

　　　④　令和6年11月30日に納付した中間申告納付税額　　420,000円

　　　⑤　令和7年5月31日に納付した確定申告納付税額　　480,000円

　(2)　B　社

　　　①　令和5年2月28日に納付した確定申告納付税額　　468,000円

　　　②　令和5年8月31日に納付した中間申告納付税額　　　　　0円

　　　③　令和6年2月29日に納付した確定申告納付税額　　432,000円

　　　④　令和6年8月31日に納付した中間申告納付税額　　　　　0円

　　　⑤　令和6年11月30日に納付した確定申告納付税額　　388,800円

3．その他の事項

　(1)　令和7年4月1日から令和7年9月30日までの6月の間を一課税期間とみなして計算した金額（税込金額）は、次のとおりである。

　　　①　課税売上高　　24,000,000円

　　　　　輸出売上高は含まれていない。

　　　②　課税仕入高　　16,000,000円

　(2)　A社の事業年度は、毎期4月1日から翌年3月31日、B社の事業年度は、各年の1月1日から12月31日である。

　(3)　A社及びB社は、消費税簡易課税制度選択届出書の提出は行っていない。

⇒解答：316ページ

次の資料により、C株式会社（以下「C社」という。）の新設合併をした事業年度（令和7年8月1日から令和8年3月31日まで）における中間申告により納付すべき消費税額を計算しなさい。

〔資　料〕

1．令和7年8月1日にA株式会社（以下「A社」という。）とB株式会社（以下「B社」という。）は合併し、C社を設立した。

2．A社の事業年度は4月1日から翌年3月31日、B社の事業年度は1月1日から12月31日、C社の第2期以降の事業年度は4月1日から翌年3月31日である。なお、合併事業年度は例年と異なっている。

3．A社及びB社の近年納付した消費税額は、次のとおりである。

　⑴　A　社

　　①　令和5年11月30日に納付した中間申告納付税額　　　800,000円

　　②　令和6年5月31日に納付した確定申告納付税額　　　1,000,000円

　　③　令和6年11月30日に納付した中間申告納付税額　　　900,000円

　　④　令和7年5月31日に納付した確定申告納付税額　　　1,200,000円

　　⑤　令和7年9月30日に納付した確定申告納付税額　　　696,000円

　⑵　B　社

　　①　令和5年8月31日に納付した中間申告納付税額　　　700,000円

　　②　令和6年2月29日に納付した確定申告納付税額　　　860,000円

　　③　令和6年8月31日に納付した中間申告納付税額　　　780,000円

　　④　令和7年2月28日に納付した確定申告納付税額　　　840,000円

　　⑤　令和7年8月31日に納付した中間申告納付税額　　　805,000円

　　⑥　令和7年9月30日に納付した確定申告納付税額　　　245,000円

⇨解答：317ページ

MEMO

第7章

国境を越えた役務の提供に係る課税

Ⅰ 国境を越えた役務の提供に係る課税

1．国内取引の判定（法4③）

(1) 資産の譲渡等

次の場所が国内にあるかどうかにより行う。

① 資産の譲渡又は貸付け

譲渡又は貸付けが行われる時におけるその資産の所在場所（船舶、特許権等については、一定の場所）

② 役務の提供（③を除く。）

役務の提供が行われた場所（国際運輸、国際通信等については、一定の場所）

③ 電気通信利用役務の提供

役務の提供を受ける者の住所等

ただし、その住所等がないときは、国外で行われたものとする。

(2) 特定仕入れ

特定仕入れとして他の者から受けた役務の提供につき、(1)②又は③の場所が国内にあるかどうかにより行う。

ただし、一定の場合は、この限りでない。

(1) 電気通信利用役務の提供とは（法2①八の三）

資産の譲渡等のうち、電気通信回線を介して行われる著作物の提供その他の電気通信回線を介して行われる役務の提供（電話、電信その他の通信設備を用いて他人の通信を媒介するものを除く。）であって、他の資産の譲渡等の結果の通知その他の他の資産の譲渡等に付随して行われるもの以外のものをいう。

具体的には、電気通信回線（インターネット等）を介して行われる電子書籍や音楽、ソフトウエア等の配信のほか、ネット広告の配信やクラウドサービスの提供、さらには電話や電子メールなどを通じたコンサルティングなどが該当する。

(2) 特定仕入れに係る国内取引の判定

国外事業者から受けた「事業者向け電気通信利用役務の提供（特定仕入れ）」に係る国内取引の判定については、次のとおりとなる。

> イ　国外事業者が恒久的施設で行う特定仕入れ（注）のうち、国内において行う資産の譲渡等に要するものは、国内で行われたものとする。
>
> （注）事業者向け電気通信利用役務の提供に限る。
>
> ロ　事業者（国外事業者を除く。）が国外事業所等で行う特定仕入れ（注）のうち、国外において行う資産の譲渡等にのみ要するものは、国外で行われたものとする。

２．リバースチャージ方式

電気通信利用役務の提供については、「電気通信利用役務の提供を受ける者の住所等」で判定することとなるため、**国外事業者が国内事業者等に電気通信利用役務の提供を行った場合には、国内取引となり、課税の対象となることから、消費税が課されることとなる。**

この場合、その電気通信利用役務の提供に係る消費税の徴収方式については、次の区分に応じ、それぞれの方式により行うこととなる。

> ──【電気通信利用役務の提供が「事業者向け」である場合】──
>
> **リバースチャージ方式**

> ──【電気通信利用役務の提供が上記以外（≒「消費者向け」）である場合】──
>
> 国外事業者申告納税方式

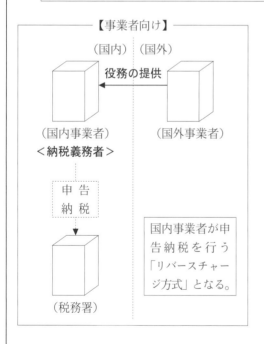

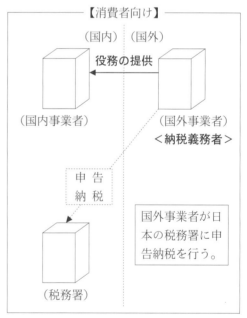

(1) リバースチャージ方式による課税の対象

┌─【課税の対象（法4①）】─────────────────────
　国内において事業者が行った…特定仕入れには、消費税を課する。
└──────────────────────────────────

┌─【特定仕入れ（法4①）】─────────────────────
　事業として他の者から受けた特定資産の譲渡等※をいう。

※　特定資産の譲渡等とは、事業者向け電気通信利用役務の提供及び特定役務の提供
をいう。（法2①八の二）

　なお、事業者向け電気通信利用役務の提供となるためには、「国外事業者」が電
気通信利用役務の提供を行うことが要件となっていることに留意する。
└──────────────────────────────────

　上記の理由から、事業者が国内において国外事業者から電気通信利用役務の提供（＝事
業者向け電気通信利用役務の提供）を受けた場合には、その事業者が行う「仕入れ」に対
して消費税が課されることとなる。

(2) リバースチャージ方式による納税義務者

┌─【納税義務者（法5①）】─────────────────────
　事業者は、国内において行った…特定課税仕入れにつき、消費税を納める義務がある。
└──────────────────────────────────

┌─【特定課税仕入れ（法5①）】───────────────────
　課税仕入れのうち特定仕入れに該当するものをいう。
└──────────────────────────────────

　リバースチャージ方式により国内において事業者が行った特定仕入れには、消費税が課
されることとなるため、その特定仕入れのうち課税されるもの（＝特定課税仕入れ）を行っ
た事業者が、その消費税の納税義務者となる。

(3) リバースチャージ方式の適用除外

　事業者が、「事業者向け電気通信利用役務の提供」を受けた場合であっても、次の①〜
③に該当する課税期間については、当分の間、「事業者向け電気通信利用役務の提供」は
なかったものとされるため、リバースチャージ方式による申告を行う必要はない。

　また、その仕入税額控除も不可となる。

① 　原則課税で、かつ、課税売上割合が95％以上の課税期間

② 　簡易課税制度が適用される課税期間

③ 　2割特例（第8章（インボイス制度）参照）の適用を受ける課税期間

3．消費者向け電気通信利用役務の提供

(1) 内　容

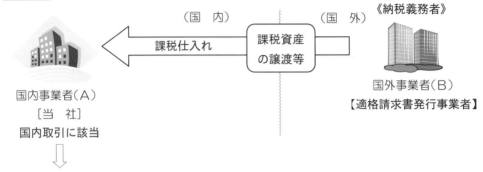

国内取引に該当

⬇

仕入税額控除の適用あり

(2) 消費者向け電気通信利用役務の提供を受けた場合の取扱い

課税仕入れ	国外事業者が適格請求書発行事業者である	仕入税額控除の適用あり
	国外事業者が適格請求書発行事業者でない	仕入税額控除の適用なし（※）

（※）他の課税仕入れを行った場合と同様に、適格請求書発行事業者の登録を受けている国外事業者から受けたものについて、適格請求書等及び一定の事項を記載した帳簿の保存により仕入税額控除を適用することができる。適格請求書発行事業者の登録を受けていない国外事業者から提供を受けたものについては、仕入税額控除の対象とはならず、適格請求書発行事業者以外の者からの課税仕入れに係る経過措置（80％又は50％控除の措置）の適用もない。

4．プラットフォーム課税の創設

　　令和7年4月1日以後に、国外事業者がデジタルプラットフォームを介して行う消費者向け電気通信利用役務の提供で、かつ、国税庁長官の指定を受けた特定プラットフォーム事業者を介してその役務の提供の対価を収受するものについては、その特定プラットフォーム事業者が、その役務の提供を行ったものとみなして、申告・納税を行うこととされた。

※　国外事業者とは、所得税法に規定する非居住者である個人事業者及び法人税法に規定する外国法人をいう。

Ⅱ　国外事業者による芸能・スポーツ等の役務の提供に係る課税

　特定役務の提供（注）については、国外事業者から国内において当該役務の提供を受けた事業者が「特定課税仕入れ」として、「**リバースチャージ方式**」により、申告・納税を行うこととなる。

　これにより、当該特定役務の提供を受ける事業者が申告・納税の対象となる。

（注）特定役務の提供とは、資産の譲渡等のうち、国外事業者が行う映画等の俳優、音楽家その他の芸能人又は職業運動家の役務の提供のうち、国外事業者が他の事業者に対して行う一定のものをいう。

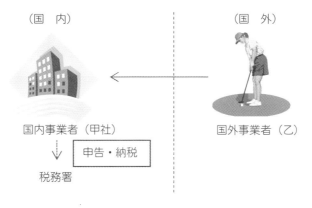

MEMO

インボイス制度

インボイス制度

1．適格請求書等保存方式の概要

　令和5年10月1日から、複数税率に対応した仕入税額控除の方式として、「適格請求書等保存方式」（インボイス制度）が開始された。

(1)　適格請求書発行事業者の登録制度

　適格請求書等保存方式においては、仕入税額控除の要件として、原則、適格請求書発行事業者から交付を受けた適格請求書（インボイス）等の保存が必要になる。

　適格請求書とは、「売手が買手に対し正確な適用税率や消費税額等を伝えるための手段」であり、一定の事項が記載された請求書や納品書等をいう。

　また、適格請求書を交付しようとする事業者は、納税地を所轄する税務署長に適格請求書発行事業者の登録申請書を提出し、適格請求書発行事業者として登録を受ける必要がある（登録を受けることができるのは、課税事業者に限られる。）。

(2)　適格請求書の交付義務等（売手の留意点）

① 適格請求書の交付義務

　適格請求書発行事業者には、国内において課税資産の譲渡等（消費税が免除されるものを除く。）を行った場合に、相手方（課税事業者に限る。）から適格請求書の交付を求められたときは適格請求書の交付義務が課されている。

　ただし、適格請求書を交付することが困難な一定の取引については、適格請求書の交付義務が免除される。

　また、適格請求書発行事業者が、不特定かつ多数の者に課税資産の譲渡等を行う一定の事業を行う場合には、適格請求書に代えて、適格請求書の記載事項を簡易なものとした適格簡易請求書を交付することができる。

② 適格返還請求書の交付義務

　適格請求書発行事業者には、課税事業者に返品や値引き等の売上げに係る対価の返還等を行う場合、適格返還請求書の交付義務が課されている。

③ 修正した適格請求書の交付義務

　適格請求書発行事業者は、交付した適格請求書等の記載事項に誤りがあったときは、修正した適格請求書等の交付義務が課されている。

④ 保存の義務

　適格請求書発行事業者には、交付した適格請求書等の写しの保存義務が課されている。

⑤ 適格請求書及び適格簡易請求書の記載事項

適格請求書	適格簡易請求書
① 適格請求書発行事業者の氏名又は名称及び登録番号	① 適格請求書発行事業者の氏名又は名称及び登録番号
② 課税資産の譲渡等を行った年月日	② 課税資産の譲渡等を行った年月日
③ 課税資産の譲渡等の内容（課税資産の譲渡等が軽減対象課税資産の譲渡等である場合にはその旨を含む。）	③ 課税資産の譲渡等の内容（課税資産の譲渡等が軽減対象課税資産の譲渡等である場合にはその旨を含む。）
④ 課税資産の譲渡等に係る税抜価額又は税込価額を税率の異なるごとに区分して合計した金額及び適用税率	④ 課税資産の譲渡等に係る税抜価額又は税込価額を税率の異なるごとに区分して合計した金額
⑤ 税率ごとに区分した消費税額等	⑤ 税率ごとに区分した消費税額等又は適用税率
⑥ 書類の交付を受ける事業者の氏名又は名称	

(3) 仕入税額控除の要件（買手の留意点）

適格請求書等保存方式においては、一定の事項を記載した帳簿及び適格請求書等の保存が仕入税額控除の要件となる。

なお、請求書等の交付を受けることが困難であるなどの理由により、次の取引については、一定の事項を記載した帳簿のみの保存で仕入税額控除が認められる。

《帳簿のみの保存で仕入税額控除が認められる取引》

① 3万円未満の公共交通機関（船舶、バス又は鉄道）による旅客の運送

② 適格簡易請求書の記載事項（取引年月日を除く。）が記載されている入場券等が使用の際に回収される取引（①に該当するものを除く。）

③ 古物営業を営む者の適格請求書発行事業者でない者からの古物（古物営業を営む者の棚卸資産に該当するものに限る。）の購入

④ 質屋を営む者の適格請求書発行事業者でない者からの質物（質屋を営む者の棚卸資産に該当するものに限る。）の取得

⑤ 宅地建物取引業を営む者の適格請求書発行事業者でない者からの建物（宅地建物取引業を営む者の棚卸資産に該当するものに限る。）の購入

⑥ 適格請求書発行事業者でない者からの再生資源及び再生部品（購入者の棚卸資産に該当するものに限る。）の購入

⑦ 3万円未満の自動販売機及び自動サービス機からの商品の購入等

⑧ 郵便切手類のみを対価とする郵便・貨物サービス（郵便ポストに差し出されたものに限る。）

⑨　従業員等に支給する通常必要と認められる出張旅費等（出張旅費、宿泊費、日当及び通勤手当）

⑷　免税事業者等からの仕入れに係る経過措置

　適格請求書等保存方式の下では、適格請求書発行事業者以外の者（消費者、免税事業者又は登録を受けていない課税事業者）からの課税仕入れについては、仕入税額控除のために保存が必要な請求書等の交付を受けることができないことから、仕入税額控除を行うことができない。

　ただし、適格請求書等保存方式開始から一定期間は、適格請求書発行事業者以外の者からの課税仕入れであっても、仕入税額相当額の一定割合を仕入税額とみなして控除できる経過措置が設けられている。

※1　経過措置を適用できる期間等

期　　間	割　　合
令和5年10月1日から令和8年9月30日まで	仕入税額相当額の80%
令和8年10月1日から令和11年9月30日まで	仕入税額相当額の50%

※2　令和6年10月1日以後に開始する課税期間から、一の免税事業者等から行う経過措置（80%控除・50%控除）の対象となる課税仕入れの合計額（税込金額）がその年又は事業年度で10億円を超える場合には、その超えた部分の課税仕入れについて、経過措置（80%控除・50%控除）の適用を受けることができないこととされている。

⑸　少額特例（一定規模以下の事業者に対する事務負担の軽減措置）

　基準期間における課税売上高が1億円以下又は特定期間における課税売上高が5千万円以下である事業者が、令和5年10月1日から令和11年9月30日までの間に国内において行う課税仕入れについて、その課税仕入れに係る支払対価の額が1万円未満である場合には、一定の事項が記載された帳簿のみの保存により、その課税仕入れについて仕入税額控除の適用を受けることができる経過措置（少額特例）が設けられている。

※　特定期間における課税売上高については、納税義務の判定の場合と異なり、課税売上高に代えて給与支払額の合計額による判定はできない。

⑹　2割特例（小規模事業者に係る税額控除に関する経過措置）

　令和5年10月1日から令和8年9月30日までの日の属する各課税期間において、免税事業者（免税事業者が「課税事業者選択届出書」の提出により課税事業者となった場合を含む。）が適格請求書発行事業者となる場合（注）には、納付税額の計算において控除する金額を、その課税期間における課税標準である金額の合計額に対する消費税額から売上げに係る対価の返還等の金額に係る消費税額の合計額を控除した残額に8割を乗じた額とすることができる経過措置が設けられている。

（注）　課税事業者が適格請求書発行事業者となった場合であっても、その適格請求書発行事業者となった課税期間の翌課税期間以後の課税期間について、基準期間における課税売上高が1,000万円以下である場合には、原則として、2割特例の適用を受けることができる。

また、2割特例は、簡易課税制度のように事前の届出や継続して適用しなければならないという制限はなく、申告書に2割特例の適用を受ける旨を付記することにより、適用を受けることができる。

2．税額計算等

(1)　税額計算の方法

売上税額及び仕入税額の計算方法は、次のとおりとなる。

① 売上税額

イ　原則（割戻し計算）

税率ごとに区分した課税期間中の課税資産の譲渡等の税込価額の合計額に、110分の100（軽減税率の対象となる場合は108分の100）を掛けて税率ごとの課税標準額を算出し、それぞれの税率（7.8％又は6.24％）を掛けて売上税額を算出する。

ロ　特例（積上げ計算）

相手方に交付した適格請求書等の写しを保存している場合には、これらの書類に記載した消費税額等の合計額に100分の78を掛けて算出した金額を売上税額とすることができる。

ただし、資産の譲渡等の時期の特例、低額譲渡の適用を受ける課税資産の譲渡等については、適用対象外とされている。

また、みなし譲渡、工事の請負に係る資産の譲渡等の特例の適用を受ける課税資産の譲渡等を行った場合には、適格請求書の交付義務の対象外とされている。

したがって、これらの取引に係る売上税額の計算は割戻し計算により行うこととなる。

② 仕入税額

イ　原則（積上げ計算）

相手方から交付を受けた適格請求書等に記載されている消費税額等のうち課税仕入れに係る部分の金額の合計額に100分の78を掛けて仕入税額を算出する。

ロ　特例（割戻し計算）

税率ごとに区分した課税期間中の課税仕入れに係る支払対価の額の合計額に、110分の7.8又は108分の6.24を掛けて算出した金額を仕入税額とすることができる。

（参考）売上税額と仕入税額の計算方法

原則は売上税額が割戻し計算となり、仕入税額は積上げ計算となる。

※1　売上税額を積上げ計算した場合、仕入税額も積上げ計算しなければならない。

※2　割戻し計算により仕入税額を計算できるのは、売上税額を割戻し計算している場合に限られる。

※3　売上税額の計算方法において、「割戻し計算」と「積上げ計算」を併用することは認められているが、仕入税額の計算方法において、「積上げ計算」と「割戻し計算」を併用することはできない。

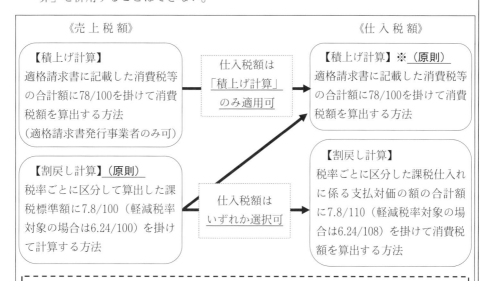

※　仕入税額の積上げ計算の方法として、課税仕入れの都度、課税仕入れに係る支払対価の額に10/110（軽減税率の対象となる場合は8/108）を乗じて算出した金額（1円未満の端数が生じたときは、端数を切捨て又は四捨五入する。）を仮払消費税額等などとし、帳簿に記載（計上）している場合は、その金額の合計額に78/100を掛けて税額を算出する方法も認められる（帳簿積上げ計算）。

(2) 計算パターン

---

1 売上税額

【原則（割戻し計算）】

① 課税標準額

イ 7.8%

㋑ 課税資産の譲渡等

$$国内課税売上高の合計額（税込）\times \frac{100}{110} = XXX,XXX$$

㋺ 特定課税仕入れ　XXX,XXX

㋩ ㋑＋㋺＝XXX,XXX → XXX,000円（千円未満切捨）

ロ 6.24%

$$国内課税売上高の合計額（税込）\times \frac{100}{108} = XXX,XXX$$

$$→ XXX,000円（千円未満切捨）$$

ハ イ＋ロ＝XXX,000円

② 課税標準額に対する消費税額

イ 7.8%

課税標準額 × 7.8%

ロ 6.24%

課税標準額 × 6.24%

ハ イ＋ロ＝XXX,XXX円

【特例（積上げ計算）】

① 課税標準額

イ 7.8%

㋑ 課税資産の譲渡等

国内課税売上高の合計額（税込）－ 適格請求書等に記載した消費税額等

＝XXX,XXX

㋺ 特定課税仕入れ　XXX,XXX

㋩ ㋑＋㋺＝XXX,XXX → XXX,000円（千円未満切捨）

ロ 6.24%

国内課税売上高の合計額（税込）－ 適格請求書等に記載した消費税額等

＝XXX,XXX → XXX,000円（千円未満切捨）

ハ イ＋ロ＝XXX,000円

② 課税標準額に対する消費税額

イ　適格請求書等に記載した消費税額等の合計額×78%

ロ　特定課税仕入れ（千円未満切捨）×7.8%

ハ　イ＋ロ＝XXX,XXX円

2　仕入税額

【原則（積上げ計算）】

1　課税仕入れ等の区分

(1)　課税資産の譲渡等にのみ要するもの（A対応）

①　課税仕入れ

イ　7.8%

㋑　適格請求書　　　　　　　　　　　消費税額等

㋺　適格簡易請求書（税額記載あり）　消費税額等

㋩　適格簡易請求書（税額記載なし）　$XXX,XXX \times \dfrac{10}{110}$

（切上げ、切捨て又は四捨五入）

㋥　帳簿のみ　　$XXX,XXX \times \dfrac{10}{110}$（切捨て又は四捨五入）

㋭　少額特例　　$XXX,XXX \times \dfrac{10}{110}$（切捨て又は四捨五入）

㋬　帳簿積上げ　XXX,XXX

㋣　㋑＋㋺＋㋩＋㋥＋㋭＋㋬

ロ　6.24%

㋑　適格請求書　　　　　　　　　　　消費税額等

㋺　適格簡易請求書（税額記載あり）　消費税額等

㋩　適格簡易請求書（税額記載なし）　$XXX,XXX \times \dfrac{8}{108}$

（切上げ、切捨て又は四捨五入）

㋥　帳簿のみ　　$XXX,XXX \times \dfrac{8}{108}$（切捨て又は四捨五入）

㋭　少額特例　　$XXX,XXX \times \dfrac{8}{108}$（切捨て又は四捨五入）

㋬　帳簿積上げ　XXX,XXX

㋣　㋑＋㋺＋㋩＋㋥＋㋭＋㋬

ハ　イ＋ロ＝XXX,XXX

　　XXX,XXX　×78%

②　80%控除対象（課税仕入れごとに計算を行う。）

イ　7.8%　課税仕入れ×$\dfrac{7.8}{110}$×80%（切捨て又は四捨五入）

ロ　6.24%　課税仕入れ×$\dfrac{6.24}{108}$×80%（切捨て又は四捨五入）

ハ　イ＋ロ＝a

③　特定課税仕入れ×7.8%

④　課税貨物

⑤　棚卸資産

　　イ　7.8%　棚卸資産　$\times \dfrac{7.8}{110}$

　　ロ　6.24%　棚卸資産　$\times \dfrac{6.24}{108}$

　　ハ　イ＋ロ＝XXX,XXX

⑥　課税仕入返還等

　　　　　7.8%　　　　　　6.24%

　　消費税額等　＋　消費税額等　＝　a'

　　a'　×　78%

⑦　特定課税仕入返還等×7.8%

⑧　引取還付

(2)　その他の資産の譲渡等にのみ要するもの（B対応）

　　(1)と同じ

(3)　共通して要するもの（C対応）

　　(1)と同じ

(4)　合　計

①　課税仕入れ

　　　　　　　A　　　　　　　B　　　　　　　C

　　消費税額等＋　消費税額等　＋　消費税額等　＝　XXX,XXX

　　XXX,XXX　×　78%

②　80%控除対象

　　a＋b＋c

③　特定課税仕入れ×7.8%

④　課税貨物

⑤　棚卸資産

　　イ　7.8%　棚卸資産　$\times \dfrac{7.8}{110}$

　　ロ　6.24%　棚卸資産　$\times \dfrac{6.24}{108}$

　　ハ　イ＋ロ＝XXX,XXX

⑥　課税仕入返還等

　　a'＋b'＋c'＝XXX,XXX

　　XXX,XXX　×　78%

⑦　特定課税仕入返還等×7.8%

⑧　引取還付

2 個別対応方式

{(1)①＋(1)②＋(1)③＋(1)④±(1)⑤－((1)⑥＋(1)⑦)－(1)⑧}＋((3)①＋(3)②＋(3)③＋(3)④±(3)⑤)×課税売上割合－((3)⑥＋(3)⑦)×課税売上割合－(3)⑧×課税売上割合

3 一括比例配分方式

((4)①＋(4)②＋(4)③＋(4)④±(4)⑤)×課税売上割合－((4)⑥＋(4)⑦)×課税売上割合－(4)⑧×課税売上割合

4 判　定

2と3のいずれか大きい方を選択する　∴　XXX,XXX

【特例（割戻し計算）】

1 課税仕入れ等の区分

(1) 課税資産の譲渡等にのみ要するもの（A対応）

① 課税仕入れ

イ　7.8%　課税仕入れ　$\times \dfrac{7.8}{110}$

ロ　6.24%　課税仕入れ　$\times \dfrac{6.24}{108}$

ハ　イ＋ロ＝XXX,XXX

② 80%控除対象

イ　7.8%　課税仕入れ　$\times \dfrac{7.8}{110} \times 80\%$

ロ　6.24%　課税仕入れ　$\times \dfrac{6.24}{108} \times 80\%$

ハ　イ＋ロ＝XXX,XXX

③ 特定課税仕入れ×7.8%

④ 課税貨物

⑤ 棚卸資産

イ　7.8%　棚卸資産　$\times \dfrac{7.8}{110}$

ロ　6.24%　棚卸資産　$\times \dfrac{6.24}{108}$

ハ　イ＋ロ＝XXX,XXX

⑥ 課税仕入返還等

イ　7.8%　課税仕入返還等　$\times \dfrac{7.8}{110}$

ロ　6.24%　課税仕入返還等　$\times \dfrac{6.24}{108}$

ハ　イ＋ロ＝XXX,XXX

⑦ 特定課税仕入返還等×7.8%

⑧ 引取還付

(2) その他の資産の譲渡等にのみ要するもの（Ｂ対応）

(1)と同じ

(3) 共通して要するもの（Ｃ対応）

(1)と同じ

(4) 合　計

① 課税仕入れ

イ　7.8%　課税仕入れ　$\times \dfrac{7.8}{110}$

ロ　6.24%　課税仕入れ　$\times \dfrac{6.24}{108}$

ハ　イ＋ロ＝XXX,XXX

② 80%控除対象

イ　7.8%　課税仕入れ　$\times \dfrac{7.8}{110} \times 80\%$

ロ　6.24%　課税仕入れ　$\times \dfrac{6.24}{108} \times 80\%$

ハ　イ＋ロ＝XXX,XXX

③ 特定課税仕入れ×7.8%

④ 課税貨物

⑤ 棚卸資産

イ　7.8%　棚卸資産　$\times \dfrac{7.8}{110}$

ロ　6.24%　棚卸資産　$\times \dfrac{6.24}{108}$

ハ　イ＋ロ＝XXX,XXX

⑥ 課税仕入返還等

イ　7.8%　課税仕入返還等　$\times \dfrac{7.8}{110}$

ロ　6.24%　課税仕入返還等　$\times \dfrac{6.24}{108}$

ハ　イ＋ロ＝XXX,XXX

⑦ 特定課税仕入返還等×7.8%

⑧ 引取還付

2　個別対応方式

{(1)①＋(1)②＋(1)③＋(1)④±(1)⑤－((1)⑥＋(1)⑦)－(1)⑧}＋(3)①＋(3)②＋(3)③＋(3)④±(3)⑤)×課税売上割合－((3)⑥＋(3)⑦)×課税売上割合－(3)⑧×課税売上割合

3　一括比例配分方式

((4)①＋(4)②＋(4)③＋(4)④±(4)⑤)×課税売上割合－((4)⑥＋(4)⑦)×課税売上割合－(4)⑧×課税売上割合

4 　判　定

　　　2と3のいずれか大きい方を選択する　∴　XXX,XXX

3　帳簿のみの保存で仕入税額控除が認められる場合の積上げ計算

　　公共交通機関特例（3万円未満の公共交通機関による旅客の運送）など、帳簿のみ
の保存で仕入税額控除が認められるものについては、適格請求書等がないため、仕入
税額を積上げ計算する場合に消費税額等がわからない場合がある。

　　そのような場合には、次の金額を基として仕入税額を計算することとなる。

　　なお、少額特例の適用を受ける場合の積上げ計算も、同様の計算方法となる。

$$課税仕入れに係る支払対価の額 \times \frac{10}{110} \left(又は \frac{8}{108}\right) ※$$

　　　※　1円未満の端数は、切捨て又は四捨五入

4　免税事業者からの仕入れに係る経過措置を適用する場合の税額計算（80％控除対象）

(1)　仕入税額について積上げ計算を適用している場合

$$課税仕入れに係る支払対価の額 \times \frac{7.8}{110} \left(又は \frac{6.24}{108}\right) ※1 \times 80\% ※2$$

　　　※1　1円未満の端数は、切捨て

　　　※2　1円未満の端数は、切捨て又は四捨五入

(2)　仕入税額について割戻し計算を適用している場合

$$課税仕入れに係る支払対価の額の合計額 \times \frac{7.8}{110} \left(又は \frac{6.24}{108}\right) ※ \times 80\% ※$$

　　　※　1円未満の端数は、切捨て

5　適格簡易請求書に税額の記載がない場合の積上げ計算

　　適格簡易請求書には、「消費税額等又は適用税率」の記載をすればよいため、消費
税額等の記載がされていない適格簡易請求書の交付を受ける場合がある。

　　そのような場合には、次の金額を基として仕入税額を計算することとなる。

$$課税仕入れに係る支払対価の額 \times \frac{10}{110} \left(又は \frac{8}{108}\right) ※$$

　　　※　1円未満の端数は、切上げ、切捨て又は四捨五入

6　売上げに係る対価の返還等に係る消費税額の積上げ計算

$$適格返還請求書に記載した消費税額等 \times 78\% = 売上げに係る対価の返還等に係る消費税額$$

7　仕入れに係る対価の返還等に係る消費税額の積上げ計算

$$適格返還請求書に記載された消費税額等 \times 78\% = 仕入れに係る対価の返還等に係る消費税額$$

8　2割特例

$$\text{特別控除税額} = \left[\begin{array}{c}\text{課税標準額に}\\\text{対する消費税額}\end{array} + \begin{array}{c}\text{貸倒回収に}\\\text{係る消費税額}\end{array} - \begin{array}{c}\text{売上げに係る対価の}\\\text{返還等に係る消費税額}\end{array}\right] \times 80\%$$

基礎となる消費税額

　計算方法は、みなし仕入れ率が80％である場合の簡易課税制度の控除税額の計算方法と同様である。なお、簡易課税制度のように事業区分は要しない。

9　その他留意点

(1)　仕入れに係る対価の返還等に係る消費税額の計算
　　原則「割戻し計算」、特例「積上げ計算」である。

(2)　売上げに係る対価の返還等に係る消費税額の計算
　　原則「割戻し計算」、特例「積上げ計算」である。

(3)　貸倒れに係る消費税額及び貸倒回収に係る消費税額の計算
　　「割戻し計算」による。

(4)　棚卸資産に係る消費税額の計算
　　「割戻し計算」による。

問 題 94 売上税額の計算　重要度 A

　次の資料から、商品（課税資産）の卸小売業を営む甲株式会社（適格請求書発行事業者に該当している。以下「甲社」という。）の当期（令和7年4月1日から令和8年3月31日まで）における課税標準額に対する消費税額を「1. 割戻し計算」及び「2. 積上げ計算」により求めなさい。

　なお、甲社は簡易課税制度選択届出書は提出していない。

〔資　料〕課税売上高に関する資料

		金額（税込）	適格請求書に記載した税額
イ	標準税率が適用されるもの	11,000,000円	1,000,000円
ロ	軽減税率が適用されるもの	8,640,000円	640,000円

⇨解答：319ページ

問 題 95 仕入税額の計算（その1）　重要度 A

　次の資料から、商品（課税資産）の卸小売業を営む甲株式会社（適格請求書発行事業者に該当している。以下「甲社」という。）の当期（令和7年4月1日から令和8年3月31日まで）における控除対象仕入税額を「1. 割戻し計算」及び「2. 積上げ計算」により求めなさい。

　なお、甲社は簡易課税制度選択届出書は提出しておらず、当期の課税売上割合は80%とする。

〔資　料〕課税仕入高に関する資料

		金額（税込）	適格請求書に記載された税額
イ	標準税率が適用されるもの		
	① 課税売上対応	2,970,000円	270,000円
	② 非課税売上対応	770,000円	70,000円
	③ 共通対応	4,180,000円	380,000円
ロ	軽減税率が適用されるもの		
	① 課税売上対応	2,160,000円	160,000円
	② 共通対応	3,240,000円	240,000円

⇨解答：320ページ

次の資料から、商品（課税資産）の卸小売業を営む甲株式会社（適格請求書発行事業者に該当している。以下「甲社」という。）の当期（令和7年4月1日から令和8年3月31日まで）における控除対象仕入税額を「1．割戻し計算」及び「2．積上げ計算」により求めなさい。

なお、甲社の当課税期間の課税売上割合は95％以上であり、課税売上高は5億円以下である。

〔資　料〕課税仕入高に関する資料

	金額（税込）	適格請求書に記載された税額
イ　標準税率が適用されるもの		
㋑　国内出張に係る日当	11,000円	―
㋺　免税事業者からの仕入高	165,000円	―
㋩　㋑～㋺以外のもの	26,400,000円	2,400,000円
ロ　軽減税率が適用されるもの	19,440,000円	1,440,000円

⇨解答：322ページ

| 問 題 97 | 仕入税額の計算（その３） | | 重要度 | A |

次の資料から、商品（課税資産）の卸小売業を営む甲株式会社（適格請求書発行事業者に該当している。以下「甲社」という。）の当期（令和７年４月１日から令和８年３月31日まで）における控除対象仕入税額を「１．割戻し計算」及び「２．積上げ計算」により求めなさい。

なお、甲社は、少額特例の適用対象となる一定規模以下の事業者に該当するものとする。

また、甲社の当課税期間の課税売上割合は95％以上であり、課税売上高は５億円以下である。

〔資　料〕課税仕入高に関する資料

	金額（税込）	適格請求書に記載された税額
標準税率が適用されるもの		
イ　免税事業者からの仕入高	1,595,000円	―
㋑　イのうち少額特例の 　　適用対象となるもの	275,000円	―
㋺　イのうち少額特例の 　　適用対象とならないもの	1,320,000円	―
ロ　イ以外のもの	6,600,000円	600,000円

⇒解答：323ページ

| 問 題 98 | ２割特例 | | 重要度 | A |

次の資料から、甲株式会社（適格請求書発行事業者に該当している。以下「甲社」という。）の当期（令和７年４月１日から令和８年３月31日まで）における控除対象仕入税額につき「２割特例（小規模事業者に係る税額控除に関する経過措置）」を適用した場合における納付税額を求めなさい。

なお、甲社は税込経理を行っており、売上税額の計算については割戻し計算を採用している。

〔資　料〕（軽減税率が適用されるものは含まれていない。）

(1) 課税売上高　　9,000,000円

(2) 売上値引高　　60,000円

(3) 償却債権取立益　20,000円

⇒解答：324ページ

TAX ACCOUNTANT

解答編

| 第 1 章 | 取 引 分 類 |

問 題 1 国内取引（その1）

解 答

(2)、(4)、(5)、(6)、(7)、(8)、(10)、(11)

問 題 2 国内取引（その2）

解 答

(1) ○ 資産の所在場所が日本

(2) ○ 資産の所在場所が日本

(3) × 資産の所在場所がニューヨーク

(4) × 資産の所在場所がニューヨーク

(5) ○ 発信地が日本の国際電話

(6) ○ 受信地が日本の国際電話

(7) ○ 譲渡時の資産の所在場所が日本

(8) × 譲渡時の資産の所在場所がロサンゼルス

(9) ○ 発送地が日本の輸送

(10) ○ 到着地が日本の輸送

問 題 3 国内取引（その3）

解 答

(1) ○ 受信地が国内（国際通信）

(2) ○ 役務の提供を受ける者の本店が日本（電気通信利用役務の提供）

(3) × 役務の提供を受ける者の本店が海外（電気通信利用役務の提供）

(4) ○ 役務の提供を受ける者の本店が日本（電気通信利用役務の提供）

(5) × 役務の提供を受ける者の本店が海外（電気通信利用役務の提供）

(6) ○ 役務の提供を受ける者の本店が日本（電気通信利用役務の提供）

(7) × 役務の提供を受ける者の本店が海外（電気通信利用役務の提供）

(8) ○ 役務の提供を受ける者の本店が日本（電気通信利用役務の提供）

(9) ○ 役務の提供を受ける者の本店が日本（電気通信利用役務の提供）

⑽　×　著作権の貸付けを行う者の住所地が海外（著作権の貸付け）

　具体的な「電気通信利用役務の提供」は以下のようなものが該当する。（基通5－8－3）
①　インターネットを介した電子書籍の配信
②　インターネットを介して音楽・映像を視聴させる役務の提供
③　インターネットを介してソフトウェアを利用させる役務の提供
④　インターネットのウエブサイト上に他の事業者等の商品販売の場所を提供する役務の提供
⑤　インターネットのウエブサイト上に広告を掲載する役務の提供
⑥　電話、電子メールによる継続的なコンサルティング
(注) 電気通信利用役務の提供に該当しない他の資産の譲渡等の結果の通知その他の他の資産の譲渡等に付随して行われる役務の提供には、例えば、次に掲げるようなものが該当する。
　イ　国外に所在する資産の管理・運用等について依頼を受けた事業者が、その管理等の状況をインターネット等を利用して依頼者に報告するもの
　ロ　ソフトウェア開発の依頼を受けた事業者が、国外においてソフトウェアの開発を行い、完成したソフトウェアについてインターネット等を利用して依頼者に送信するもの

問　題　4　　課税の対象（その1）

解　答

(2)、(3)

問　題　5　　課税の対象（その2）

解　答

(2)、(3)、(4)、(6)、(9)、(11)、(12)、(15)

問　題　6　課税の対象（その3）

解　答

⑴　○（法4⑤一、基通5－1－2（注））みなし譲渡に該当する。

⑵　×（基通5－1－2、基通5－3－5）みなし譲渡の規定は適用されない。

⑶　×（基通5－1－2）みなし譲渡の規定は適用されない。

⑷　×（基通5－1－5）

⑸　×（基通5－1－2）

⑹　×（基通5－1－8⑴）その性質上、事業に付随して行われる行為に含まれない。

⑺　○（法4⑤二、基通5－1－2（注））みなし譲渡に該当する。

⑻　○（基通5－1－7⑶）事業の用に供していれば「事業として」に該当する。

⑼　○（基通5－4－4）

⑽　×（基通5－2－14）寄附金の受取りは対価性がないため、課税の対象に該当しない。

⑾　○（基通5－1－7⑴）

⑿　○（基通5－2－1（注））

⒀　○（基通5－1－11）

⒁　×（基通5－6－4）みなし引取りに該当しない。

⒂　○（基通5－6－2）輸入取引の課税の対象には無償のものも含まれる。

⒃　○（基通5－2－2）

⒄　×（基通5－2－5）

⒅　×（基通5－2－8）株主の地位に基づき受ける配当は、資産の譲渡等の対価に該当しない。

⒆　×（基通5－2－4）火災保険金は、保険事故の発生に伴い受けるものであり資産の譲渡等の対価に該当しない。

⒇　○（基通5－1－10）

㉑　×（基通5－2－15）特定の政策目的の実現を図るための奨励金は資産の譲渡等の対価に該当しない。

㉒　×（基通5－2－12）自社使用等は資産の譲渡に該当しない。

㉓　×（基通5－2－13）廃棄、盗難又は滅失は、資産の譲渡等に該当しない。

㉔　○（基通5－2－16）

㉕　○（基通5－4－1）

問 題 7　課税の対象（その4）

解 答

(1)　○　（基通5－2－2）資産の譲渡等は、その原因を問わない。

(2)　×　（基通5－5－3）通常会費は、資産の譲渡等に該当しない。

(3)　○　（基通5－5－3）名目が会費である場合でもその実質が研修費等である場合には、資産の譲渡等の対価に該当する。

(4)　×　（基通5－2－5）損害賠償金は原則、資産の譲渡等の対価に該当しない。

(5)　○　（基通5－2－5(2)）権利の使用料に相当する損害賠償金は、資産の譲渡等の対価に該当する。

(6)　×　（基通5－2－7）損害賠償金と同様、資産の譲渡等の対価に該当しない。

(7)　○　（基通5－2－7（注））賃借人の地位を第三者に譲渡した場合には、資産の譲渡等の対価に該当する。

(8)　○　（基通5－2－10）対価補償金は、資産の譲渡等の対価に該当する。

(9)　×　（基通5－2－10）収益補償金、休業補償金、移転補償金は資産の譲渡等の対価に該当しない。

(10)　×　（基通5－5－10）給与負担金は、給与と同様に取り扱う。

(11)　○　（基通5－5－11）人材派遣という役務の提供の対価であることから、資産の譲渡等の対価に該当する。

(12)　×　（基通5－3－5）法人が自社の役員に無償で資産の貸付け、役務の提供を行った場合には、みなし譲渡の規定は適用されない。

(13)　×　（基通5－2－12）自己の広告宣伝、試験研究のための消費は、資産の譲渡等の対価に該当しない。

(14)　×　（基通5－5－2）損害賠償金と同様、資産の譲渡等の対価に該当しない。

(15)　○　（基通5－5－2）事務手数料相当額は、資産の譲渡等の対価に該当する。

| 問 題 8 | 課税の対象（その5） |

解 答

(1)、(2)、(5)、(8)、(9)、(11)

解答への道

(1) 代物弁済による資産の譲渡に該当し、課税の対象となる。（法2①八、基通5－1－4）

(2) 負担付き贈与に該当し、課税の対象となる。（令2①一、基通5－1－5）

(3) 対価性がなく、課税の対象とならない。

(4)(5) 金銭による出資は、課税の対象とならないが、金銭以外の資産の出資（現物出資）は、課税の対象となる。（令2①二）

(6) 保証金、権利金、敷金等のうち、返還義務のないものは資産の譲渡等の対価に該当するため課税の対象となる。しかし、返還義務のあるものは資産の譲渡等の対価に該当しないため、課税の対象とならない。（基通5－4－3）

(7) 賃貸借契約の解除に伴い賃貸人から収受する立退料は、補償に伴って収受するものであり、資産の譲渡等の対価に該当しないため、課税の対象とならない。（基通5－2－7）

(8) 貸付債権の譲渡は、課税の対象となる。

(9) NHKの受信料は、課税の対象となる。（令2①五）

(10) 吸収分割による資産の移転は、包括承継に該当するため、課税の対象とならない。

（令2①四）

(11) 営業譲渡による資産の移転は、課税の対象となる。

| 問 題 9 | 非課税取引（その1） |

解 答

(1)、(3)、(4)、(6)、(7)、(8)、(9)、(11)、(12)

問 題 10 非課税取引（その2）

解 答

(1) × （法6①、別表二の一）

(2) × （法6①、別表二の十三）

(3) ○ 野球場等の施設の利用に伴って土地が使用される場合は、土地の貸付けから除かれる。（基通6－1－5）

(4) ○ （基通6－1－5）

(5) × （法6①、別表二の二）

(6) ○ ゴルフ会員権は、有価証券等から除かれる。（法6①、別表二の二、基通6－2－2）

(7) × （法6①、別表二の三、基通6－3－1(8)）

(8) × （法6①、別表二の三、基通6－3－1(1)）

(9) × （法6①、別表二の三、基通6－3－1(9)）

(10) × （法6①、別表二の四ハ）

(11) × （法6①、別表二の四ハ）

(12) × （法6①、別表二の四イ、基通6－4－2(2)）

(13) × （法6①、別表二の五イ）

(14) × （法6①、別表二の四イ、基通6－4－2(1)）

(15) ○ 骨とう品、収集対象物は、切手、コインでも課税。（法6①、別表二の二）

(16) × （法6①、別表二の七イ、基通6－7－1(1)）

(17) × （法6①、別表二の二、令9①四）

(18) × （法6①、別表二の十、令14の4）

(19) ○ 医療等の給付から除かれる。（基通6－6－1）

(20) ○ 教科用図書の譲渡は非課税、配送料は課税。（基通6－12－2）

(21) × （法6①、別表二の三）

(22) × （法6①、別表二の十三）

(23) ○ 旅館業法に規定する旅館業に係る施設の貸付けに該当する。（令16の2）

(24) ○ 土地に係る役務の提供は、非課税取引とはならない。（法6①、別表二の一）

問 題 11 非課税取引（その3）

解 答

(3)、(6)、(7)、(10)、(13)、(16)、(18)、(19)、(20)

解答への道

(1)　1月未満の土地の貸付けは非課税とはならず、課税取引となる。（令8）

(2)　土地付建物の貸付けは、全体が建物の貸付けと考える。（基通6－1－5）

(3)　借地権に係る更新料又は名義書換料は、土地の上に存する権利の譲渡又は土地の貸付けの対価に該当し、非課税取引となる。（基通6－1－3）

(4)(5)　有価証券等に含まれないため、課税取引となる。

(6)　物上保証料は、非課税取引となる。（基通6－3－1(14)）

(7)　金銭債権の買取差益は、利子を対価とする貸付金等に該当し、非課税取引となる。
　　　　　　　　　　　　　　　　　　　　　　　　　　　　　　　　（基通6－3－1(10)）

(8)　保険代理店手数料は、非課税とはならず、課税取引となる。（基通6－3－2）

(9)　物品切手の発行は、資産の譲渡等の対価に該当しない。

(10)　土地の登記手数料は、非課税となる行政手数料に含まれる。（基通6－5－1）

(11)　役務の提供の対価であるため、課税取引となる。

(12)　健康保険法、国民健康保険法等の規定に基づく療養、医療等としての資産の譲渡等に該当せず、課税取引となる。（基通6－6－2）

(13)　入学試験の受験料は、学校における教育の範囲に含まれ、非課税となる。その他、非課税となるものには授業料、入学金、施設設備費、在学証明及び成績証明に係る手数料等がある。

(14)　建物の譲渡は、課税取引となる。

(15)　建物等の貸付けに係る共益費、権利金、更新料等については、原則として家賃と同様に取り扱う。（基通6－13－9）

(16)　合名会社の社員持分の譲渡は、有価証券に類するものの譲渡として非課税取引となる。
　　　　　　　　　　　　　　　　　　　　　　　　　　　　　　　　（基通6－2－1(2)ロ）

(17)　鉱業権は、土地の上に存する権利に該当しないことから非課税とはならない。
　　　　　　　　　　　　　　　　　　　　　　　　　　　　　　　　（基通6－1－2）

(18)　新株予約権証券は、有価証券に該当し、非課税取引となる。（基通6－2－1(1)リ）

(19)　前渡金等に係る利子は、経済的実質から貸付金の利子として非課税取引となる。
　　　　　　　　　　　　　　　　　　　　　　　　　　　　　　　　（基通6－3－5）

(20)　暗号資産は、支払手段に類するものに該当し、その譲渡は、非課税取引となる。（令9④）

(21)　還付加算金は、対価性がないため、不課税取引となる。

解 答

(1) × 国外取引（資産の所在場所が国外）

(2) ○（令17②七）

(3) ○（令17②六）

(4) ○（令17②四）

(5) × 倉庫の賃貸は輸出取引等に該当しない。

(6) ○（令17②四）

(7) ×（令17②七ロ）

(8) ○（法７①三）

(9) ×（基通７－２－２）

(10) ○（基通７－２－３）

問 題 **13** 輸出取引等（その２）

解 答

(1) ○（法７①三）

(2) ○（法７①二）

(3) ○（令17②四、基通７－２－１(8)）

(4) ○（令17②四カッコ書、基通７－２－13）

(5) ○（令17②四、基通７－２－１(8)）

※１ 輸出取引等

外国貨物の荷役、運送、保管、検数、鑑定その他これらに類する役務の提供は、輸出取引等に該当する。

また、指定保税地域等における次のものに係る役務の提供も輸出取引等に該当する。

(1) 輸出しようとする貨物 ┐
(2) 輸入の許可を受けた貨物 ┘ 内国貨物

※２ 外国貨物

(1) 輸出の許可を受けた貨物

(2) 輸入の許可を受ける前の貨物

(6) ×（基通７－２－２(2)）

(7) ○（基通７－２－１(11)）

(8) ×（基通７－２－１(11)イ）

(9) × 倉庫の賃貸は輸出取引等に該当しない。

(10) ○（令６①五、令17②六）

問 題 14 取引の分類（その１）

解 答

課税取引

(1)、(9)、(12)、(18)、(19)、(22)、(29)、(31)、(33)、(39)、(40)、(41)、(45)、(47)、(49)、(50)

免税取引

(8)、(15)、(17)、(21)、(37)

非課税取引

(5)、(7)、(11)、(13)、(14)、(20)、(23)、(26)、(28)、(32)、(43)、(48)

不課税取引

(2)、(3)、(4)、(6)、(10)、(16)、(24)、(25)、(27)、(30)、(34)、(35)、(36)、(38)、(42)、(44)、(46)

解答への道

(1) 駐車場の貸付けは、施設の利用に伴って土地が使用される場合に該当し、非課税取引に該当
しない。（法6①、令8）

(2) 試験研究のための製品の自社使用は、資産の譲渡に該当しない。（基通5－2－12）

(6) 家事用資産の譲渡は、「事業者が事業として」に該当しない。（基通5－1－8(1)）

(19) 貸事務所の明渡し遅滞による損害賠償金の受取りは、その実質が資産の譲渡等の対価に該当
する。（基通5－2－5(3)）

(24) 収用に伴い取得した移転補償金は、対価補償金に該当しない。（基通5－2－10(3)）

(25) 為替差損益は資産の譲渡等の対価に該当せず、不課税となる。（基通10－1－7）

(27) 予約の取消しに伴い収受するキャンセル料は、逸失利益等に対する損害賠償金であり、資産
の譲渡等の対価に該当しない。（基通5－5－2）

(29) みなし譲渡に該当する。（法4⑤一）

(30) 資産の譲渡等の時期は、現実に資産の譲渡等を行った時であるため、手付金の受取りは資産
の譲渡に該当しない。（基通9－1－27）

(34) 同業者団体が収受する通常会費は、資産の譲渡等の対価に該当しない。（基通5－5－3）

(36) 立退料は、資産の譲渡等の対価に該当しない。（基通5－2－7）

(41) プロ野球選手のテレビ出演は、事業付随行為に該当する。（基通5－1－7(2)）

(44) 国庫補助金収入は、資産の譲渡等の対価に該当しない。（基通5－2－15）

(46) 譲渡時の資産の所在場所がハワイであるため、国外取引となる。（法4③一）

問　題　15　取引の分類（その2）

解　答

(1)	非課税取引	(26)	不課税取引
(2)	課税取引	(27)	非課税取引
(3)	不課税取引	(28)	非課税取引
(4)	課税取引	(29)	不課税取引
(5)	不課税取引	(30)	課税取引
(6)	非課税取引	(31)	課税取引
(7)	不課税取引	(32)	非課税取引
(8)	課税取引	(33)	非課税取引
(9)	不課税取引	(34)	不課税取引
(10)	非課税取引	(35)	課税取引
(11)	課税取引	(36)	不課税取引
(12)	不課税取引	(37)	非課税取引
(13)	課税取引	(38)	不課税取引
(14)	不課税取引	(39)	課税取引
(15)	不課税取引	(40)	不課税取引
(16)	非課税取引	(41)	非課税取引
(17)	課税取引	(42)	非課税取引
(18)	不課税取引	(43)	課税取引
(19)	非課税取引	(44)	課税取引
(20)	不課税取引	(45)	不課税取引
(21)	課税取引	(46)	非課税取引
(22)	課税取引	(47)	非課税取引
(23)	不課税取引	(48)	課税取引
(24)	非課税取引	(49)	課税取引
(25)	不課税取引	(50)	不課税取引

解答への道

(3)　国外で購入した資産を国内に搬入することなく譲渡した場合は、国外取引。

(5)　登録機関の所在地が国外であるため、不課税取引。（令6①五）

(7)　譲渡した資産が生活用資産であることから不課税取引。（基通5－1－8(1)）

(8)　みなし譲渡　　家事のために使用したのが事業用資産（備品）であるから、課税取引。（法4⑤一）

(9)　無償ということから不課税取引。みなし譲渡にも該当しない。（基通5－3－5）

(10)　商品券は物品切手等に該当する。（法6①、別表二の四ハ）

(11)　引き渡した資産が建物であるから、課税取引。（基通5－2－1（注））

(13)　理由にかかわらず、引き渡した資産が商品（課税商品）であるため、課税取引。

(基通5－2－2)

(16)　外国為替業務に係る役務の提供は非課税取引。（法6①、別表二の五ニ）

(17)　みなし譲渡　　自家消費したのが商品（課税商品）であるから、課税取引。（法4⑤一）

(18)　株主という地位に基づき支払いを受けるものであるから、対価性なし。（基通5－2－8）

(19)　医療等の給付は非課税。（法6①、別表二の六）

(20)　保険事故の発生に伴い支払いを受ける保険金は、不課税。（基通5－2－4）

(21)　みなし譲渡　　贈与したのが商品（課税商品）であるから、課税取引。（法4⑤二）

(22)　利用させているのが福利厚生施設であるから、課税取引。（基通5－4－4）

(23)　資産に加えられた損害につき支払いを受ける損害賠償金は、不課税。（基通5－2－5）

(24)　資産に係る権利の設定は資産の貸付け。（法6①、別表二の一、基通5－4－1）

(25)　特定の政策目的を図るための給付金は、不課税。（基通5－2－15）

(27)　権利金も貸付けの対価である。（法6①、別表二の一、基通5－4－3）

(28)　引き渡している資産が土地であるから、非課税取引。（令2②、法6①、別表二の一）

(30)　貸し付けているのが事務所であるから、課税取引。

(31)　返還義務がないので、資産の貸付けの対価に該当する。（基通5－4－3）

(34)　組合の通常運営のために経常的に要する費用を賄うための会費は、不課税。

(基通5－5－3（注1））

(35)　購読料という役務の提供の対価に該当する。（基通5－5－3（注2））

(36)　返還義務があるのであれば、資産の貸付けの対価に該当しない。（基通5－4－3）

(37)　消費税法では、売掛金は有価証券等に該当する。（法6①、別表二の二、基通6－2－1(2)）

(38)　実質が逸失利益等に対する損害賠償金である。（基通5－5－2）

(39)　土地の譲渡、貸付けが非課税であり、それに係る役務の提供は非課税取引ではない。

(基通6－1－6)

⑽　資産を移転させるための費用を賄うためのものであり、資産の譲渡、貸付け、役務の提供の対価ではないため、不課税取引。（基通5－2－10(3)）

⑷　利息に相当する。（法6①、別表二の三、基通6－3－1(5)）

⑿　利息に相当する。（法6①、別表二の三、基通6－3－1(9)）

⒀　人材派遣という役務の提供を行ったことによる対価である。（基通5－5－11）

⒁　損害賠償金といえども、実質は家賃。（基通5－2－5(3)）

⒂　対価は受け取っているが、資産の譲渡、貸付け、役務の提供を行っていない。

⒃　利息に相当する。（法6①、別表二の三、基通6－3－1(8)）

⒄　住宅の貸付けであるため、典型的な非課税取引。（法6①、別表二の十三）

⒅　保険料を対価とする役務の提供は非課税であるが、保険代理店が行う役務の提供の対価は、非課税ではない。（基通6－3－2）

⒆　会員等の資格を付与することと引換えに収受する入会金（返還しないものに限る）は資産の譲渡等の対価に該当する。（基通5－5－5）

第 2 章	納 税 義 務

問 題 16　基準期間（その１）

解 答

×１年１月１日〜×１年12月31日

問 題 17　基準期間（その２）

解 答

×１年５月25日〜×２年３月31日

問 題 18　基準期間（その３）

解 答

第30期　　　　令和４年10月１日　〜　令和５年９月30日（第26期と第27期）

第31期　　　　令和５年４月１日　〜　令和６年３月31日（第27期と第28期）

問 題 19　基準期間における課税売上高（その１）

解 答

(1)　$33,643,500 \times \dfrac{100}{110} = 30,585,000$

(2)　$1,705,000 \times \dfrac{100}{110} = 1,550,000$

(3)　$(1)-(2) = 29,035,000$

問 題 20　基準期間における課税売上高（その２）

解 答

(1)　$(203,649,000 - 3,000,000 + 3,600,000 + 2,400,000) \times \dfrac{100}{110} + 3,000,000 = 190,862,727$

(2)　$(1,333,000 - 200,000) \times \dfrac{100}{110} + 200,000 = 1,230,000$

(3)　$(1)-(2) = 189,632,727$

　基準期間における課税売上高（その３）

(1) 基準期間（令和５年11月11日から令和６年３月31日まで）

(2) 基準期間における課税売上高

① $44,310,000 + 150,000 + 1,049,200 = 45,509,200$

$$45,509,200 \times \frac{100}{110} = 41,372,000$$

② $2,200,000 \times \frac{100}{110} = 2,000,000$

③ $(① - ②) \times \frac{12}{5} = 94,492,800$

解答への道

　　基準期間が１年でない法人の基準期間における課税売上高は、基準期間に含まれる事業年度の月数の合計数（５月）で除し、これに12を乗じて計算した金額となる。

※　　１月未満の端数は１月とする。

問　題　22　基準期間における課税売上高（その４）

解　答

(1) $(88,008,000 - 5,508,000) \times \frac{100}{110} + 5,508,000 \times \frac{100}{108} = 80,100,000$

(2) $(2,396,400 - 86,400) \times \frac{100}{110} + 86,400 \times \frac{100}{108} = 2,180,000$

(3) $(1) - (2) = 77,920,000$

| 問　題 | 23 | 基準期間における課税売上高（その5） |

解　答

(1)　甲　社

①　第5期

基準期間　　令和5.4.1～令和6.3.31（第1期と第2期）

基準期間における課税売上高

$5,000,000 + 6,000,000 = 11,000,000$

②　第6期

基準期間　　令和5.10.1～令和6.9.30（第2期と第3期）

基準期間における課税売上高

$6,000,000 + 6,500,000 = 12,500,000$

(2)　乙　社

①　第5期

基準期間　　令和5.8.1～令和6.9.30（第2期と第3期）

基準期間における課税売上高

$(5,900,000 + 6,000,000) \times \dfrac{12}{14} = 10,200,000$

②　第6期

基準期間　　令和6.3.1～令和7.4.30（第3期と第4期）

基準期間における課税売上高

$(6,000,000 + 6,600,000) \times \dfrac{12}{14} = 10,800,000$

(3)　丙　社

基準期間　令和5.4.1～令和6.3.31（第29期）

基準期間における課税売上高　9,500,000

特定期間における課税売上高　11,000,000

(2) 乙　社

①　第5、6期の基準期間

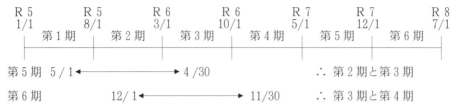

第5期　5/1 ←――――――→ 4/30　　∴　第2期と第3期

第6期　　　　12/1 ←――――――→ 11/30　　∴　第3期と第4期

上記の期間中に開始した各事業年度を合わせた期間

②　基準期間が1年でない法人

基準期間が1年でない法人の基準期間における課税売上高は、基準期間に含まれる事業年度の月数の合計数（14月）で除し、12を乗じて計算した金額となる。

(3) 丙　社

法人（前事業年度が7月超）の特定期間は、その前事業年度開始の日以後6月の期間となる。

問　題　24　　相　続

解　答

×3年　(1)　9,000,000 ≦ 10,000,000

　　　　(2)　11,000,000 > 10,000,000

　　　　　　∴　1月1日〜4月30日　納税義務なし

　　　　　　　　5月1日〜12月31日　納税義務あり

×4年　(1)　8,000,000 ≦ 10,000,000

　　　　(2)　8,000,000 + 10,100,000 = 18,100,000 > 10,000,000

　　　　　　∴　納税義務あり

×5年　(1)　10,000,000 ≦ 10,000,000

　　　　(2)　10,000,000 + 4,000,000 = 14,000,000 > 10,000,000

　　　　　　∴　納税義務あり

問題 25　吸収合併（その1）

解答

A 3　(1)　$10,000,000 \leqq 10,000,000$

　　　(2)　$11,400,000 \times \dfrac{12}{12} = 11,400,000 > 10,000,000$

　　　　∴　×3年4月1日〜×3年9月30日　納税義務なし

　　　　　　×3年10月1日〜×4年3月31日　納税義務あり

A 4　(1)　$8,800,000 \leqq 10,000,000$

　　　(2)　$8,800,000 + 9,000,000 \times \dfrac{12}{12} = 17,800,000 > 10,000,000$

　　　　∴　納税義務あり

A 5　(1)　$3,500,000 + 6,500,000 = 10,000,000 \leqq 10,000,000$

　　　(2)　$10,000,000 + 4,500,000 \times \dfrac{12}{9} \times \dfrac{6}{12} = 13,000,000 > 10,000,000$

　　　　∴　納税義務あり

解答への道

（単位：千円）

	×1 4/1	×2 4/1	×3 4/1	合併 10/1	×4 4/1	×5 4/1
上段	A1 10,000	A2 8,800	A3 3,500	6,500	A4	A5
下段	B1 11,400	B2 9,000	B3 4,500			
日付	1/1	1/1	1/1	9/30		

問題 26　吸収合併（その2）

解答

(1)　A3年度（合併のあった事業年度）

　① $10,000,000 \leqq 10,000,000$

　② $10,380,000 \times \dfrac{12}{12} = 10,380,000 > 10,000,000$

　　∴　×3年4月1日から×3年12月31日　納税義務なし

　　　　×4年1月1日から×4年3月31日　納税義務あり

(2)　A4年度（合併のあった翌事業年度）

　① $9,380,000 \leqq 10,000,000$

② $9,380,000 + 10,620,000 \times \dfrac{12}{12} = 20,000,000 > 10,000,000$

∴　納税義務あり

(3)　A 5 年度（合併のあった翌々事業年度）

①　$5,000,000 + 3,000,000 = 8,000,000 \leqq 10,000,000$

②　$(5,000,000 + 3,000,000) + (10,000,000 + 5,660,000) \times \dfrac{12}{12+6} \times \dfrac{9}{12}$

　　$= 15,830,000 > 10,000,000$

∴　納税義務あり

解答への道　　　　　　　　　　　　　　　　　　　　　（単位：千円）

	×1 4/1	×2 4/1	×3 4/1	×4 1/1	×4 4/1	×5 4/1	×6 4/1
				合併 ×			

A 1 10,000	A 2 9,380	A 3 5,000		A 4 10,800	A 5 13,000
B 1 10,380	B 2 10,620	B 3 10,000	B 4 5,660 / 3,000		

　　7/1　　　　7/1　　　　7/1　12/31

(1)　A 3 年度（合併のあった事業年度）

①　A 1 と 1,000万円の比較

②　$B 1 \times \dfrac{12}{12}$ と 1,000万円の比較

(2)　A 4 年度（合併のあった翌事業年度）

①　A 2 と 1,000万円の比較

②　$A 2 + B 2 \times \dfrac{12}{12}$ と 1,000万円の比較

(3)　A 5 年度（合併のあった翌々事業年度）

①　A 3 と 1,000万円の比較

②　$A 3 + (B 3 + B 4) \times \dfrac{12}{12+6} \times \dfrac{9}{12}$ と 1,000万円の比較

新設合併（その1）

解 答

C 1　(1)　$7,800,000 \times \dfrac{12}{12} = 7,800,000 \leqq 10,000,000$

　　　(2)　$10,800,000 \times \dfrac{12}{12} = 10,800,000 > 10,000,000$

　　　　∴　納税義務あり

C 2　$8,400,000 \times \dfrac{12}{12} + 10,800,000 \times \dfrac{12}{12} = 19,200,000 > 10,000,000$

　　　∴　納税義務あり

C 3　(1)　$7,470,000 \times \dfrac{12}{9} = 9,960,000 \leqq 10,000,000$

　　　(2)　$7,470,000 + 2,010,000 \times \dfrac{3}{6} + 9,180,000 \times \dfrac{3}{12} = 10,770,000 > 10,000,000$

　　　　∴　納税義務あり

解答への道

（単位：千円）

	×2 4/1	×3 4/1	×4 4/1	×5 4/1	×6 4/1
1/1	1/1	1/1	合併 7/1 ×		
	A 1 7,800	A 2 8,400	A 3 2,010	C 1	C 2	C 3
	B 1 10,200	B 2 10,800	B 3 9,180	7,470	15,000	20,000

×1　7/1　　×2　7/1　　×3　7/1　　×4　6/30

(1)　C 1年度（合併のあった事業年度）

　　A 1 $\times \dfrac{12}{12}$ 又はB 2 $\times \dfrac{12}{12}$ と 1,000万円との比較

(2)　C 2年度（合併のあった翌事業年度）

　　A 2 $\times \dfrac{12}{12}$ ＋B 2 $\times \dfrac{12}{12}$ と 1,000万円との比較

(3)　C 3年度（合併があった翌々事業年度）

　　①　C 1 $\times \dfrac{12}{9}$ と 1,000万円との比較

　　②　C 1＋A 3 $\times \dfrac{3}{6}$ ＋B 3 $\times \dfrac{3}{12}$ と 1,000万円との比較

解答

(1) C 1 事業年度

① $4,800,000 \times \dfrac{12}{12} = 4,800,000 \leqq 10,000,000$

② $5,400,000 \times \dfrac{12}{12} = 5,400,000 \leqq 10,000,000$

∴ 納税義務なし

(2) C 2 事業年度

$5,100,000 \times \dfrac{12}{12} + 5,400,000 \times \dfrac{12}{12} = 10,500,000 > 10,000,000$

∴ 納税義務あり

(3) C 3 事業年度

① $4,980,000 \times \dfrac{12}{6} = 9,960,000 \leqq 10,000,000$

② $4,980,000 + 3,000,000 \times \dfrac{6}{6} + (5,625,000 + 3,600,000) \times \dfrac{6}{12+3}$

$= 11,670,000 > 10,000,000$

∴ 納税義務あり

解答への道

（単位：千円）

	×2 4/1	×3 4/1	×4 4/1 10/1	×5 4/1	×6 4/1	×7 4/1
			× 合併			
	A 1 4,800	A 2 5,100	A 3 3,000	C 1 4,980	C 2 10,300	C 3 12,000	C 4
B 1 4,900	B 2 5,400	B 3 5,625	B 4 3,600			
	7/1	7/1	7/1 9/30			

(1) C 1 事業年度

① A 1 $\times \dfrac{12}{12}$ と 1,000万円との比較

② B 2 $\times \dfrac{12}{12}$ と 1,000万円との比較

(2) C 2 事業年度

A 2 $\times \dfrac{12}{12}$ + B 2 $\times \dfrac{12}{12}$ と 1,000万円との比較

(3) C 3 事業年度

① C 1 $\times \dfrac{12}{6}$ と 1,000万円との比較

② C 1 + A 3 $\times \dfrac{6}{6}$ + （B 3 + B 4）$\times \dfrac{6}{12+3}$ と 1,000万円との比較

問　題　29　新設分割（その１）

解　答

(1)　新設分割親法人（Ａ社）の納税義務の有無の判定

①　Ａ５年度

イ　$7,000,000 \leqq 10,000,000$

ロ　$7,000,000 + 3,000,000 \times \dfrac{12}{10} \times \dfrac{7}{12} = 9,100,000 \leqq 10,000,000$

∴　納税義務なし

②　Ａ６年度

イ　$7,500,000 \leqq 10,000,000$

ロ　$7,500,000 + 4,800,000 \times \dfrac{12}{12} = 12,300,000 > 10,000,000$

∴　納税義務あり

(2)　新設分割子法人（Ｂ社）の納税義務の有無の判定

①　Ｂ１年度

$10,920,000 \times \dfrac{12}{12} = 10,920,000 > 10,000,000$

∴　納税義務あり

②　Ｂ２年度

$9,960,000 \times \dfrac{12}{12} = 9,960,000 \leqq 10,000,000$

∴　納税義務なし

③　Ｂ３年度

イ　$3,000,000 \times \dfrac{12}{10} = 3,600,000 \leqq 10,000,000$

ロ　$3,000,000 \times \dfrac{12}{10} + 7,500,000 \times \dfrac{12}{12} = 11,100,000 > 10,000,000$

∴　納税義務あり

解答への道

（単位：千円）

×1 1/1	×2 1/1	×3 1/1	×4 1/1	×5 1/1	×6 1/1	×7 1/1
Ａ1	Ａ2	Ａ3 7,000	Ａ4 7,500	Ａ5 8,000	Ａ6 8,500	
10,920	9,960	Ｂ1 3,000	Ｂ2 4,800	Ｂ3 4,500	Ｂ4 5,000	
		6/1	4/1	4/1	4/1	4/1

問 題 30 新設分割（その２）

解 答

(1) 新設分割親法人（A社）の納税義務の有無の判定

① A 3 年度

$9,900,000 \leqq 10,000,000$ ∴ 納税義務なし

② A 4 年度

$10,400,000 > 10,000,000$ ∴ 納税義務あり

③ A 5 年度

イ　$7,020,000 \leqq 10,000,000$

ロ　$7,020,000 + (4,500,000 + 5,040,000) \times \dfrac{12}{6+12} \times \dfrac{9}{12}$

$= 11,790,000 > 10,000,000$ ∴ 納税義務あり

④ A 6 年度

イ　$6,600,000 \leqq 10,000,000$

ロ　$6,600,000 + 6,000,000 \times \dfrac{12}{12} = 12,600,000 > 10,000,000$ ∴ 納税義務あり

⑤ A 7 年度

イ　$7,200,000 \leqq 10,000,000$

ロ　$7,200,000 + 6,960,000 \times \dfrac{12}{12} = 14,160,000 > 10,000,000$ ∴ 納税義務あり

(2) 新設分割子法人（B社）の納税義務の有無の判定

① B 1 年度

$9,900,000 \times \dfrac{12}{12} = 9,900,000 \leqq 10,000,000$ ∴ 納税義務なし

② B 2 年度

$9,900,000 \times \dfrac{12}{12} = 9,900,000 \leqq 10,000,000$ ∴ 納税義務なし

③ B 3 年度

イ　$4,500,000 \times \dfrac{12}{6} = 9,000,000 \leqq 10,000,000$

ロ　$4,500,000 \times \dfrac{12}{6} \times \dfrac{9}{12} + 7,020,000 \times \dfrac{12}{12} = 13,770,000 > 10,000,000$

∴ 納税義務あり

④ B 4 年度

イ　$5,040,000 \leqq 10,000,000$

ロ　$5,040,000 + 6,600,000 \times \dfrac{12}{12} = 11,640,000 > 10,000,000$ ∴ 納税義務あり

⑤ B 5 年度

イ　$6,000,000 \leqq 10,000,000$

ロ　$6,000,000 + 7,200,000 \times \dfrac{12}{12} = 13,200,000 > 10,000,000$ ∴ 納税義務あり

解答への道 (単位：千円)

		×1 1/1	×2 1/1	×3 1/1	×4 1/1	×5 1/1	×6 1/1	×7 1/1	×8 1/1
				× 4/1 分割等					
		A1 9,900	A2 10,400	A3 7,020	A4 6,600	A5 7,200	A6 4,000	A7 10,000	A8
				B1 4,500	B2 5,040	B3 6,000	B4 6,960	B5 7,980	B6

4/1　　10/1　　　10/1　　　10/1　　　10/1　　　10/1

(1) 新設分割親法人（A社）の納税義務の有無の判定

① A3年度

　A1と 1,000万円との比較

② A4年度

　A2と 1,000万円との比較

③ A5年度

　イ　A3と 1,000万円との比較

　ロ　$A3+(B1+B2)\times\dfrac{12}{6+12}\times\dfrac{9}{12}$ と 1,000万円との比較

④ A6年度

　イ　A4と 1,000万円との比較

　ロ　$A4+B3\times\dfrac{12}{12}$ と 1,000万円との比較

⑤ A7年度

　イ　A5と 1,000万円との比較

　ロ　$A5+B4\times\dfrac{12}{12}$ と 1,000万円との比較

(2) 新設分割子法人（B社）の納税義務の有無の判定

① B1年度

　$A1\times\dfrac{12}{12}$ と 1,000万円との比較

② B2年度

　$A1\times\dfrac{12}{12}$ と 1,000万円との比較

③ B3年度

　イ　$B1\times\dfrac{12}{6}$ と 1,000万円との比較

　ロ　$B1\times\dfrac{12}{6}\times\dfrac{9}{12}+A3\times\dfrac{12}{12}$ と 1,000万円との比較

　(注) 特定事業年度中の分割等の場合の分割子法人のその基準期間における課税売上高

　　　その新設分割子法人の当該事業年度開始の日の2年前の日の前日から1年を経過す

　　　る日までの間に開始した新設分割親法人の各事業年度（以下「特定事業年度」という）

中に分割等があった場合には、その基準期間中の課税売上高として計算した金額を当
該特定事業年度の月数の合計数で除し、これに当該分割等があった日から当該特定事
業年度のうち最後の事業年度終了の日までの期間の月数を乗じて計算した金額とする。

④　B4年度

　　イ　B2と1,000万円との比較

　　ロ　B2＋A4×$\dfrac{12}{12}$　と1,000万円との比較

⑤　B5年度

　　イ　B3と1,000万円との比較

　　ロ　B3＋A5×$\dfrac{12}{12}$　と1,000万円との比較

問 題 31　新設分割（その3）

解 答

(1) 新設分割親法人（A社）の納税義務の有無の判定

①　A3年度

　　イ　基準期間　$10,560,000 \times \dfrac{100}{110} = 9,600,000 \leqq 10,000,000$

　　ロ　特定期間　$5,555,000 \times \dfrac{100}{110} = 5,050,000 \leqq 10,000,000$　　∴　納税義務なし

②　A4年度

　　イ　基準期間　$10,758,000 \times \dfrac{100}{110} = 9,780,000 \leqq 10,000,000$

　　ロ　特定期間　$5,145,000 \leqq 10,000,000$　　∴　納税義務なし

③　A5年度

　　イ　基準期間　$9,700,000 \leqq 10,000,000$

　　ロ　特定期間　$4,000,000 \leqq 10,000,000$

　　ハ　$9,700,000 + 2,970,000 \times \dfrac{100}{110} \times \dfrac{12}{9} \times \dfrac{6}{12} = 11,500,000 > 10,000,000$

　　　　　　　　　　　　　　　　　　　　　　　　　　　　　　　∴　納税義務あり

(2) 新設分割子法人（B社）の納税義務の有無の判定

①　B1年度

　　イ　基準期間なし

　　ロ　特定期間なし

　　ハ　$9,600,000 \times \dfrac{12}{12} = 9,600,000 \leqq 10,000,000$

　　ニ　期首資本金　$10,000,000 \geqq 10,000,000$　　∴　納税義務あり

② B 2年度

イ 基準期間なし

ロ 特定期間　$1,925,000 \times \dfrac{100}{110} = 1,750,000 \leqq 10,000,000$

ハ　$9,780,000 \times \dfrac{12}{12} = 9,780,000 \leqq 10,000,000$

ニ　期首資本金　$10,000,000 \geqq 10,000,000$　　∴　納税義務あり

③ B 3年度

イ 基準期間

　$2,970,000 \times \dfrac{100}{110} \times \dfrac{12}{9} = 3,600,000 \leqq 10,000,000$

ロ 特定期間　$3,300,000 \times \dfrac{100}{110} = 3,000,000 \leqq 10,000,000$

ハ　$3,600,000 + 8,190,000 \times \dfrac{12}{12} = 11,790,000 > 10,000,000$　　∴　納税義務あり

解答への道　　　　　　　　　　　　　　　　（単位：千円）

※ 　□部分は課税事業者につき税抜処理が必要

問 題 32　吸収分割

解　答

分割承継法人（B社）の納税義務の判定

(1) B 4年度

① 　$8,500,000 \leqq 10,000,000$　　∴　×4年1月1日～×4年9月30日　納税義務なし

② 　$12,000,000 \times \dfrac{12}{12} = 12,000,000 > 10,000,000$

　　　　　　　　　　　∴　×4年10月1日～×4年12月31日　納税義務あり

(2) B5年度

① $8,600,000 \leqq 10,000,000$

② $11,520,000 \times \dfrac{12}{12} = 11,520,000 > 10,000,000$ ∴ 納税義務あり

(3) B6年度

$10,000,000 \leqq 10,000,000$ ∴ 納税義務なし

解答への道

（単位：千円）

×1 4/1	×2 4/1	×3 4/1	×4 4/1 10/1	×5 4/1	×6 4/1	×7 4/1
A1	A2	A3	A4 9,300	A5 7,600	A6 8,000	
12,000	11,520	9,900				
B1 7,500	B2 8,500	B3 8,600	B4 10,000	B5 10,300	B6 10,800	

1/1　　　　1/1　　　　1/1　　　　1/1　10/1　1/1　　　　1/1　　　　1/1
吸収
分割

(1) B4事業年度（分割承継事業年度）

① B2と1,000万円の比較

② $A1 \times \dfrac{12}{12}$ と1,000万円の比較

(2) B5事業年度（分割承継事業年度の翌事業年度）

① B3と1,000万円の比較

② $A2 \times \dfrac{12}{12}$ と1,000万円の比較

(3) B6事業年度

B4で判定

【適用除外】分割承継法人の納税義務の免除の特例は、分割承継事業年度の翌々事業年度以後に適用はない。

問題 33 　新設法人

解　答

【問1】

(1) A1年度

基準期間なし　期首資本金　$10,000,000 \geqq 10,000,000$ ∴ 納税義務あり

(2) A2年度

基準期間なし　期首資本金　$10,000,000 \geqq 10,000,000$ ∴ 納税義務あり

(3)　A 3 年度

$$3,800,000 \times \frac{12}{5} = 9,120,000 \leqq 10,000,000（A 1 で判定）\quad \therefore \quad 納税義務なし$$

　※　基準期間が存在するため、新設法人には該当しないことに注意すること。

(4)　A 4 年度

$$13,000,000 > 10,000,000（A 2 で判定）\quad \therefore \quad 納税義務あり$$

【問2】

(1)　B 1 年度

　　基準期間なし　期首資本金　$20,000,000 \geqq 10,000,000$　　$\therefore$　納税義務あり

(2)　B 2 年度

　　基準期間なし　期首資本金　$20,000,000 \geqq 10,000,000$　　$\therefore$　納税義務あり

(3)　B 3 年度

①　$1,600,000 \times \dfrac{12}{5} = 3,840,000 \leqq 10,000,000（B 1 で判定）$

②　新設法人に該当する B 1 年度において、調整対象固定資産の仕入れ等を行っている。

$$\therefore \quad 納税義務あり$$

解答への道

(1)　新設法人の納税義務の免除の特例（法12の2①）は「基準期間がない」場合について適用がある。

(2)　基準期間が 1 年でない法人の基準期間における課税売上高の計算は 1 年換算をする必要がある。また、月数は暦に従って計算し、1 月未満の端数は 1 月としてカウントする。

　　問 1 の場合、令和 4 年11月12日〜令和 5 年 3 月31日は 4 ヶ月と20日であるため、「5 月」となる。

(3)　新設法人が、その基準期間がない事業年度に含まれる各課税期間（簡易課税の適用を受ける課税期間を除く。）中に調整対象固定資産の仕入れ等を行った場合には、その仕入れ等を行った日の属する課税期間を含めた 3 年間又は 4 年間は、課税事業者となる。

【問2】

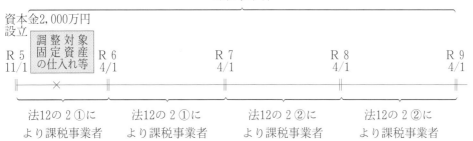

問 題 34　特定新規設立法人

解 答

(1)　A 1 年度

　①　基準期間なし

　②　期首資本金　3,000,000＜10,000,000

　③イ　特定要件　100％＞50％　∴　満たす

　　ロ　$525,000,000 \times \dfrac{12}{12} = 525,000,000 > 500,000,000$　∴　納税義務あり

(2)　A 2 年度

　①　基準期間なし

　②　期首資本金　3,000,000＜10,000,000

　③イ　特定要件　100％＞50％　∴　満たす

　　ロ　$510,000,000 \times \dfrac{12}{12} = 510,000,000 > 500,000,000$　∴　納税義務あり

(3)　A 3 年度

　　4,500,000≦10,000,000　　　　　　　　　　　　　　　　∴　納税義務なし

問 題 35　高額特定資産を取得した場合

解 答

(1)　基準期間　8,800,000≦10,000,000

(2)　特定期間

　①　売上高　4,650,000≦10,000,000

　②　給与等　1,500,000≦10,000,000

(3)　A 9 年度において高額特定資産（建物：16,000,000≧10,000,000）の仕入れ等を行っている。

　　　　　　　　　　　　　　　　　　　　　　　　　　∴　納税義務あり

解答への道

　高額特定資産の仕入れ等の課税期間の翌課税期間（令和 7 年 4 月 1 日から令和 8 年 3 月31日まで）からその仕入れ等の課税期間の初日（令和 6 年 4 月 1 日）以後 3 年を経過する日（令和 9 年 3 月31日）の属する課税期間までの各課税期間（令和 7 年 4 月 1 日から令和 8 年 3 月31日まで、令和 8 年 4 月 1 日から令和 9 年 3 月31日まで）については、課税事業者となる。

問　題　36　課税標準（その１）

解　答

$26,200,000+(1,500,000+75,000)+(735,000-105,000)+220,000+305,000\overset{*}{=}28,930,000$

$28,930,000\times\dfrac{100}{110}=26,300,000$（千円未満切捨）

*　$520,000\times50\%=260,000<305,000$

解答への道

(2)①　共益費は家賃と同様に取り扱う。（基通10－1－14）

②　資産を交換した場合は、交換時における交換取得資産の時価を売上計上する。

④　みなし譲渡（棚卸資産）

通常販売価額×50%
仕入価額
　　　　　　　　　いずれか大きい方を売上計上する。

問　題　37　課税標準（その２）

解　答

(1)　$400,000,000\times\dfrac{100}{110}=363,636,363$

(2)　$5,000,000$

(3)　$(1)+(2)=368,636,363$　→　$368,636,000$（千円未満切捨）

(1) 7.8％

$(282,404,000-108,000)+545,000+1,800,000+3,150,000+200,000,000\times \dfrac{2}{2+8}$

$=327,791,000$

$327,791,000\times \dfrac{100}{110}=297,991,818 \rightarrow 297,991,000$ （千円未満切捨）

(2) 6.24％

$108,000\times \dfrac{100}{108}=100,000$ （千円未満切捨）

(3) (1)＋(2)＝298,091,000

解答への道

(4)② 1 月未満の土地の貸付けは、課税取引に該当する。

(5) 土地付建物の売却 → 建物と土地の時価の比で按分

$(256,816,000-20,000,000)+680,000+1,800,000+1,600,000$

$+\overset{*1}{500,000}\times 5$ 個 $+\overset{*2}{800,000}\times 20$ 個 $+300,000\times 50$ 個 $+400,000\times 10$ 個 $=278,396,000$

$278,396,000\times \dfrac{100}{110}=253,087,272 \rightarrow 253,087,000$ （千円未満切捨）

＊ 1 $800,000\times 50\%=400,000<500,000$

＊ 2 $800,000\times 50\%=400,000>200,000$

$500,000>200,000$

解答への道

　　建物の貸付けに係る部分の対価の額と土地の貸付けに係る部分の対価の額とに区分しているときでも、これらの対価の額の合計額がその建物（事務所）全体の貸付けの対価の額となる。

　　また、「低額譲渡」、「みなし譲渡」に該当した場合の対価の額をいくらにするかを、正確に覚えること。

解 答

$$100,000,000+787,500+\overset{*1}{480,000}+\overset{*2}{850,000}+700,000+(690,000+150,000)+11,000,000$$

$$+50,000+7,600,000+1,200,000+300,000,000\times\frac{4}{4+6}+3,000,000+2,000,000$$

$$=248,507,500$$

$$248,507,500\times\frac{100}{110}=225,915,909\ \rightarrow\ 225,915,000\ （千円未満切捨）$$

＊１　　$850,000\times50\%=425,000<480,000$

＊２　　$850,000\times50\%=425,000\leqq462,000$

　　　　$480,000>462,000$

解答への道

１．棚卸資産の販売

(1)　値引販売は、値引後の金額で計上する。

(2)　当社の役員に対する贈与は、みなし譲渡に該当する。

(3)　当社の役員に対し著しく低い価額で販売すると低額譲渡の取扱いとなる。

(4)　代物弁済は、消滅した債務の額で売上げを計上する。

(5)　下取りを行った場合、その下取価額控除後の金額で売上計上することはできない。

（基通10－1－17）

２．土地又は建物の貸付け

(1)　敷地（土地）の貸付けは、非課税売上げ。（法６①、別表二の一）

(2)　駐車場の貸付けは、課税売上げ。（令８）

(3)　更地を資材置場として２週間貸し付け（１月未満の貸付け）ているものは、土地の一時的使用に該当し、課税売上げ。（法６①、別表二の一、令８）

(4)　居住用建物の貸付けは、非課税売上げ。（法６①、別表二の十三）

(5)　当社の役員に対する無償貸付けは、みなし譲渡に該当しない。よって、不課税売上げ。

(6)　店舗用建物の貸付けは、課税売上げ。

(7)　土地付一戸建て建物の家賃

　　建物の貸付け等に伴って土地を使用させた場合において、契約において建物の貸付けに係る対価と土地の貸付けに係る対価とに区分しているときであっても、その対価の額の合計額がその建物の貸付け等に係る対価の額となる。（基通６－１－５(注)２）

３．その他の収入

(1)　社債利息は、非課税売上げ。

第４章

課税標準

(2) 株式配当金は、不課税売上げ。

(3) 土地付一戸建て建物の売却は、建物と土地の時価の比で按分。

　① 建物部分は、課税売上げ。

$$300,000,000 \times \frac{4}{4+6} = 120,000,000$$

　② 土地部分は、非課税売上げ。

$$300,000,000 \times \frac{6}{4+6} = 180,000,000$$

4．その他の事項

(1) 当社の役員に対する贈与は、みなし譲渡に該当し、棚卸資産以外の資産の場合には、計上金額は時価相当額となる。

(2) 当社の借入金の肩代わりを条件に乗用車を贈与する行為は、負担付贈与に該当し、その負担の価額を売上計上することになる。

問題 41　課税標準（その6）

解 答

(1)、(4)、(8)、(9)、(12)、(13)、(14)、(16)、(19)、(20)

解答への道

　軽減税率の対象品目は、飲食料品と一定の新聞で定期購読契約に基づくものである。

　ここでいう「飲食料品」とは、食品表示法に規定する食品（酒税法に規定する酒類を除く。以下「食品」という。）をいい、食品表示法に規定する「食品」とは、全ての飲食物をいい、「医薬品、医療機器等の品質、有効性及び安全性の確保等に関する法律」に規定する「医薬品」、「医薬部外品」及び「再生医療等製品」を除き、食品衛生法に規定する「添加物」を含むものとされる。

　なお、ここでいう「飲食物」とは、人の飲用又は食用に供されるものをいう。

　代表的なものとして以下のものが挙げられる。

　① 米穀や野菜、果実などの農産物、食肉や生乳、食用鳥卵などの畜産物、魚類や貝類、海藻類などの水産物

　② めん類・パン類、菓子類、調味料、飲料等、その他製造又は加工された食品

　③ 添加物（食品衛生法に規定するもの）

　④ 一体資産のうち、一定の要件を満たすもの

(1) 菓子は食品に該当し、その販売は軽減税率の適用対象となる。

(2)(3) ビール、みりんは酒税法に規定する酒類（アルコール分一度以上の飲料その他一定のものをいう。）に該当し、その販売は軽減税率の適用対象とならない。

(4) ミネラルウオーターは、食品に該当しその販売は軽減税率の適用対象となる。他方、水道水は炊事・飲用としての水と風呂・洗濯といった飲用以外の生活用水とが混然一体となって提供されているため、軽減税率の適用対象とならない。

(5) 医薬品、医薬部外品に該当する栄養ドリンクの販売は軽減税率の適用対象とならない。

(8)(10) 人の飲用又は食用に供される食用氷は、食品に該当し、その販売は軽減税率の適用対象となる。なお、ドライアイスや保冷用の氷は、食品に該当しないことから、その販売は軽減税率の適用対象とならない。

(11)(12) 軽減税率が適用されるのは、「飲食料品の譲渡」であるため、「資産の貸付け」であるウォーターサーバーのレンタルについては、軽減税率の適用対象とならない。

また、人の飲用又は食用に供されるウォーターサーバーで使用する水は、「食品」に該当し、その販売は軽減税率の適用対象となる。

(18) 飲食店業等を営む者が行う食事の提供（いわゆる「外食」）は、軽減税率の適用対象とならない。

問 題 42　総合問題

解 答

(1) 課税標準額

① 7.8%

$440,040,000-40,000+110,000\overset{*1}{+}2,400,000+29,790,000\times\dfrac{3}{3+7}+63,000$

$+10,500,000+5,600,000+90,000\overset{*2}{=}467,700,000$

$467,700,000\times\dfrac{100}{110}=425,181,818\ \rightarrow\ 425,181,000$（千円未満切捨）

* 1　$110,000\times50\%=55,000>40,000$

　　　$60,000>40,000$

* 2　$160,000\times50\%=80,000<90,000$

② 6.24%

$20,000,000\times\dfrac{100}{108}=18,518,518\ \rightarrow\ 18,518,000$（千円未満切捨）

③ ①+②=443,699,000

(2) 課税標準額に対する消費税額

① 7.8%

$425,181,000\times7.8\%=33,164,118$

② 6.24%

$18,518,000\times6.24\%=1,155,523$

③　①＋②＝34,319,641

(3)　控除対象仕入税額

①　7.8%

$$(346,079,438 - 16,000,000) \times \frac{7.8}{110} = 23,405,632$$

②　6.24%

$$16,000,000 \times \frac{6.24}{108} = 924,444$$

③　①＋②＝24,330,076

(4)　差引税額

$$34,319,641 - 24,330,076 = 9,989,565 \ \rightarrow \ 9,989,500 \ （百円未満切捨）$$

(5)　納付税額

$$9,989,500 - 3,742,600 = 6,246,900$$

解答への道

1．標準税率（消費税7.8%、地方消費税2.2%）と軽減税率（消費税6.24%、地方消費税1.76%）に分けて計算する。

2．課税標準額の計算では、税率ごとに千円未満切捨をすること。

問 題 43　課税仕入れ（その1）

解 答

(1)、(2)、(3)、(4)、(5)、(8)、(9)、(10)、(12)、(14)、(15)、(17)、(21)、(22)、(24)、(25)、(27)、(28)、(29)

問 題 44　課税仕入れ（その2）

解 答

(1)　7.8%

$(62,551,000-4,320,000)+3,216,000+（1,010,000-360,000）+944,000$

$+（624,000-105,000）+2,531,000+330,750=66,421,750$

$66,421,750 \times \dfrac{7.8}{110} = 4,709,905$

(2)　6.24%

$4,320,000 \times \dfrac{6.24}{108} = 249,600$

(3)　(1)+(2)=4,959,505

　※　居住用賃貸建物の判定

　　　$28,600,000 \times \dfrac{100}{110} = 26,000,000 \geqq 10,000,000$

　　　∴　居住用賃貸建物に該当するため、税額控除適用なし

| 問 題 45 | 売上返還等・貸倒れ（その１） |

解 答

(1) 課税標準額

$100,000,000 \times \dfrac{100}{110} = 90,909,090 \rightarrow 90,909,000$（千円未満切捨）

(2) 課税標準額に対する消費税額

$90,909,000 \times 7.8\% = 7,090,902$

(3) 控除対象仕入税額

$70,000,000 \times \dfrac{7.8}{110} = 4,963,636$

(4) 返還等対価に係る税額

$925,000 \times \dfrac{7.8}{110} = 65,590$

(5) 貸倒れに係る税額

$500,000 \times \dfrac{7.8}{110} = 35,454$

(6) 差引税額

$7,090,902 - (4,963,636 + 65,590 + 35,454) = 2,026,222 \rightarrow 2,026,200$（百円未満切捨）

(7) 納付税額

$2,026,200$

問題 46 売上返還等・貸倒れ（その2）

解答

(1) 課税標準額

$78,800,000 \times \dfrac{100}{110} = 71,636,363 \rightarrow 71,636,000$（千円未満切捨）

(2) 課税標準額に対する消費税額

$71,636,000 \times 7.8\% = 5,587,608$

(3) 控除過大調整税額

$360,000 \times \dfrac{6.3}{108} = 21,000$

(4) 控除対象仕入税額

$42,200,000 \times \dfrac{7.8}{110} = 2,992,363$

(5) 返還等対価に係る税額

$(576,000 + 234,000) \times \dfrac{7.8}{110} = 57,436$

(6) 貸倒れに係る税額

$3,575,000 \times \dfrac{7.8}{110} = 253,500$

(7) 差引税額

$5,587,608 + 21,000 - (2,992,363 + 57,436 + 253,500)$

$= 2,305,309 \rightarrow 2,305,300$（百円未満切捨）

(8) 納付税額

$2,305,300 - 600,000 = 1,705,300$

問題 47 貸倒損失（認識）

解答

〔設問1〕 貸倒損失　　2,500,000

〔設問2〕 貸倒損失　　4,000,000

　　　　　書面により債務免除額を通知した場合に限り、貸倒損失として処理することができる。

〔設問3〕(1) 担保物処理後でなければ貸倒れとして処理することはできない。

　　　　　(2) 担保物がない場合でも回収不能額が全額でない限り、貸倒れとして処理することは

　　　　　　　できない。

　　　　　(3) 貸倒損失　　10,000,000

〔設問4〕 貸倒損失　　$5,000,000 - 1 = 4,999,999$

〔設問5〕 貸倒損失　　$(50,000 - 1) + (30,000 - 1) = 79,998$

〔設問6〕 貸倒損失　　$10,000,000 \times 50\% = 5,000,000$

問 題 48 総合問題

解 答

(1) 課税標準額

$$(424,940,000-50,000,000) \times \frac{100}{110} = 340,854,545 \rightarrow 340,854,000$$
（千円未満切捨）

(2) 課税標準額に対する消費税額

$$340,854,000 \times 7.8\% = 26,586,612$$

(3) 控除過大調整税額

$$2,805,000 \times \frac{7.8}{110} = 198,900$$

(4) 控除対象仕入税額

$$200,000,000+2,080,000+1,600,000+(9,800,000-1,260,000)$$

$$+(8,632,000-5,912,000)+2,200,000+58,138,000+54,000$$

$$+1,638,000 = 276,970,000$$

$$276,970,000 \times \frac{7.8}{110} = 19,639,690$$

(5) 返還等対価に係る税額

$$(6,912,000+1,850,000) \times \frac{7.8}{110} = 621,305$$

(6) 貸倒れに係る税額

$$12,000,000 \times \frac{7.8}{110} = 850,909$$

(7) 差引税額

$$26,586,612+198,900-(19,639,690+621,305+850,909)$$

$$=5,673,608 \rightarrow 5,673,600 （百円未満切捨）$$

(8) 納付税額

$$5,673,600-1,500,000 = 4,173,600$$

| 問 題 | 49 | 課税売上割合（その１） |

解 答

(1) 課 税

① $45,000,000 \times \dfrac{100}{110} + 5,000,000 = 45,909,090$

② $3,000,000 \times \dfrac{100}{110} = 2,727,272$

③ ①－②＝43,181,818

(2) 非課税

$1,200,000 + 20,000,000 + 15,000,000 \times 5\% = 21,950,000$

(3) $\dfrac{(1)}{(1)+(2)} = \dfrac{43,181,818}{65,131,818}$

| 問 題 | 50 | 課税売上割合（その２） |

解 答

(1) 課 税

① $(92,000,000 + 20,000,000 \times \dfrac{2}{8+2}) \times \dfrac{100}{110} + 8,000,000 = 95,272,727$

② $9,000,000 \times \dfrac{100}{110} + 1,000,000 = 9,181,818$

③ ①－②＝ 86,090,909

(2) 非課税

$1,800,000 + 600,000 + 20,000,000 \times \dfrac{8}{8+2} + 7,000,000 \times 5\% = 18,750,000$

(3) $\dfrac{(1)}{(1)+(2)} = \dfrac{86,090,909}{104,840,909}$

第5章

税額控除

問 題 51	課税売上割合（その3）

解 答

(1) 課 税

①イ　$1,017,640,000 + 75,000,000 \times \dfrac{3}{7+3} + (1,900,000 - 100,000)$

　　　$= 1,041,940,000$

　ロ　$1,041,940,000 \times \dfrac{100}{110} = 947,218,181$

　ハ　$947,218,181 + 154,820,000 + 250,000 = 1,102,288,181$

②　$15,680,000 \times \dfrac{100}{110} = 14,254,545$

③　①－② $= 1,088,033,636$

(2) 非課税

$3,240,000 + 3,800,000 + 1,800,000 + 1,930,000 \times 5\,\% + 5,000,000 \times 5\,\%$

$+ 75,000,000 \times \dfrac{7}{7+3} = 61,686,500$

(3)　$\dfrac{(1)}{(1)+(2)} = \dfrac{1,088,033,636}{1,149,720,136}$

解　答

(1)　課　税

①　$(1,122,728,000 + 1,230,000) \times \dfrac{100}{110} + 65,715,000 = 1,087,495,000$

②イ　$105,831,000 + 500,000 + 490,000 = 106,821,000$

　ロ　$106,821,000 \times \dfrac{100}{110} + 12,087,600 = 109,197,600$

③　①－②＝978,297,400

(2)　非課税

　　$440,000 + 750,000 + 280,000 + 1,120,000 + 560,000 + 100,000$

　　$+ (50,000,000 + 140,000) + 12,000,000 \times 5\% = 53,990,000$

(3)　$\dfrac{(1)}{(1)+(2)} = \dfrac{978,297,400}{1,032,287,400}$

解答への道

(1)　「海外工場で製造した商品を輸入せずに海外企業へ直接販売した売上高」は、譲渡の時における資産の所在場所が国外であるため、不課税取引となり税額計算には影響させない。

　　　また、この売上げに係る売上値引も同様の取扱いを行う。

(2)　「販売奨励金」のうち現金で支出したものは、売上げに係る対価の返還等に該当する。

（基通14－１－２）

(3)　割賦販売に係る売掛債権を信販会社に譲渡する行為は、金銭債権の譲渡に該当するが、資産の譲渡等の対価として取得した金銭債権の譲渡に該当するため、課税売上割合の計算上、資産の譲渡等の対価の額に含めない。（令48②二）

(4)　現先取引（令48③）

　　　現先取引は、有価証券を担保とした金融取引である。したがって、有価証券の売買とは考えずに、金銭の貸借として考えること。現先取引には、買現先と売現先があり、消費税法の取扱いは、下記のとおりである。

①　買現先取引……売戻し差益を非課税売上高に算入する。

②　売現先取引……処理なし

(5)　立退料（基通５－２－７）

　　　賃貸借契約の解除に伴い賃貸人から収受する立退料は、資産の譲渡等の対価に該当しない。

(6) 信用の保証料（基通 6 － 3 － 1 (2)）

　　債務保証を行ったことに伴い収受する保証料は、利子を対価とする金銭の貸付け等に該当し、非課税売上高に算入する。

(7) 金銭債権の譲受け（令48④）

　　貸付金等の金銭債権の譲受けが行われた場合における対価は、利子とする。つまり、譲り受けた金銭債権の弁済を受けた金額とその取得価額との差額が非課税売上げとなる。

(8) 手形の割引（支払手段の譲渡）（令48②一）

　　支払手段の譲渡は非課税取引に該当するが、課税売上割合の計算上、資産の譲渡等の対価の額に含めない。

問題 53　控除対象仕入税額（その1）

解答

(1) 個別対応方式

　　$4,640,000 + 2,640,000 \times 90\% = 7,016,000$

(2) 一括比例配分方式

　　$7,464,000 \times 90\% = 6,717,600$

(3) 控除対象仕入税額

　　(1) > (2)　∴　個別対応方式　7,016,000

問題 54　控除対象仕入税額（その2）

解答

(1) 個別対応方式

　　$5,230,000 + 6,550,000 \times \dfrac{438,271,609}{493,827,160} = 11,043,125$

(2) 一括比例配分方式

　　$30,454,000 \times \dfrac{438,271,609}{493,827,160} = 27,027,925$

(3) 控除対象仕入税額

　　(1) < (2)　∴　一括比例配分方式　27,027,925

解 答

(1) 課税仕入れ等の区分

① 課税資産の譲渡等にのみ要するもの

イ 課税仕入れ

$(72,195,000-2,200,000)+1,500,000+850,000+2,333,000=74,678,000$

$74,678,000\times\dfrac{7.8}{110}=5,295,349$

ロ 課税貨物 156,000

② その他の資産の譲渡等にのみ要するもの

$2,205,000\times\dfrac{7.8}{110}=156,354$

③ 共通して要するもの

イ 7.8%

$(2,634,000+150,000)+(763,000-58,000)+(15,486,000-86,000)=18,889,000$

$18,889,000\times\dfrac{7.8}{110}=1,339,401$

ロ 6.24%

$86,000\times\dfrac{6.24}{108}=4,968$

ハ イ＋ロ＝1,344,369

④ 課税仕入れ等の税額の合計額

イ 課税仕入れ

㈤ 7.8%

$(74,678,000+2,205,000+18,889,000)\times\dfrac{7.8}{110}=6,791,105$

㈹ 6.24%

4,968

㈥ ㈤＋㈹＝6,796,073

ロ 課税貨物 156,000

(2) 個別対応方式

$(5,295,349+156,000)+1,344,369\times90\%=6,661,281$

(3) 一括比例配分方式

$(6,796,073+156,000)\times90\%=6,256,865$

(4) 控除対象仕入税額

(2)＞(3) ∴ 個別対応方式 6,661,281

解 答

(1) B 土地の販売（非課税売上げ）のため

(2) C 会社全体（従業員等）に係る課税仕入れはC対応

(3) × 土地の購入は非課税

(4) B 社会保険医療等（非課税売上げ）のため

(5) × 外国為替業務に係る役務の提供は非課税

(6) B 土地売却（非課税売上げ）のため

(7) × 保険料を対価とする役務の提供は非課税

(8) A 建物売却（課税売上げ）のため

(9) × 保険料を対価とする役務の提供は非課税

(10) B 有価証券の売却（非課税売上げ）のため

(11) × 従業員社宅の借上げは非課税

(12) B 有価証券の売却（非課税売上げ）のため

(13) B 居住用賃貸（非課税売上げ）のため

(14) C 会社全体（本社の社屋）に係る課税仕入れはC対応

(15) × 保険料を対価とする役務の提供は非課税

(16) B 土地の売却（非課税売上げ）のため

(17) C 資産の譲渡等に該当しない取引のために要する課税仕入れはC対応

(18) A 課税資産の販売（課税売上げ）のため

(19) × 本体価格と税金部分が区分されているゴルフ場利用税は課税仕入れに該当しない

(20) C 会社全体（従業員等）に係る課税仕入れはC対応

(21) C 会社全体（社名の宣伝）に係る課税仕入れはC対応

(22) × 借入利息は非課税

(23) C 会社全体（本社の社屋）に係る課税仕入れはC対応

(24) A 課税資産の販売（課税売上げ）のため

(25) C 会社全体に係る課税仕入れはC対応

(26) A 課税資産の販売（課税売上げ）のため

(27) C 土地付建物売却（課税売上げ及び非課税売上げ）のため

(28) A ビル（店舗用）の賃貸（課税売上げ）のため

(29) A 商品（課税資産）の譲渡（課税売上げ）のため

(30) × 資産の譲渡等の対価に該当せず不課税取引となり、課税仕入れに該当しない

(31) A 商品（課税資産）の販売（課税売上げ）のため

(32)　×　対価性がないため、課税仕入れに該当しない

(33)　×　対価性がないため、課税仕入れに該当しない

(34)　A　商品（課税資産）の販売（課税売上げ）のため

(35)　×　同業者団体に支払った通常会費は、課税仕入れに該当しない

(36)　A　商品（課税資産）の販売（課税売上げ）のため

(37)　C　会社全体（本社）に係る課税仕入れはC対応

(38)　A　製品（課税資産）の販売（課税売上げ）のため

(39)　C　課税売上げや非課税売上げのみに対応する課税仕入れではないため

(40)　A　製品（課税資産）の販売（課税売上げ）のため

(41)　×　減価償却費は課税仕入れに該当しない

(42)　A　製品（課税資産）の販売（課税売上げ）のため

(43)　×　給与等を対価とする役務の提供は、課税仕入れに該当しない

(44)　A　商品（課税資産）の販売（課税売上げ）のため

(45)　×　資産の譲渡等の対価に該当せず不課税取引となり、課税仕入れに該当しない

(46)　A　商品（課税資産）の販売（課税売上げ）のため

(47)　×　引当金の繰入れは課税仕入れに該当しない

(48)　A　商品（課税資産）の販売（課税売上げ）のため

(49)　×　引当金の繰入れは課税仕入れに該当しない

(50)　A　輸出免税売上げ（課税資産の譲渡等）のため

(51)　C　会社全体に係る課税仕入れはC対応

(52)　A　商品（課税資産）の販売（課税売上げ）のため

(53)　×　クレジット手数料は金銭債権の売却損としての性質を有することから課税仕入れに該当
　　　しない

(54)　A　商品（課税資産）の販売（課税売上げ）のため

(55)　C　会社全体に係る課税仕入れはC対応

(56)　A　製品（課税資産）の販売（課税売上げ）のため

(57)　A　商品（課税資産）の販売（課税売上げ）のため

(58)　A　販売目的で購入している商品（課税資産）であるため

(59)　C　会社全体に係る課税仕入れはC対応

解 答

(1) 課税仕入れ等の区分

① 課税資産の譲渡等にのみ要するもの

イ 課税仕入れ

$(400,873,000-58,203,000)+5,871,000+1,004,000=349,545,000$

$349,545,000\times\dfrac{7.8}{110}=24,785,918$

ロ 課税貨物

$420,100$

② 共通して要するもの

$2,265,000+1,871,000+(1,015,000-745,000)+353,000+1,618,000$

$+5,500,000+1,134,000=13,011,000$

$13,011,000\times\dfrac{7.8}{110}=922,598$

③ 課税仕入れ等の税額の合計額

イ 課税仕入れ

$349,545,000+13,011,000=362,556,000$

$362,556,000\times\dfrac{7.8}{110}=25,708,516$

ロ 課税貨物

$420,100$

(2) 個別対応方式

$(24,785,918+420,100)+922,598\times80\%=25,944,096$

(3) 一括比例配分方式

$(25,708,516+420,100)\times80\%=20,902,892$

(4) 控除対象仕入税額

(2)＞(3) ∴ 個別対応方式 $25,944,096$

※ 一般申告貨物（B商品）は、保税地域から引き取った日の属する課税期間において税額控除を行うが、特例申告貨物（A商品）については、特例申告書の提出日の属する課税期間において税額控除を行う。

本問では、当期の３月に引き取った商品について、当期末までに特例申告書を提出していないため、その商品に係る消費税額については、翌課税期間において税額控除を行う。

※ 国外における資産の譲渡等(国外でのマンションの売却)に係る課税仕入れについては、個別対応方式の計算上、課税資産の譲渡等にのみ要するものとして処理を行う。(基通11－２－11)

解　答

(1)　課税仕入れ等の区分

① 　課税資産の譲渡等にのみ要するもの

$$28,500,000 \times \frac{7.8}{110} = 2,020,909$$

② 　その他の資産の譲渡等にのみ要するもの

$$35,000 \times \frac{7.8}{110} = 2,481$$

③ 　共通して要するもの

イ　課税売上割合適用分

$$694,000 + 230,000 + 1,102,000 + 950,000 = 2,976,000$$

$$2,976,000 \times \frac{7.8}{110} = 211,025$$

ロ　準ずる割合適用分

$$850,000 \times \frac{7.8}{110} = 60,272$$

④ 　課税仕入れ等の税額の合計額

$$28,500,000 + 35,000 + (2,976,000 + 850,000) = 32,361,000$$

$$32,361,000 \times \frac{7.8}{110} = 2,294,689$$

(2)　個別対応方式

$$2,020,909 + 211,025 \times 85\% + 60,272 \times 95\% = 2,257,538$$

(3)　一括比例配分方式

$$2,294,689 \times 85\% = 1,950,485$$

(4)　(2)＞(3)　　∴　個別対応方式　2,257,538

問 題 59　総合問題（その１）

解 答

(1) 課税標準額

$674,470,000-50,000,000+1,800,000+200,000=626,470,000$

$626,470,000 \times \dfrac{100}{110} = 569,518,181 \rightarrow 569,518,000$（千円未満切捨）

(2) 課税標準額に対する消費税額

$569,518,000 \times 7.8\% = 44,422,404$

(3) 控除対象仕入税額

① 課税売上割合

　イ　課税

　　(イ)　$569,518,181+50,000,000=619,518,181$

　　(ロ)　$(3,795,000+300,000) \times \dfrac{100}{110} = 3,722,727$

　　(ハ)　(イ)－(ロ)＝$615,795,454 > 500,000,000$　　∴　按分必要

　ロ　非課税

　　$5,000,000+2,400,000+50,000,000 \times 5\% + 300,000,000 = 309,900,000$

　ハ　$\dfrac{イ}{イ+ロ} = \dfrac{615,795,454}{925,695,454} = 0.6652\cdots < 95\%$

② 課税仕入れ等の区分

　イ　課税資産の譲渡等にのみ要するもの

　　(イ)　課税仕入れ

　　　　$(420,000,000-8,800,000)+1,250,000+(3,216,000-862,000)$

　　　　$=414,804,000$

　　　　$414,804,000 \times \dfrac{7.8}{110} = 29,413,374$

　　(ロ)　課税貨物　$624,000$

　ロ　その他の資産の譲渡等にのみ要するもの

　　$551,250+9,513,000=10,064,250$

　　$10,064,250 \times \dfrac{7.8}{110} = 713,646$

　ハ　共通して要するもの

　　(イ)　課税売上割合適用分

　　　　$3,724,000+(2,800,000-72,000)+13,476,000=19,928,000$

　　　　$19,928,000 \times \dfrac{7.8}{110} = 1,413,076$

　　(ロ)　準ずる割合適用分

　　　　$5,926,000 \times \dfrac{7.8}{110} = 420,207$

ニ　課税仕入れ等の税額の合計額

　(イ)　課税仕入れ

　　　$414,804,000 + 10,064,250 + 19,928,000 + 5,926,000 = 450,722,250$

　　　$450,722,250 \times \dfrac{7.8}{110} = 31,960,305$

　(ロ)　課税貨物　624,000

③　個別対応方式

　　$(29,413,374 + 624,000) + 1,413,076 \times \dfrac{615,795,454}{925,695,454} + 420,207 \times 95\%$

　　$= 31,376,583$

④　一括比例配分方式

　　$(31,960,305 + 624,000) \times \dfrac{615,795,454}{925,695,454} = 21,675,883$

⑤　③＞④　　∴　個別対応方式　31,376,583

(4)　返還等対価に係る税額

　　$(3,795,000 + 300,000) \times \dfrac{7.8}{110} = 290,372$

(5)　貸倒れに係る税額

　　$2,000,000 \times \dfrac{6.3}{108} = 116,666$

(6)　差引税額

　　$44,422,404 - (31,376,583 + 290,372 + 116,666) = 12,638,783$

　　　　　　　　　　　　　　　　　→　12,638,700（百円未満切捨）

(7)　納付税額

　　$12,638,700 - 4,200,000 = 8,438,700$

$\boxed{\text{問 題 } 60}$ **総合問題（その２）**

$\boxed{\text{解 答}}$

(1) 課税標準額

$184,520,000 - 20,000,000 + 200,000,000 \times \dfrac{1}{9+1} = 184,520,000$

$184,520,000 \times \dfrac{100}{110} = 167,745,454 \rightarrow 167,745,000$（千円未満切捨）

(2) 課税標準額に対する消費税額

$167,745,000 \times 7.8\% = 13,084,110$

(3) 控除対象仕入税額

① 課税売上割合

イ 課　税

(イ) $167,745,454 + 20,000,000 = 187,745,454$

(ロ) $1,500,000 \times \dfrac{100}{110} = 1,363,636$

(ハ) (イ)$-$(ロ)$= 186,381,818 \leqq 500,000,000$

ロ 非課税

$2,520,000 + 4,800,000 + 40,000,000 \times 5\% + 200,000,000 \times \dfrac{9}{9+1}$

$= 189,320,000$

ハ $\dfrac{イ}{イ+ロ} = \dfrac{186,381,818}{375,701,818} = 0.4960\cdots < 95\%$　∴　按分必要

② 課税仕入れ等の区分

イ　課税資産の譲渡等にのみ要するもの

(イ) 課税仕入れ

$(111,207,600 - 16,457,200) + 1,250,000 + (2,800,000 - 80,200)$

$= 98,720,200$

$98,720,200 \times \dfrac{7.8}{110} = 7,000,159$

(ロ) 課税貨物

$878,000 + 288,000 = 1,166,000$

ロ　その他の資産の譲渡等にのみ要するもの

$441,000 \times \dfrac{7.8}{110} = 31,270$

ハ　共通して要するもの

$2,513,000 + (5,926,000 - 30,000) + 7,777,000 + 6,363,000$

$= 22,549,000$

$22,549,000 \times \dfrac{7.8}{110} = 1,598,929$

ニ　課税仕入れ等の税額の合計額

　(イ)　課税仕入れ

　　　　$98,720,200+441,000+22,549,000=121,710,200$

　　　　$121,710,200 \times \dfrac{7.8}{110} = 8,630,359$

　(ロ)　課税貨物　1,166,000

③　個別対応方式

　　$(7,000,159+1,166,000)+1,598,929 \times \dfrac{186,381,818}{375,701,818} = 8,959,371$

④　一括比例配分方式

　　$(8,630,359+1,166,000) \times \dfrac{186,381,818}{375,701,818} = 4,859,873$

⑤　③＞④　　∴　個別対応方式　8,959,371

(4)　返還等対価に係る税額

　　$1,500,000 \times \dfrac{7.8}{110} = 106,363$

(5)　貸倒れに係る税額

　　$2,150,000 \times \dfrac{7.8}{110} = 152,454$

(6)　差引税額

　　$13,084,110 - (8,959,371+106,363+152,454) = 3,865,922$

　　　　　　　　　　　　　　　　$\rightarrow 3,865,900$（百円未満切捨）

(7)　納付税額

　　$3,865,900 - 1,000,000 = 2,865,900$

解 答

(1) 課税標準額

① $97,550,000-17,000,000+450,000=81,000,000$

　$81,000,000\times\dfrac{100}{110}=73,636,363$

② $960,000$

③ ①＋②＝$74,596,363$ → $74,596,000$（千円未満切捨）

(2) 課税標準額に対する消費税額

$74,596,000\times7.8\%=5,818,488$

(3) 控除対象仕入税額

① 課税売上割合

イ 課 税

(イ) $73,636,363+17,000,000=90,636,363$

(ロ) $42,000\times\dfrac{100}{110}=38,181$

(ハ) (イ)－(ロ)＝$90,598,182\leqq500,000,000$

ロ 非課税

$1,800+57,000,000=57,001,800$

ハ $\dfrac{イ}{イ+ロ}=\dfrac{90,598,182}{147,599,982}=0.6138\cdots<95\%$　∴　按分必要

② 課税仕入れ等の区分

イ 課税資産の譲渡等にのみ要するもの

(イ) 課税仕入れ

$36,750,000+1,708,200=38,458,200$

$38,458,200\times\dfrac{7.8}{110}=2,727,036$

(ロ) 特定課税仕入れ

$960,000\times7.8\%=74,880$

ロ その他の資産の譲渡等にのみ要するもの

$1,911,600\times\dfrac{7.8}{110}=135,549$

ハ 共通して要するもの

$(487,000-20,000)+188,000+(2,480,000-150,000)+9,687,000=12,672,000$

$12,672,000\times\dfrac{7.8}{110}=898,560$

ニ　合　計

(イ)　課税仕入れ

$38,458,200+1,911,600+12,672,000=53,041,800$

$53,041,800 \times \dfrac{7.8}{110} = 3,761,145$

(ロ)　特定課税仕入れ　74,880

③　個別対応方式

$(2,727,036+74,880)+898,560 \times \dfrac{90,598,182}{147,599,982} = 3,353,460$

④　一括比例配分方式

$(3,761,145+74,880) \times \dfrac{90,598,182}{147,599,982} = 2,354,586$

⑤　③＞④　∴　個別対応方式　3,353,460

(4)　返還等対価に係る税額

$42,000 \times \dfrac{7.8}{110} = 2,978$

(5)　差引税額

$5,818,488-(3,353,460+2,978)=2,462,050 \rightarrow 2,462,000$（百円未満切捨）

(6)　納付税額

$2,462,000-520,000=1,942,000$

第5章

税額控除

解答への道

(1)　海外の事業者（非居住者）に支払ったインターネット上での商品の広告掲載料960,000円については、「電気通信利用役務の提供」に該当し、役務の提供を受ける者の住所等が国内であるため国内取引に該当する。また、「事業者向け電気通信利用役務の提供」に該当するため「特定課税仕入れ」に該当し、かつ、甲社の課税売上割合が95％未満であるため、課税標準額の計算及び控除対象仕入税額の計算を行うこととなる。

　なお、特定課税仕入れについては、支払った対価の額に消費税等の額が含まれていないため、相手に支払った金額960,000円がそのまま課税標準額となる。

　また、課税標準額に対する消費税額から控除する特定課税仕入れに係る消費税額についても同様に、特定課税仕入れに係る支払対価の額である相手に支払った金額960,000円に100分の7.8を乗じて算出した金額となる。

(2)　海外の事業者（非居住者）からの電子書籍の購入代金8,600円についても、「電気通信利用役務の提供」に該当し、役務の提供を受ける者の住所等が国内であるため国内取引に該当する。また、国外事業者から受けた「消費者向け電気通信利用役務の提供」に該当する。

　本問では、海外の事業者（適格請求書発行事業者）に消費税等の額を支払っているものであり、通常の国内の課税仕入れと同様の計算となる。

問 題 62	非課税資産の輸出等（その１）

解 答

(1) 課 税

① $45,000,000 \times \dfrac{100}{110} + 5,000,000 = 45,909,090$

② $4,400,000 \times \dfrac{100}{110} + 1,100,000 = 5,100,000$

③ ①－② = $40,809,090$

(2) 非課税

$1,200,000 + 20,000,000 + 15,000,000 \times 5\% = 21,950,000$

(3) $\dfrac{(1) + 150,000 + 8,000,000}{(1) + (2) + 8,000,000} = \dfrac{48,959,090}{70,759,090}$

問 題 63	非課税資産の輸出等（その２）

解 答

(1) 課 税

① $(744,030,000 + 55,000,000) \times \dfrac{100}{110} + 100,000,000 = 826,390,909$

② $8,360,000^{*} \times \dfrac{100}{110} + 1,000,000 = 8,600,000$

＊ $7,700,000 + 660,000 = 8,360,000$

③ ①－② = $817,790,909$

(2) 非課税

$(50,500,000 + 80,000,000 + 20,500,000) - (500,000 + 350,000 + 150,000)$

$= 150,000,000$

(3) $\dfrac{(1) + (50,500,000 - 500,000)}{(1) + (2)} = \dfrac{867,790,909}{967,790,909}$

解　答

(1) 課　税

$$(781,000,000+22,000,000) \times \frac{100}{110} +150,000,000=880,000,000$$

(2) 非課税

$$2,500,000+95,000,000+50,000,000 \times 5\% =100,000,000$$

(3) $\dfrac{(1)+20,000,000^{*}}{(1)+(2)+20,000,000^{*}} = \dfrac{900,000,000}{1,000,000,000}$

＊　本船甲板渡し価格

$$19,740,000+260,000=20,000,000$$

解答への道

(1) 海外支店における売上高は、国外取引に該当する。

(2) 海外支店に輸出した商品の本船甲板渡し価格は、課税売上割合の計算において資産の譲渡等の対価の額（分母）及び課税資産の譲渡等の対価の額（分子）にそれぞれ含める。（令51③）

　　本船甲板渡し価格は、船（又は飛行機）に積み込むまでの費用の合計である。

　　したがって、国内の港からアメリカ支店までの輸送料（500,000円）は含まれない。

　　なお、控除対象仕入税額を計算するにあたっては次のようになる。

① 仕入価額　　　19,740,000円 … Ａ対応の課税仕入れ

② 通関手数料　　　260,000円 … 免税仕入れ

③ 輸送料　　　　　500,000円 … 免税仕入れ

問 題 65　仕入返還等（その１）

解 答

(1) 課税仕入れ等の区分

① 課税資産の譲渡等にのみ要するもの

イ　課税仕入れ

$$150,000,000 \times \frac{7.8}{110} = 10,636,363$$

ロ　課税貨物　400,000

ハ　仕入返還等

$$2,200,000 \times \frac{7.8}{110} = 156,000$$

ニ　引取還付　20,000

② その他の資産の譲渡等にのみ要するもの

$$2,000,000 \times \frac{7.8}{110} = 141,818$$

③ 共通して要するもの

$$48,000,000 \times \frac{7.8}{110} = 3,403,636$$

④ 合　計

イ　課税仕入れ

$$200,000,000 \times \frac{7.8}{110} = 14,181,818$$

ロ　課税貨物　400,000

ハ　仕入返還等　156,000

ニ　引取還付　20,000

(2) 個別対応方式

$$10,636,363 + 400,000 - 156,000 - 20,000 + 3,403,636 \times \frac{442,649,000}{569,216,000} = 13,507,189$$

(3) 一括比例配分方式

$$(14,181,818 + 400,000) \times \frac{442,649,000}{569,216,000} - 156,000 \times \frac{442,649,000}{569,216,000} - 20,000$$

$$\times \frac{442,649,000}{569,216,000} = 11,202,640$$

(4) 控除対象仕入税額

(2)＞(3)　∴　個別対応方式　13,507,189

解　答

(1) 課税仕入れ等の区分

① 課税資産の譲渡等にのみ要するもの

イ 課税仕入れ

$(1,058,432,000-224,579,300)+28,386,000=862,238,700$

$862,238,700\times\dfrac{7.8}{110}=61,140,562$

ロ 課税貨物

$11,666,600+3,500,000+758,300=15,924,900$

ハ 仕入返還

$5,460,000-1,100,000-790,000=3,570,000$

$3,570,000\times\dfrac{7.8}{110}=253,145$

ニ 引取還付

$78,000$

② その他の資産の譲渡等にのみ要するもの

$1,390,000\times\dfrac{7.8}{110}=98,563$

③ 共通して要するもの

$45,733,000\times\dfrac{7.8}{110}=3,242,885$

④ 課税仕入れ等の税額の合計額

イ 課税仕入れ

$862,238,700+1,390,000+45,733,000=909,361,700$

$909,361,700\times\dfrac{7.8}{110}=64,482,011$

ロ 課税貨物

$15,924,900$

ハ 仕入返還

$253,145$

ニ 引取還付

$78,000$

(2) 個別対応方式

$(61,140,562+15,924,900-253,145-78,000)+3,242,885 \times \dfrac{1,477,780,427}{3,173,904,427}$

$=78,244,215$

(3) 一括比例配分方式

$(64,482,011+15,924,900) \times \dfrac{1,477,780,427}{3,173,904,427} -253,145 \times \dfrac{1,477,780,427}{3,173,904,427} -78,000$

$\times \dfrac{1,477,780,427}{3,173,904,427} =37,283,542$

(4) 控除対象仕入税額

(2)＞(3)　∴　78,244,215

> ### 解答への道
>
> (1)　一般申告課税貨物の場合には、保税地域から引き取った日の属する課税期間において税額控除を行うため、当課税期間において控除できる消費税額は、輸入の際に税関に納付した消費税額、納期限の延長を受けて未納となっている消費税額、輸入価格の更正を受けたことにより納付した消費税額の合計額となる。
>
> (2)　仕入れに係る対価の返還等は、取扱いの違いから、①国内における課税仕入れに係る対価の返還等と、②保税地域から引き取った課税貨物に分けて考える。
>
> ①　国内における課税仕入れに係る対価の返還等に係る税額は、課税仕入れ等の税額から課税仕入れに係る対価の返還等を受けた金額に係る税額を控除するパターンで計算する。
>
> ②　保税地域から引き取った課税貨物につき返品等があった場合において、他の法律の規定により税関から還付を受けた消費税額は、課税仕入れ等の税額から還付金を控除するパターンで計算する。
>
> (3)　「仕入値引・戻し高」のうち、輸入先から受けた値引については、税関手続きをしていないため、消費税法上の処理は行わない。

問 題 67 調整対象固定資産

解 答

(3)、(4)、(5)

解答への道

土　　　　地	土地は該当しない。	
機　　　　械	$1,089,000 \times \dfrac{100}{110} = 990,000 < 1,000,000$	∴ 該当しない
車　　　　両	$2,420,000 \times \dfrac{100}{110} = 2,200,000 \geqq 1,000,000$	∴ 該当する
建　　　　物	$22,000,000 \times \dfrac{100}{110} = 20,000,000 \geqq 1,000,000$	∴ 該当する
ゴルフ会員権	$1,080,000 \times \dfrac{100}{108} = 1,000,000 \geqq 1,000,000$	∴ 該当する

問 題 68 著しい変動（その１）

解 答

(1) 調整対象固定資産の判定

$110,000,000 \times \dfrac{100}{110} = 100,000,000 \geqq 1,000,000$ 　∴ 該当する

(2) 仕入れ時の課税売上割合

$\dfrac{60,000,000}{300,000,000} = 20\%$

(3) 通算課税売上割合

$\dfrac{60,000,000 + 240,000,000 + 420,000,000}{300,000,000 + 400,000,000 + 500,000,000} = \dfrac{720,000,000}{1,200,000,000} = 60\%$

(4) 著しい変動の判定

① 変動差

(3)－(2)＝40％ ≧ 5 ％

② 変動率

$\dfrac{①}{(2)} = 200\% \geqq 50\%$

∴ 著しい変動（増加）に該当する

(5) 調整税額

$110,000,000 \times \dfrac{7.8}{110} = 7,800,000$

$7,800,000 \times 60\% - 7,800,000 \times 20\% = 3,120,000$（加算）

問 題 69 著しい変動（その2）

解 答

(1) 調整対象固定資産の判定

① 会員権

$3,620,000 \times \dfrac{100}{110} = 3,290,909 \geqq 1,000,000$ 　　∴ 該当する

② 機 械

$1,615,000 - 23,000 = 1,592,000$

$1,592,000 \times \dfrac{100}{110} = 1,447,272 \geqq 1,000,000$ 　　∴ 該当する

③ パソコン

$360,000 \times \dfrac{100}{110} = 327,272 < 1,000,000$ 　　　　∴ 該当しない

(2) 著しい変動の判定

① 仕入れ時の課税売上割合

イ 課 税

$417,394,285 \times \dfrac{100}{110} = 379,449,350 \leqq 500,000,000$

ロ 非課税

$3,360,000$

ハ $\dfrac{\text{イ}}{\text{イ} + \text{ロ}} = \dfrac{379,449,350}{382,809,350} = 0.9912\cdots \geqq 95\%$ 　　∴ 全額控除

② 通算課税売上割合

イ 課 税

$379,449,350 + 395,662,000 \times \dfrac{100}{110} + 1,238,873,000 \times \dfrac{100}{110} = 1,865,390,258$

ロ 非課税

$3,360,000 + 389,100,000 + 1,857,244,000 = 2,249,704,000$

ハ $\dfrac{\text{イ} + 144,000}{\text{イ} + \text{ロ}} = \dfrac{1,865,534,258}{4,115,094,258} = 0.4533\cdots$

③ 変動差

$① - ② = 0.5378\cdots \geqq 5\%$

④ 変動率

$\dfrac{③}{①} = 0.5426\cdots \geqq 50\%$ 　　∴ 著しい変動（減少）に該当

(3) 調整税額

① 調整対象基準税額

イ 会員権

$$3,620,000 \times \frac{7.8}{110} = 256,690$$

ロ 機 械

$$1,592,000 \times \frac{7.8}{110} = 112,887$$

② 仕入れ等の課税期間の控除税額

$$256,690 + 112,887 \times 2\,台 = 482,464$$

③ 通算課税売上割合による控除税額

$$256,690 \times \frac{1,865,534,258}{4,115,094,258} + 112,887 \times \frac{1,865,534,258}{4,115,094,258} \times 2\,台 = 218,719$$

④ 調整税額

$$482,464 - 218,719 = 263,745\,（減算）$$

解答への道

(1) 調整対象固定資産の判定（≧100万円）は、一の取引単位で行う。

(2) 比例配分法による税額計算をした場合には、課税期間における課税売上高が5億円以下であり、かつ、課税売上割合が95％以上であることにより全額控除された場合も含まれる。

(3) 仕入れ等の課税期間における課税売上高が5億円以下であり、かつ、課税売上割合が95％以上であることから、仕入れ等の課税期間においては課税仕入れ等の税額の合計額の全額が控除されていることに注意する。

(4) 2以上の資産に係る消費税額を調整する場合には、仕入れ等の課税期間による控除税額の合計額、通算課税売上割合による控除税額の合計額をそれぞれ算出し調整税額を求める。

(5) 調整対象固定資産の支払対価の額には、購入のために要する引取運賃、その他の付随費用は、含まれない。

解 答

(1) 調整対象固定資産の判定

① 本社ビル

$$60,000,000 \times \frac{2}{8+2} = 12,000,000$$

$$12,000,000 \times \frac{100}{110} = 10,909,090 \geqq 1,000,000 \qquad \therefore \quad 該当する$$

② 課税商品運搬用車両

$$1,250,000 \times \frac{100}{110} = 1,136,363 \geqq 1,000,000 \qquad \therefore \quad 該当する$$

③ 特許権

$$1,780,000 \times \frac{100}{110} = 1,618,181 \geqq 1,000,000 \qquad \therefore \quad 該当する$$

④ 備 品

$$580,000 \times \frac{100}{110} = 527,272 < 1,000,000 \qquad \therefore \quad 該当しない$$

(2) 著しい変動の判定

① 仕入れ時の課税売上割合

課税資産の譲渡等の対価がないため　$0 < 95\%$

② 通算課税売上割合

イ 課 税

$$78,236,000 \times \frac{100}{110} + 87,552,992 \times \frac{100}{110} + 132,778,286 \times \frac{100}{110}$$
$$= 271,424,797$$

ロ 非課税

$$420,000 + 780,000 + 15,450,000 = 16,650,000$$

ハ $\dfrac{イ + 2,220,000}{イ + ロ + 2,220,000} = \dfrac{273,644,797}{290,294,797} = 0.9426\cdots$

③ 著しい変動の判定

変動差

②－①＝$0.9426\cdots \geqq 5\%$　　$\therefore$　著しい変動（増加）に該当する

(3) 調整税額

① 調整対象基準税額

本社ビル

$$12,000,000 \times \frac{7.8}{110} = 850,909$$

※ 課税商品運搬用車両、特許権については、比例配分法により計算していないため調整なし

② 調整税額

$$850,909 \times \frac{273,644,797}{290,294,797} = 802,104 \text{（加算）}$$

解答への道

(1) 第3年度の課税期間

　　仕入れ等の課税期間が1年未満である場合には、「第3年度の課税期間」は、仕入れ等の課税期間の翌々々期となる。

　　この場合、通算課税売上割合は、4期分の売上高で計算することとなる。

　　仕入れ等の課税期間開始の日から3年を経過する日（R8.1.18）

(2) 課税売上割合が著しく増加した場合（基通12−3−2）

　　著しい変動の規定の適用にあたり、次のいずれの要件も満たす場合には、著しい変動に該当するものとして取り扱う。

① 　仕入れ等の課税期間において課税資産の譲渡等の対価の額がないこと。

② 　仕入れ等の課税期間の翌課税期間から第3年度の課税期間において、課税資産の譲渡等の対価の額があること。

③ 　通算課税売上割合が5％以上であること。

　　なお、この場合には著しい変動の判定では、変動率の計算は行わない。また、調整税額は調整対象基準税額に通算課税売上割合を乗じた金額になる。

(3) 設立時の資本金額が 3,000万円であるため、設立第1期と設立第2期は法12の2①（新設法人の納税義務の免除の特例）の規定の適用を受ける。また、設立第3期については、基準期間における課税売上高はないが、新設法人に該当する設立第1期において、調整対象固定資産の仕入れ等を行っているため、法12の2②（新設法人が調整対象固定資産の仕入れ等を行った場合の納税義務の免除の特例）の規定の適用を受ける。

問 題 71 転 用

解 答

(1) 調整対象固定資産の判定

$33,000,000 \times \dfrac{100}{110} = 30,000,000 \geqq 1,000,000$　　　∴　該当する

(2) 調整税額

$33,000,000 \times \dfrac{7.8}{110} = 2,340,000$

$2,340,000 \times \dfrac{1}{3} = 780,000$（2年超3年以内　加算）

解答への道

　3年以内に課税業務用に用途変更しているため、転用した場合の調整規定（法35）の規定の適用がある。

(1) 課税売上割合

$$\frac{700,000,000}{1,000,000,000}\,(70\%)$$

(2) 課税仕入れ等の区分

① 課税資産の譲渡等にのみ要するもの

$$300,000,000 \times \frac{7.8}{110} = 21,272,727$$

② その他の資産の譲渡等にのみ要するもの

$$20,000,000 \times \frac{7.8}{110} = 1,418,181$$

③ 共通して要するもの

$$90,000,000 \times \frac{7.8}{110} = 6,381,818$$

④ 合 計

$$410,000,000 \times \frac{7.8}{110} = 29,072,727$$

(3) 個別対応方式

$$21,272,727 + 6,381,818 \times 70\% = 25,739,999$$

(4) 一括比例配分方式

$$29,072,727 \times 70\% = 20,350,908$$

(5) 判 定

(3)＞(4)　　∴　25,739,999

(6) 調整対象固定資産の判定

建物A　　55,000,000 × $\frac{100}{110}$ ＝50,000,000≧1,000,000　　∴　該当する

機械B　　3,960,000 × $\frac{100}{110}$ ＝3,600,000≧1,000,000　　∴　該当する

車両C　　3,300,000 × $\frac{100}{110}$ ＝3,000,000≧1,000,000　　∴　該当する

(7) 仕入れ時の課税売上割合

$$\frac{140,000,000}{700,000,000} = 20\% < 95\%$$

(8) 通算課税売上割合

$$\frac{140,000,000+410,000,000+700,000,000}{700,000,000+800,000,000+1,000,000,000} = \frac{1,250,000,000}{2,500,000,000} = 50\%$$

(9) 著しい変動の判定

① 変動差

(8)－(7)＝30%≧ 5 %

第5章

税額控除

② 変動率

$$\frac{①}{(7)} = 150\% \geqq 50\%$$

∴ 著しい変動（増加）に該当する

⑽ 調整税額

① 変　動

$$55,000,000 \times \frac{7.8}{110} = 3,900,000$$

$$3,900,000 \times 50\% - 3,900,000 \times 20\% = 1,170,000 \text{（加算）}$$

※　機械Bについては比例配分法により計算していないため調整なし

② 転　用

$$3,300,000 \times \frac{7.8}{110} = 234,000$$

$$234,000 \times \frac{1}{3} = 78,000 \text{（2年超3年以内、減算）}$$

⑾ 控除対象仕入税額

$$25,739,999 + 1,170,000 - 78,000 = 26,831,999$$

解答への道

調整対象固定資産に係る消費税額の調整の適用要件をまとめると、次のようになる。

(1) 変　動

① 課税事業者が調整対象固定資産を購入

② 購入した課税期間において比例配分法による税額計算

③ 当課税期間末において保有

④ 課税売上割合が著しく変動

(2) 転　用

① 課税事業者が調整対象固定資産を購入

② 購入した課税期間において個別対応方式による税額計算

③ 当課税期間において転用（A対応 → B対応、B対応 → A対応）

問 題 73 居住用賃貸建物の判定

解 答

(1) $16,500,000 \times \dfrac{100}{110} = 15,000,000 \geq 10,000,000$　∴　居住用賃貸建物に該当する

(2) $8,800,000 \times \dfrac{100}{110} = 8,000,000 < 10,000,000$　∴　居住用賃貸建物に該当しない

(3) 住宅の貸付けの用に供しないことが明らかであるため、居住用賃貸建物に該当しない

(4) 住宅の貸付けの用に供しないことが明らかであるため、居住用賃貸建物に該当しない

(5) 住宅の貸付けの用に供しないことが明らかであるため、居住用賃貸建物に該当しない

解答への道

(3)(4)について

居住用賃貸建物は、「住宅の貸付けの用に供しないことが明らかな建物以外の建物」である。

事務所賃貸用やホテル用は「住宅の貸付けの用に供しないことが明らかな建物」と考えられる。

問 題 74 居住用賃貸建物の調整

解 答

【設問1】

(1) 個別対応方式　　2,500,000

(2) 一括比例配分方式　　2,100,000

(3) 判 定

　(1) ＞ (2)　∴　2,500,000

(4) 居住用賃貸建物の判定

$198,000,000 \times \dfrac{100}{110} = 180,000,000 \geq 10,000,000$　∴　該当する

(5) 課税賃貸割合

① 課 税　$3,300,000 \times \dfrac{100}{110} = 3,000,000$

② 非課税　$2,500,000 + 2,500,000 = 5,000,000$

③ $\dfrac{①}{①+②} = \dfrac{3,000,000}{8,000,000} = 0.375$

(6) 調整税額

① $198,000,000 \times \dfrac{7.8}{110} = 14,040,000$

② $14,040,000 \times 0.375 = 5,265,000$

(7) 控除対象仕入税額

　$2,500,000 + 5,265,000 = 7,765,000$

【設問2】

(1) 個別対応方式　　　　　　2,200,000

(2) 一括比例配分方式　　　　1,900,000

(3) 判　定

(1) ＞ (2)　∴　2,200,000

(4) 居住用賃貸建物の判定

$181,500,000 \times \dfrac{100}{110} = 165,000,000 \geqq 10,000,000$　　∴　該当する

(5) 課税譲渡等割合

① 課　税　$59,400,000 \times \dfrac{100}{110} = 54,000,000$

② 非課税　$3,000,000 + 3,000,000 = 6,000,000$

③ $\dfrac{①}{①+②} = \dfrac{54,000,000}{60,000,000} = 0.9$

(6) 調整税額

① $181,500,000 \times \dfrac{7.8}{110} = 12,870,000$

② $12,870,000 \times 0.9 = 11,583,000$

(7) 控除対象仕入税額

$2,200,000 + 11,583,000 = 13,783,000$

解　答

(1)　課税仕入れ等の区分

① 課税資産の譲渡等にのみ要するもの

イ　課税仕入れ

8,400,000＋963,600＝9,363,600

$9,363,600 \times \dfrac{7.8}{110} = 663,964$

ロ　期末棚卸資産の調整

$708,000 \times \dfrac{7.8}{110} = 50,203$

② その他の資産の譲渡等にのみ要するもの

$208,000 \times \dfrac{7.8}{110} = 14,749$

③ 共通して要するもの

$2,957,400 \times \dfrac{7.8}{110} = 209,706$

④ 合　計

イ　課税仕入れ

9,363,600＋208,000＋2,957,400＝12,529,000

$12,529,000 \times \dfrac{7.8}{110} = 888,420$

ロ　期末棚卸資産の調整

50,203

(2)　個別対応方式

（663,964－50,203）＋209,706×80％＝781,525

(3)　一括比例配分方式

（888,420－50,203）×80％＝670,573

(4)　判　定

(2)＞(3)　　∴　781,525

問 題 76 総合問題

解 答

(1) 課税標準額

$$31,290,000 \times \frac{100}{110} = 28,445,454 \rightarrow 28,445,000 \text{(千円未満切捨)}$$

(2) 課税標準額に対する消費税額

$$28,445,000 \times 7.8\% = 2,218,710$$

(3) 控除対象仕入税額

① 課税売上割合

イ 課 税

$$28,445,454 - 300,000 \times \frac{100}{110} = 28,172,727 \leqq 500,000,000$$

ロ 非課税

$$375,000 + 6,000,000 + 20,000,000 \times 5\% = 7,375,000$$

ハ $\dfrac{イ}{イ + ロ} = \dfrac{28,172,727}{35,547,727} = 0.7925 \cdots < 95\%$ ∴ 按分必要

② 課税仕入れ等の区分

イ 課税資産の譲渡等にのみ要するもの

㋑ 課税仕入れ

$$10,900,000 + 1,250,000 = 12,150,000$$

$$12,150,000 \times \frac{7.8}{110} = 861,545$$

㋺ 期首棚卸資産の調整

$$4,536,000 \times \frac{7.8}{110} = 321,643$$

ロ その他の資産の譲渡等にのみ要するもの

$$220,500 \times \frac{7.8}{110} = 15,635$$

ハ 共通して要するもの

$$251,300 + (1,026,000 - 28,500) + 1,234,000 = 2,482,800$$

$$2,482,800 \times \frac{7.8}{110} = 176,053$$

ニ 合 計

㋑ 課税仕入れ

$$12,150,000 + 220,500 + 2,482,800 = 14,853,300$$

$$14,853,300 \times \frac{7.8}{110} = 1,053,234$$

㋺ 期首棚卸資産の調整

$$321,643$$

③　個別対応方式

$$(861,545 + 321,643) + 176,053 \times \frac{28,172,727}{35,547,727} = 1,322,715$$

④　一括比例配分方式

$$(1,053,234 + 321,643) \times \frac{28,172,727}{35,547,727} = 1,089,634$$

⑤　控除対象仕入税額

③＞④　　∴　1,322,715

(4)　返還等対価に係る税額

$$300,000 \times \frac{7.8}{110} = 21,272$$

(5)　差引税額

$2,218,710 - (1,322,715 + 21,272) = 874,723 \rightarrow 874,700$（百円未満切捨）

(6)　納付税額

874,700

問　題　77　　簡易課税（その１）

解　答

(1)　$(54,565,000 - 2,625,000 + 150,000) \times \dfrac{100}{110} + 2,625,000 = 49,979,545$

(2)　$(1,317,500 - 5,000) \times \dfrac{100}{110} + 5,000 = 1,198,181$

(3)　(1)－(2)＝48,781,364≦50,000,000

　　　届出書の提出あり　　∴　適用あり

解　答

(1) 基礎税額

4,000,000

(2) 仕入税額

① 原　則

$$4,000,000 \times \frac{\overset{*}{2,822,820}}{3,900,000} \ (72.38\%) = 2,895,200$$

＊　$390,000 \times 90\% + 448,500 \times 80\% + 2,925,000 \times 70\% + 35,100 \times 60\% + 39,000 \times 50\%$

$+ 62,400 \times 40\% = 2,822,820$

② 特　例

イ　特定1事業（第三種）

$$\frac{37,500,000}{50,000,000} = 75\% \geqq 75\% \qquad \therefore \quad 適用あり$$

$$4,000,000 \times 70\% = 2,800,000$$

ロ　特定2事業

(イ)　第一種と第三種

$$\frac{5,000,000 + 37,500,000}{50,000,000} \geqq 75\% \qquad \therefore \quad 適用あり$$

$$4,000,000 \times \frac{\overset{*}{2,808,000}}{3,900,000} \ (72\%) = 2,880,000$$

＊　$390,000 \times 90\% + (3,900,000 - 390,000) \times 70\% = 2,808,000$

(ロ)　第二種と第三種

$$\frac{5,750,000 + 37,500,000}{50,000,000} \geqq 75\% \qquad \therefore \quad 適用あり$$

$$4,000,000 \times \frac{\overset{*}{2,774,850}}{3,900,000} \ (71.15\%) = 2,846,000$$

＊　$448,500 \times 80\% + (3,900,000 - 448,500) \times 70\% = 2,774,850$

（注）その他の特例は明らかに不利であるため、判定省略

③ 判　定

$2,800,000 < 2,846,000 < 2,880,000 < 2,895,200 \qquad \therefore \quad 2,895,200$

問 題 79	簡易課税（その3）

解 答

$(1,800,000+12,500-16,000)\times88\%=1,580,920$

問 題 80	簡易課税（その4）

解 答

(1) 第二種事業	(11) 非課税取引	(21) 非課税取引
(2) 第二種事業	(12) 第六種事業	
(3) 第一種事業	(13) 第四種事業	
(4) 第四種事業	(14) 第三種事業	
(5) 第三種事業	(15) 第二種事業	
(6) 非課税取引	(16) 第四種事業	
(7) 第四種事業	(17) 第二種事業	
(8) 免税取引	(18) 第一種事業	
(9) 第二種事業	(19) 第三種事業	
(10) 第六種事業	(20) 不課税取引	

解答への道

(1)(15) 他の者から購入した商品を事業者以外の者に販売しているので第二種事業に該当する。

(2) 法人の自社役員に対する資産の贈与はみなし譲渡であり、仕入商品の事業者以外の者に対する譲渡であるため、第二種事業に該当する。

(3) 段ボール等の不要物品等の譲渡は、原則として第四種事業に該当するが、第一種事業又は第二種事業に属するものとして処理しているときは認められる。（基通13－2－8）

(4) 事業用固定資産の譲渡は、第四種事業に該当する。（基通13－2－9）

(5)(14) 自己が製造した製品の販売は、相手に関わらず、第三種事業に該当する。

(7) 他の者の原料等に加工を施して、加工の対価を受領する役務の提供は、第四種事業に該当する。（基通13－2－7）

(9) 他の者から購入した商品（建物）をそのまま事業者以外の者に販売しているので第二種事業に該当する。

(10)(12) 不動産の賃貸、管理、仲介を行う不動産業は、第六種事業に該当する。

(13)(16) 飲食のための設備を設けて、主として客の注文に応じその場所で飲食させる事業は、第四種事業に該当する。（基通13－2－8の2）

⒄ 農業・林業・漁業のうち「軽減税率の対象となる飲食料品の譲渡に係る部分」については、第二種事業に該当する

⒅ 他の者から購入した商品を事業者に販売しているので第一種事業に該当する。

⒆ 個人事業者の家事消費はみなし譲渡であり、製品の譲渡であるため、第三種事業に該当する。

問　題　81　簡易課税（その5）

解　答

(1)　基準期間における課税売上高

① $(48,256,000-625,000+436,000) \times \dfrac{100}{110} + 625,000 = 44,322,272$

② $(923,750-5,000) \times \dfrac{100}{110} + 5,000 = 840,227$

③ ①−②＝43,482,045≦50,000,000

届出書の提出あり　　∴　適用あり

(2)　課税標準額

① 第一種　　　　　　　　　　　　　　　　　18,375,000

② 第二種　　　　　　　　　　　　　　　　　26,250,000

③ 第四種　　　　　　　　　　　　　　　　　　　52,500

④ 第六種　　　　　　　　370,500＋7,500＝　　378,000

⑤ ①〜④の合計　　　　　　　　　　　　　　45,055,500

$45,055,500 \times \dfrac{100}{110} = 40,959,545 \rightarrow 40,959,000$（千円未満切捨）

(3)　課税標準額に対する消費税額

$40,959,000 \times 7.8\% = 3,194,802$

(4)　貸倒回収に係る消費税額

$163,252 \times \dfrac{7.8}{110} = 11,576$

(5)　返還等対価に係る税額

① 第一種　　　　　　　　　　　　　　　　　　181,125

② 第二種　　　　　　　　　　　　　　　　　　236,250

③ ①〜②の合計　　　　　　　　　　　　　　　417,375

$417,375 \times \dfrac{7.8}{110} = 29,595$

(6)　貸倒れに係る税額

$187,500 \times \dfrac{7.8}{110} = 13,295$

(7) 控除対象仕入税額

① 課税売上高

イ 第一種

$$18,375,000 \times \frac{100}{110} - 181,125 \times \frac{100}{110} = 16,539,886$$

ロ 第二種

$$26,250,000 \times \frac{100}{110} - 236,250 \times \frac{100}{110} = 23,648,864$$

ハ 第四種

$$52,500 \times \frac{100}{110} = 47,727$$

ニ 第六種

$$378,000 \times \frac{100}{110} = 343,636$$

ホ 合 計

イ＋ロ＋ハ＋ニ＝40,580,113

② 消費税額

イ 第一種

$$18,375,000 \times \frac{7.8}{110} - 181,125 \times \frac{7.8}{110} = 1,290,111$$

ロ 第二種

$$26,250,000 \times \frac{7.8}{110} - 236,250 \times \frac{7.8}{110} = 1,844,611$$

ハ 第四種

$$52,500 \times \frac{7.8}{110} = 3,722$$

ニ 第六種

$$378,000 \times \frac{7.8}{110} = 26,803$$

ホ 合 計

イ＋ロ＋ハ＋ニ＝3,165,247

③ 基礎税額

3,194,802＋11,576－29,595＝3,176,783

④ 仕入税額

イ 原 則

$$3,176,783 \times \frac{\overset{*}{2,649,741}}{3,165,247} \ (0.8371\cdots) = 2,659,398$$

* 1,290,111×90％＋1,844,611×80％＋3,722×60％＋26,803×40％＝2,649,741

ロ 特 例

(イ) 特定1事業（第二種）

$$\frac{23,648,864}{40,580,113} = 0.5827\cdots < 75\% \quad \therefore \quad 適用なし$$

(ロ)　特定2事業（第一種と第二種）

$$\frac{16,539,886+23,648,864}{40,580,113} = 0.9903\cdots \geqq 75\% \quad \therefore \quad 適用あり$$

$$3,176,783 \times \frac{\overset{*}{2,661,207}}{3,165,247} \, (0.8407\cdots) = 2,670,905$$

＊　　$1,290,111 \times 90\% + (3,165,247 - 1,290,111) \times 80\% = 2,661,207$

※　その他の特例は明らかに不利であるため、判定省略

⑤　判　定

$2,659,398 < 2,670,905 \quad \therefore \quad 2,670,905$

(8)　差引税額

$3,194,802 + 11,576 - (2,670,905 + 29,595 + 13,295) = 492,583$

$\rightarrow 492,500$（百円未満切捨）

(9)　納付税額

$492,500 - 245,000 = 247,500$

解答への道

　簡易課税制度の方法により控除対象仕入税額を計算しても、売上げに係る対価の返還等及び貸倒れに係る税額控除は行う。

解　答

(1) 課税売上割合

① 課　税

$$(54,900,000-1,000,000) \times \frac{100}{110} + 1,000,000 = 50,000,000$$

② 非課税

$$39,500,000-10,000,000+10,000,000 \times 5\% = 30,000,000$$

③ $\dfrac{①}{①+②} = \dfrac{50,000,000}{80,000,000}$ （62.5%）

(2) 特定収入割合

$$\frac{8,500,000}{50,000,000+39,500,000+2,000,000+8,500,000} = 8.5\% > 5\%$$

$$\therefore \quad 適用あり$$

(3) 調整割合

$$\frac{2,500,000}{50,000,000+39,500,000+2,000,000+2,500,000} = \frac{2,500,000}{94,000,000}$$

第5章

税額控除

解 答

(1) 課税標準額

$903,650,000 \times \dfrac{100}{110} = 821,500,000$（千円未満切捨）

(2) 課税標準額に対する消費税額

$821,500,000 \times 7.8\% = 64,077,000$

(3) 控除対象仕入税額

① 課税売上割合

イ 課 税

$821,500,000 + 42,000,000 - 14,850,000 \times \dfrac{100}{110}$

$= 850,000,000 > 500,000,000$ ∴ 按分必要

ロ 非課税

$4,500,000 + 18,000,000 + 120,000,000 \times 5\% + 184,000,000 = 212,500,000$

ハ $\dfrac{イ}{イ+ロ} = \dfrac{850,000,000}{1,062,500,000} = 80\% < 95\%$

② 特定収入割合

イ 特定収入

$33,000,000 + 735,000,000 + 5,000,000 + 60,000,000 = 833,000,000$

ロ 資産の譲渡等の対価の額

$821,500,000 + 42,000,000 + 4,500,000 + 18,000,000 + 120,000,000 + 184,000,000$

$+ 10,000,000 = 1,200,000,000$

ハ 特定収入割合

$\dfrac{イ}{イ+ロ} = \dfrac{833,000,000}{2,033,000,000} = 0.409\cdots > 5\%$ ∴ 適用あり

③ 調整割合

$\dfrac{833,000,000 - 33,000,000}{2,033,000,000 - 33,000,000} = \dfrac{800,000,000}{2,000,000,000} = 0.4$

④ 課税仕入れ等の区分

イ 課税資産の譲渡等にのみ要するもの

$440,000,000 \times \dfrac{7.8}{110} = 31,200,000$

ロ その他の資産の譲渡等にのみ要するもの

$9,900,000 \times \dfrac{7.8}{110} = 702,000$

ハ 共通して要するもの

$121,000,000 \times \dfrac{7.8}{110} = 8,580,000$

ニ 合 計

$440,000,000+9,900,000+121,000,000=570,900,000$

$570,900,000 \times \dfrac{7.8}{110} = 40,482,000$

⑤ 個別対応方式

　イ 課税仕入れ等の税額

　　$31,200,000+8,580,000 \times 80\% = 38,064,000$

　ロ 調整税額

　　㈠ $33,000,000 \times \dfrac{7.8}{110} = 2,340,000$

　　㈡ $(38,064,000-2,340,000) \times 0.4 = 14,289,600$

　　㈢ ㈠＋㈡＝$16,629,600$

　ハ イ－ロ＝$21,434,400$

⑥ 一括比例配分方式

　イ 課税仕入れ等の税額

　　$40,482,000 \times 80\% = 32,385,600$

　ロ 調整税額

　　㈠ $33,000,000 \times \dfrac{7.8}{110} \times 80\% = 1,872,000$

　　㈡ $(32,385,600-1,872,000) \times 0.4 = 12,205,440$

　　㈢ ㈠＋㈡＝$14,077,440$

　ハ イ－ロ＝$18,308,160$

⑦ ⑤＞⑥ ∴ 個別対応方式 $21,434,400$

(4) 返還等対価に係る税額

$14,850,000 \times \dfrac{7.8}{110} = 1,053,000$

(5) 差引税額

$64,077,000-(21,434,400+1,053,000)=41,589,600$（百円未満切捨）

(6) 納付税額

$41,589,600-12,000,000=29,589,600$

問 題 84 中間申告（その1）

解 答

＜ケース1＞

(1) 一 月

① 判 定

$$\frac{49,200,000}{12} = 4,100,000 > 4,000,000 \qquad \therefore \quad 適用あり$$

② 中間納付税額

4,100,000×11回＝45,100,000
（百円未満切捨）

(2) 三 月

適用なし

(3) 六 月

適用なし

(4) **中間納付税額**

45,100,000

＜ケース2＞

(1) 一 月

$$\frac{4,230,000}{12} = 352,500 \leqq 4,000,000 \qquad \therefore \quad 適用なし$$

(2) 三 月

① 判 定

$$\frac{4,230,000}{12} \times 3 = 1,057,500 > 1,000,000 \qquad \therefore \quad 適用あり$$

② 中間納付税額

1,057,500×3回＝3,172,500
（百円未満切捨）

(3) 六 月

適用なし

(4) **中間納付税額**

3,172,500

＜ケース3＞

(1) 一　月

$$\frac{2,310,000}{12} = 192,500 \leqq 4,000,000 \qquad \therefore \quad 適用なし$$

(2) 三　月

$$\frac{2,310,000}{12} \times 3 = 577,500 \leqq 1,000,000 \qquad \therefore \quad 適用なし$$

(3) 六　月

① 判　定

$$\frac{2,310,000}{12} \times 6 = 1,155,000 > 240,000 \qquad \therefore \quad 適用あり$$

② 中間納付税額

1,155,000
（百円未満切捨）

(4) 中間納付税額

1,155,000

第6章

中間申告

問 題 85 　中間申告（その２）

解 答

(1) 一　月

$$\frac{510,000}{3} = 170,000 \leq 4,000,000 \qquad \therefore \quad 適用なし$$

(2) 三　月

$$\frac{510,000}{3} \times 3 = 510,000 \leq 1,000,000 \qquad \therefore \quad 適用なし$$

(3) 六　月

① 判　定

$$\frac{510,000}{3} \times 6 = 1,020,000 > 240,000 \qquad \therefore \quad 適用あり$$

② 中間納付税額

1,020,000
（百円未満切捨）

(4) 中間納付税額

1,020,000

解答への道

　　直前の課税期間（前期）が３カ月であるため、510,000円を除す月数は３となる。

解　答

(1) 一　月

① 4月～10月（修正前）

$$\frac{47,760,000}{12}=3,980,000\leqq4,000,000 \qquad \therefore \quad 適用なし$$

② 11月～2月（修正後）

イ　判　定

$$\frac{47,760,000+360,000}{12}=4,010,000>4,000,000 \qquad \therefore \quad 適用あり$$

ロ　中間納付税額

4,010,000×4回＝16,040,000
（百円未満切捨）

(2) 三　月

① 4月～6月、7月～9月（修正前）

イ　判　定

$$\frac{47,760,000}{12}\times3=11,940,000>1,000,000 \qquad \therefore \quad 適用あり$$

ロ　中間納付税額

11,940,000×2回＝23,880,000
（百円未満切捨）

② 10月～12月（修正後）

適用なし

(3) 六　月

適用なし

(4) 中間納付税額

(1)＋(2)＋(3)＝39,920,000

解答への道

(1) 一月中間申告 → 三月中間申告 → 六月中間申告の順に考えること。

(2) 修正前と修正後に分けて判定すること。

解　答

(1) 一　月

① 　4月〜6月（修正前）

$$\frac{3,900,000}{12}=325,000 \leqq 4,000,000 \qquad \therefore \quad 適用なし$$

② 　7月〜10月（修正後）

$$\frac{3,900,000+153,000}{12}=337,750 \leqq 4,000,000 \qquad \therefore \quad 適用なし$$

③ 　11月〜2月（更正後）

$$\frac{3,900,000+153,000-120,000}{12}=327,750 \leqq 4,000,000 \qquad \therefore \quad 適用なし$$

(2) 三　月

① 　4月〜6月（修正前）

$$\frac{3,900,000}{12} \times 3=975,000 \leqq 1,000,000 \qquad \therefore \quad 適用なし$$

② 　7月〜9月（修正後）

イ　判　定

$$\frac{3,900,000+153,000}{12} \times 3=1,013,250 > 1,000,000 \qquad \therefore \quad 適用あり$$

ロ　中間納付税額

1,013,200（百円未満切捨）

③ 　10月〜12月（更正後）

$$\frac{3,900,000+153,000-120,000}{12} \times 3=983,250 \leqq 1,000,000 \quad \therefore \quad 適用なし$$

(3) 六　月

適用なし

(4) **中間納付税額**

1,013,200

解　答

(1) 一　月

① 　4月〜6月（更正前）

$$\frac{4,200,000}{12} = 350,000 \leqq 4,000,000 \quad \therefore \quad 適用なし$$

② 　7月〜10月（更正後）

$$\frac{4,200,000 - 210,000}{12} = 332,500 \leqq 4,000,000 \quad \therefore \quad 適用なし$$

③ 　11月〜2月（修正後）

$$\frac{4,200,000 - 210,000 + 300,000}{12} = 357,500 \leqq 4,000,000 \quad \therefore \quad 適用なし$$

(2) 三　月

① 　4月〜6月（更正前）

イ　判　定

$$\frac{4,200,000}{12} \times 3 = 1,050,000 > 1,000,000 \quad \therefore \quad 適用あり$$

ロ　中間納付税額

1,050,000（百円未満切捨）

② 　7月〜9月（更正後）

$$\frac{4,200,000 - 210,000}{12} \times 3 = 997,500 \leqq 1,000,000 \quad \therefore \quad 適用なし$$

③ 　10月〜12月（修正後）

イ　判　定

$$\frac{4,200,000 - 210,000 + 300,000}{12} \times 3 = 1,072,500 > 1,000,000$$

$$\therefore \quad 適用あり$$

ロ　中間納付税額

1,072,500（百円未満切捨）

④ 　合　計

①＋②＋③＝2,122,500

(3) 六　月

適用なし

(4) 中間納付税額

2,122,500

問 題 89 中間申告（その6）

解 答

(1) 一 月

① 4月〜6月（修正前）

$$\frac{3,900,000}{12}=325,000\leq4,000,000 \qquad \therefore \quad 適用なし$$

② 7月〜2月（修正後）

$$\frac{3,900,000+300,000}{12}=350,000\leq4,000,000 \qquad \therefore \quad 適用なし$$

(2) 三 月

① 4月〜6月（修正前）

$$\frac{3,900,000}{12}\times3=975,000\leq1,000,000 \qquad \therefore \quad 適用なし$$

② 7月〜9月、10月〜12月（修正後）

イ 判 定

$$\frac{3,900,000+300,000}{12}\times3=1,050,000>1,000,000 \qquad \therefore \quad 適用あり$$

ロ 前期納税実績による中間納付税額

各々1,050,000（百円未満切捨）

ハ 仮決算による中間納付税額

(イ) 7月〜9月

2,105,000−（1,250,000＋90,000）＝765,000（百円未満切捨）

(ロ) 10月〜12月

2,310,000−（1,340,000＋100,000＋900,000）＝△30,000 ∴ 0

③ 判 定

イ 7月〜9月

765,000＜1,050,000 ∴ 仮決算有利 765,000

ロ 10月〜12月

0＜1,050,000 ∴ 仮決算有利 0

④ 中間納付税類

765,000＋0＝765,000

(3) 六 月

適用なし

(4) 中間納付税額

765,000

(4) 中間納付税額

$(1)+(2)+(3)＝3,726,000$

解答への道

	R 5 4／1	R 6 4／1	R 7 4／1 10／1	R 8 4／1	R 9 4／1
			× 合併		
A 社	A 1 3,600千円	A 2 4,008千円	A 3	A 4	
B 社	B 1 1,800千円	B 2 2,400千円	B 3 2,160千円		
	1／1	1／1	1／1 9／30		

※　吸収合併があった場合の前期納税実績によるＡ３課税期間の中間申告額

(1)　合併があった場合の中期納付税額の計算は、合併法人と被合併法人の税額を合計して計算するのであるが、この場合に使用する被合併法人の税額は、被合併法人特定課税期間（Ｂ３）の税額を使用することに注意が必要である。

　　　ただし、各中間申告対象期間に係る確定日までに確定したものがない場合及びＢ３が３月未満の場合（一月中間申告、三月中間申告）並びに６月未満の場合（六月中間申告）は、Ｂ２を使用して計算すること。

(2)　4/1〜9/30までの間は合併前であるため、合併法人の税額（Ａ２）のみ使用すること。

　　　10/1〜2/28までの間は合併後であるため、被合併法人の税額（Ｂ３又はＢ２）を加算すること。

問題 91　吸収合併（その２）

解答

(1) 一　月

$$\frac{4,800,000}{12} + \frac{2,160,000}{9} \times \frac{6}{12} ＝520,000 \leqq 4,000,000 \quad ∴ \quad 適用なし$$

(2) 三　月

イ　判　定

$$\frac{4,800,000}{12} \times 3 + \frac{2,160,000}{9} \times \frac{6}{12} \times 3$$
$$＝1,560,000 ＞ 1,000,000 \quad ∴ \quad 適用あり$$

ロ　中間納付税額

1,560,000×3回＝4,680,000
（百円未満切捨）

(3)　六　月

適用なし

(4)　**中間納付税額**

(1)＋(2)＋(3)＝4,680,000

解答への道

	R 4 4／1	R 5 4／1	R 6 4／1　10／1	R 7 4／1	R 8 4／1
			× 合併		
A　社	A 1	A 2 4,008千円	A 3 4,800千円	A 4	
B　社	B 1	B 2 2,400千円	B 3 2,160千円		
	1／1	1／1	1／1　　9／30		

※　吸収合併があった場合の前期納税実績によるA 4課税期間の中間申告額

(1)　一月中間申告

$$\frac{A\,3}{12}+\frac{B\,3}{9}\times\frac{6}{12}$$

(2)　三月中間申告

$$\frac{A\,3}{12}\times3+\frac{B\,3}{9}\times\frac{6}{12}\times3$$

(3)　六月中間申告

$$\frac{A\,3}{12}\times6+\frac{B\,3}{9}\times\frac{6}{12}\times6$$

解　答

1．前期納税実績による場合

(1) 一　月

$$\frac{420,000+480,000}{12}+\frac{388,800}{9}\times\frac{6}{12}$$
$$=96,600\leqq4,000,000\quad\therefore\quad 適用なし$$

(2) 三　月

$$\frac{420,000+480,000}{12}\times3+\frac{388,800}{9}\times\frac{6}{12}\times3$$
$$=289,800\leqq1,000,000\quad\therefore\quad 適用なし$$

(3) 六　月

イ　判　定

$$\frac{420,000+480,000}{12}\times6+\frac{388,800}{9}\times\frac{6}{12}\times6$$
$$=579,600>240,000\quad\therefore\quad 適用あり$$

ロ　中間納付税額

579,600（百円未満切捨）

(4) 中間納付税額

(1)＋(2)＋(3)＝579,600

2．仮決算による場合

(1) 課税標準額

$24,000,000\times\dfrac{100}{110}=21,818,181\ \rightarrow\ 21,818,000$（千円未満切捨）

(2) 課税標準額に対する消費税額

(1)$\times7.8\%=1,701,804$

(3) 控除対象仕入税額

$16,000,000\times\dfrac{7.8}{110}=1,134,545$

(4) 納付すべき中間申告納付税額

(2)－(3)＝567,259　→　567,200（百円未満切捨）

3．中間申告納付税額

579,600＞567,200　　∴　　567,200

解答への道

	R 4 4／1	R 5 4／1	R 6 4／1	10／1	R 7 4／1	R 8 4／1
				× 合併		
A 社	A 1	A 2 840,000円	A 3 900,000円		A 4	
B 社	B 1	B 2 432,000円	B 3 388,800円			
1／1	1／1	1／1	9／30			

問 題 93　新設合併

解 答

(1) 一　月（8月～2月）

$$\frac{696,000}{4} + \frac{805,000+245,000}{7} = 324,000 \leqq 4,000,000 \quad \therefore \quad 適用なし$$

(2) 三　月

$$\frac{696,000}{4} \times 3 + \frac{805,000+245,000}{7} \times 3 = 972,000 \leqq 1,000,000 \quad \therefore \quad 適用なし$$

(3) 六　月

イ　判　定

$$\frac{900,000+1,200,000}{12} \times 6 + \frac{805,000+245,000}{7} \times 6$$
$$= 1,950,000 > 240,000 \quad \therefore \quad 適用あり$$

ロ　中間納付税額

1,950,000（百円未満切捨）

(4) 中間納付税額

(1)＋(2)＋(3)＝1,950,000

※　直前の課税期間の確定消費税額（年税額）が　48万円超　400万円以下の場合（法42⑦）

その法人が提出すべき設立後最初の課税期間の中間申告書については、各被合併法人の確定消費税額をその計算の基礎となったその被合併法人の課税期間の月数で除し、これに 6 を乗じて計算した金額の合計額とする。

中間申告消費税額

$$= \frac{\text{A被合併法人の確定消費税額}}{\text{A被合併法人の課税期間の月数}} \times 6 + \frac{\text{B被合併法人の確定消費税額}}{\text{B被合併法人の課税期間の月数}} \times 6$$

※　新設合併があった場合

(1) 一　月

$$\frac{\text{A 3}}{4} + \frac{\text{B 3}}{7}$$

(2) 三　月

$$\frac{\text{A 3}}{4} \times 3 + \frac{\text{B 3}}{7} \times 3$$

(3) 六　月

$$\frac{\text{A 2}^*}{12} \times 6 + \frac{\text{B 3}}{7} \times 6$$

＊　A 3 ＜ 6 月　　∴　A 2 を使用

第8章　インボイス制度

問 題 94　売上税額の計算

解 答

1. 割戻し計算

(1) 課税標準額

① 7.8%

$11,000,000 \times \dfrac{100}{110} = 10,000,000$（千円未満切捨）

② 6.24%

$8,640,000 \times \dfrac{100}{108} = 8,000,000$（千円未満切捨）

③ 合 計

①＋②＝18,000,000

(2) 課税標準額に対する消費税額

① 7.8%

$10,000,000 \times 7.8\% = 780,000$

② 6.24%

$8,000,000 \times 6.24\% = 499,200$

③ 合 計

①＋②＝1,279,200

2. 積上げ計算

(1) 課税標準額

① 7.8%

$11,000,000 - 1,000,000 = 10,000,000$（千円未満切捨）

② 6.24%

$8,640,000 - 640,000 = 8,000,000$（千円未満切捨）

③ 合 計

①＋②＝18,000,000

(2) 課税標準額に対する消費税額

$$\overset{\text{7.8\%}}{1,000,000} + \overset{\text{6.24\%}}{640,000} = 1,640,000$$

$1,640,000 \times 78\% = 1,279,200$

積上げ計算による課税標準額に対する消費税額

適格請求書等に記載した消費税額等の合計額×78％＝XXX，XXX円

問 題 95 仕入税額の計算（その１）

解 答

1．割戻し計算

(1) 課税仕入れ等の区分

① 課税資産の譲渡等にのみ要するもの

イ 7.8％

$$2,970,000 \times \frac{7.8}{110} = 210,600$$

ロ 6.24％

$$2,160,000 \times \frac{6.24}{108} = 124,800$$

ハ イ＋ロ＝335,400

② その他の資産の譲渡等にのみ要するもの

$$770,000 \times \frac{7.8}{110} = 54,600$$

③ 共通して要するもの

イ 7.8％

$$4,180,000 \times \frac{7.8}{110} = 296,400$$

ロ 6.24％

$$3,240,000 \times \frac{6.24}{108} = 187,200$$

ハ イ＋ロ＝483,600

④ 合 計

イ 7.8％

$$2,970,000 + 770,000 + 4,180,000 = 7,920,000$$

$$7,920,000 \times \frac{7.8}{110} = 561,600$$

ロ 6.24％

$$2,160,000 + 3,240,000 = 5,400,000$$

$$5,400,000 \times \frac{6.24}{108} = 312,000$$

ハ イ＋ロ＝873,600

(2) 個別対応方式

335,400＋483,600×80％＝722,280

(3)　一括比例配分方式

　　　873,600×80%＝698,880

(4)　判　定

　　　(2)＞(3)　　∴　722,280

2．積上げ計算

(1)　課税仕入れ等の区分

　① 　課税資産の譲渡等にのみ要するもの

　　　イ　7.8%

　　　　　270,000

　　　ロ　6.24%

　　　　　160,000

　　　ハ　イ＋ロ＝430,000

　　　　　430,000×78%＝335,400

　② 　その他の資産の譲渡等にのみ要するもの

　　　　70,000×78%＝54,600

　③ 　共通して要するもの

　　　イ　7.8%

　　　　　380,000

　　　ロ　6.24%

　　　　　240,000

　　　ハ　イ＋ロ＝620,000

　　　　　620,000×78%＝483,600

　④ 　合　計

　　　　430,000＋70,000＋620,000＝1,120,000

　　　　1,120,000×78%＝873,600

(2)　個別対応方式

　　　335,400＋483,600×80%＝722,280

(3)　一括比例配分方式

　　　873,600×80%＝698,880

(4)　判　定

　　　(2)＞(3)　　∴　722,280

解 答

1. 割戻し計算

(1) 課税仕入れ

① 7.8%

　　　　日当　　　その他
11,000 ＋ 26,400,000 ＝ 26,411,000

$$26,411,000 \times \frac{7.8}{110} = 1,872,780$$

② 6.24%

$$19,440,000 \times \frac{6.24}{108} = 1,123,200$$

③ ①＋② ＝ 2,995,980

(2) 80%控除対象

免税事業者
$$165,000 \times \frac{7.8}{110} \times 80\% = 9,360$$

(3) (1)＋(2) ＝ 3,005,340

2. 積上げ計算

(1) 課税仕入れ

① 7.8%

イ　適格請求書　2,400,000

ロ　帳簿のみ

日当
$$11,000 \times \frac{10}{110} = 1,000$$

ハ　イ＋ロ ＝ 2,401,000

② 6.24%

適格請求書　1,440,000

③ ①＋② ＝ 3,841,000

$$3,841,000 \times 78\% = 2,995,980$$

(2) 80%控除対象

免税事業者
$$165,000 \times \frac{7.8}{110} \times 80\% = 9,360$$

(3) (1)＋(2) ＝ 3,005,340

問題 97　仕入税額の計算（その3）

解　答

1．割戻し計算

(1) 課税仕入れ

$275,000 + 6,600,000 = 6,875,000$

$6,875,000 \times \dfrac{7.8}{110} = 487,500$

(2) 80％控除対象

$1,320,000 \times \dfrac{7.8}{110} \times 80\% = 74,880$

(3) (1)＋(2)＝562,380

2．積上げ計算

(1) 課税仕入れ

① 適格請求書　600,000

② 少額特例

$275,000 \times \dfrac{10}{110} = 25,000$

③ ①＋②＝625,000

$625,000 \times 78\% = 487,500$

(2) 80％控除対象

$1,320,000 \times \dfrac{7.8}{110} \times 80\% = 74,880$

(3) (1)＋(2)＝562,380

解答への道

少額特例

　少額（税込1万円未満）の課税仕入れについて、適格請求書等の保存がなくとも一定の事項を記載した帳簿の保存のみで仕入税額控除ができることとされている。これは取引先が適格請求書発行事業者であるかどうかは関係なく、免税事業者であっても同様である。

問 題 98	2割特例

解 答

(1) 課税標準額

$9,000,000 \times \dfrac{100}{110} = 8,181,818 \rightarrow 8,181,000$ （千円未満切捨）

(2) 課税標準額に対する消費税額

$8,181,000 \times 7.8\% = 638,118$

(3) 控除過大調整税額

$20,000 \times \dfrac{7.8}{110} = 1,418$

(4) 返還等対価に係る税額

$60,000 \times \dfrac{7.8}{110} = 4,254$

(5) 控除対象仕入税額（特別控除税額）

① 基礎となる消費税額

$638,118 + 1,418 - 4,254 = 635,282$

② 控除対象仕入税額

$635,282 \times 80\% = 508,225$

(6) 差引税額

$638,118 + 1,418 - (508,225 + 4,254) = 127,057 \rightarrow 127,000$ （百円未満切捨）

(7) 納付税額

$127,000$

税理士受験シリーズ

2025年度版　25　消費税法　個別計算問題集

（平成２年度版　1989年11月10日　初版 第１刷発行）

2024年10月22日　初　版　第１刷発行

編　著　者	ＴＡＣ株式会社	
	（税理士講座）	
発　行　者	多　田　敏　男	
発　行　所	ＴＡＣ株式会社　出版事業部	
	（ＴＡＣ出版）	

〒101-8383
東京都千代田区神田三崎町3-2-18
電　話　03（5276）9492（営業）
FAX　03（5276）9674
https://shuppan.tac-school.co.jp

印　　　刷	株式会社　ワ　　コ　　ー	
製　　　本	株式会社　常　川　製　本	

© TAC 2024　　Printed in Japan

ISBN 978-4-300-11325-7
N.D.C. 336

税理士講座のご案内

「税理士」の扉を開くカギ

それは、合格できる教育機関を決めること!

あなたが教育機関を決める最大の決め手は何ですか?
通いやすさ、受講料、評判、規模、いろいろと検討事項はありますが、一番の決め手となること、それは「合格できるか」です。
TACは、税理士講座開講以来今日までの40年以上、「受講生を合格に導く」ことを常に考え続けてきました。そして、「最小の努力で最大の効果を発揮する、良質なコンテンツの提供」をもって多数の合格者を輩出し、今も厚い信頼と支持をいただいております。

東京会場　ホテルニューオータニ

合格者から「喜びの声」を多数お寄せいただいています。

2025年合格目標コース

反復学習でインプット強化！ & 豊富な演習量で実践力強化！

対象者：初学者／次の科目の学習に進む方

2024年				2025年							
9月	10月	11月	12月	1月	2月	3月	4月	5月	6月	7月	8月

9月入学 基礎マスター＋上級コース（簿記・財表・相続・消費・酒税・固定・事業・国徴）
3回転学習！年内はインプットを強化、年明けは演習機会を増やして実践力を鍛える！
※簿記・財表は5月・7月・8月・10月入学コースもご用意しています。

9月入学 ベーシックコース（法人・所得）
2回転学習！週2ペース、8ヵ月かけてインプットを鍛える！

9月入学 年内完結＋上級コース（法人・所得）
3回転学習！年内はインプットを強化、年明けは演習機会を増やして実践力を鍛える！

12月・1月入学 速修コース（全11科目）
7ヵ月～8ヵ月間で合格レベルまで仕上げる！

3月入学 速修コース（消費・酒税・固定・国徴）
短期集中で税法合格を目指す！

税理士試験

対象者：受験経験者（受験した科目を再度学習する場合）

2024年				2025年							
9月	10月	11月	12月	1月	2月	3月	4月	5月	6月	7月	8月

9月入学 年内上級講義＋上級コース（簿記・財表）
年内に基礎・応用項目の再確認を行い、実力を引き上げる！

9月入学 年内上級演習＋上級コース（法人・所得・相続・消費）
年内から問題演習に取り組み、本試験時の実力維持・向上を図る！

12月入学 上級コース（全10科目）
※住民税の開講はございません
講義と演習を交互に実施し、答案作成力を養成！

税理士試験

※2024年7月12日時点の情報です。最新の情報は、TAC税理士講座ホームページをご確認ください。

"入学前サポート"を活用しよう!

無料セミナー&個別受講相談

無料セミナーでは、税理士の魅力、試験制度、科目選択の方法や合格のポイントをお伝えしていきます。セミナー終了後は、個別受講相談でみなさんの疑問や不安を解消します。

TAC 税理士 セミナー 検索

https://www.tac-school.co.jp/kouza_zeiri/zeiri_gd_gd.htm

無料Webセミナー

TAC動画チャンネルでは、校舎で開催しているセミナーのほか、Web限定のセミナーも多数配信しています。受講前にご活用ください。

TAC 税理士 動画 検索

https://www.tac-school.co.jp/kouza_zeiri/tacchannel.html

体験入学

教室講座開講日(初回講義)は、お申込み前でも無料で講義を体験できます。講師の熱意や校舎の雰囲気を是非体感してください。

TAC 税理士 体験 検索

https://www.tac-school.co.jp/kouza_zeiri/zeiri_gd_gd.htm

税理士11科目Web体験

「税理士11科目Web体験」では、TAC税理士講座で開講する各科目・コースの初回講義をWeb視聴いただけるサービスです。講義の分かりやすさを確認いただき、学習のイメージを膨らませてください。

TAC 税理士 検索

https://www.tac-school.co.jp/kouza_zeiri/taiken_form.html

税理士講座のご案内

チャレンジコース

受験経験者・独学生待望のコース！

4月上旬開講！

開講科目	簿記・財表・法人 所得・相続・消費

基礎知識の底上げ 徹底した本試験対策

チャレンジ講義 ＋ チャレンジ演習 ＋ 直前対策講座 ＋ 全国公開模試

受験経験者・独学生向けカリキュラムが 一つのコースに！

※チャレンジコースには直前対策講座（全国公開模試含む）が含まれています。

直前対策講座

5月上旬開講！

本試験突破の最終仕上げ！

直前期に必要な対策が すべて揃っています！

学習 メディア	教室講座・ビデオブース講座 Web通信講座・DVD通信講座・資料通信講座

＼ 全11科目対応 ／

開講科目	簿記・財表・法人・所得・相続・消費 酒税・固定・事業・住民・国徴

- 徹底分析！「試験委員対策」
- 即時対応！「税制改正」
- 毎年的中！「予想答練」

※直前対策講座には全国公開模試が含まれています。

チャレンジコース・直前対策講座ともに詳しくは2月下旬発刊予定の
「チャレンジコース・直前対策講座パンフレット」をご覧ください。

全国公開模試

6月中旬実施!

全11科目実施

TACの模試はここがスゴイ!

❶ 信頼の母集団

2023年の受験者数は、会場受験・自宅受験
合わせて10,316名!この大きな母集団を分母
とした正確な成績（順位）を把握できます。

信頼できる実力判定

10,316名が受験!
※11科目延べ人数

❷ 本試験を擬似体験

全国の会場で緊迫した雰囲気の中「真の実力」が
発揮できるかチャレンジ!

❸ 個人成績表

現時点での全国順位を確認するとともに「講評」等
を通じて本試験までの学習の方向性が定まります。

❹ 充実のアフターフォロー

解説Web講義を無料配信。また、質問電話による
疑問点の解消も可能です。
※TACの受講生はカリキュラム内に全国公開模試の受験料が
　含まれています（一部期別申込を除く）。

直前オプション講座

最後まで油断しない!
ここからのプラス5点!

**6月中旬〜
8月上旬実施!**

【重要理論確認ゼミ】
〜理論問題の解答作成力UP!〜

【ファイナルチェック】
〜確実な5点UPを目指す!〜

【最終アシストゼミ】
〜本試験直前の総仕上げ!〜

全国公開模試および直前オプション講座の詳細は4月中旬発刊予定の
「全国公開模試パンフレット」「直前オプション講座パンフレット」をご覧ください。

会計業界への就職・転職支援サービス

TPB

TACの100%出資子会社であるTACプロフェッションバンク（TPB）は、会計・税務分野に特化した転職エージェントです。勉強された知識とご希望に合ったお仕事を一緒に探しませんか？ 相談だけでも大歓迎です！ どうぞお気軽にご利用ください。

人材コンサルタントが無料でサポート

Step1 相談受付 完全予約制です。HPからご登録いただくか、各オフィスまでお電話ください。

Step2 面談 ご経験やご希望をお聞かせください。あなたの将来について一緒に考えましょう。

Step3 情報提供 ご希望に適うお仕事があれば、その場でご紹介します。強制はいたしませんのでご安心ください。

正社員で働く
- 安定した収入を得たい
- キャリアプランについて相談したい
- 面接日程や入社時期などの調整をしてほしい
- 今就職すべきか、勉強を優先すべきか迷っている
- 職場の雰囲気など、求人票でわからない情報がほしい

キャリアUP　資格有

TACキャリアエージェント

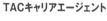

https://tacnavi.com/

派遣で働く（関東のみ）
- 勉強を優先して働きたい
- 将来のために実務経験を積んでおきたい
- まずは色々な職場や職種を経験したい
- 家庭との両立を第一に考えたい
- 就業環境を確認してから正社員で働きたい

子育中　勉強中

TACの経理・会計派遣

https://tacnavi.com/haken/

※ご経験やご希望内容によってはご支援が難しい場合がございます。予めご了承ください。　※面談時間は原則お一人様30分とさせていただきます。

自分のペースでじっくりチョイス

正社員・アルバイトで働く
- 自分の好きなタイミングで就職活動をしたい
- どんな求人案件があるのか見たい
- 企業からのスカウトを待ちたい
- WEB上で応募管理をしたい

Webで

TACキャリアナビ

https://tacnavi.com/kyujin/

就職・転職・派遣就労の強制は一切いたしません。会計業界への就職・転職を希望される方への無料支援サービスです。どうぞお気軽にお問い合わせください。

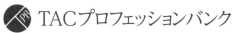

TACプロフェッションバンク

■有料職業紹介事業 許可番号13-ユ-010678　■一般労働者派遣事業 許可番号（派）13-010932
■特定募集情報等提供事業 届出受理番号51-募-000541

東京オフィス
〒101-0051
東京都千代田区神田神保町 1-103
東京パークタワー 2F
TEL.03-3518-6775

大阪オフィス
〒530-0013
大阪府大阪市北区茶屋町 6-20
吉田茶屋町ビル 5F
TEL.06-6371-5851

名古屋 登録会場
〒453-0014
愛知県名古屋市中村区則武 1-1-7
NEWNO 名古屋駅西 8F
TEL.0120-757-655

プライバシー
10860572

TAC出版 書籍のご案内

TAC出版では、資格の学校TAC各講座の定評ある執筆陣による資格試験の参考書をはじめ、資格取得者の開業法や仕事術、実務書、ビジネス書、一般書などを発行しています！

TAC出版の書籍

*一部書籍は、早稲田経営出版のブランドにて刊行しております。

資格・検定試験の受験対策書籍

- ✪日商簿記検定
- ✪建設業経理士
- ✪全経簿記上級
- ✪税理士
- ✪公認会計士
- ✪社会保険労務士
- ✪中小企業診断士
- ✪証券アナリスト

- ✪ファイナンシャルプランナー(FP)
- ✪証券外務員
- ✪貸金業務取扱主任者
- ✪不動産鑑定士
- ✪宅地建物取引士
- ✪賃貸不動産経営管理士
- ✪マンション管理士
- ✪管理業務主任者

- ✪司法書士
- ✪行政書士
- ✪司法試験
- ✪弁理士
- ✪公務員試験(大卒程度・高卒者)
- ✪情報処理試験
- ✪介護福祉士
- ✪ケアマネジャー
- ✪電験三種　ほか

実務書・ビジネス書

- ✪会計実務、税法、税務、経理
- ✪総務、労務、人事
- ✪ビジネススキル、マナー、就職、自己啓発
- ✪資格取得者の開業法、仕事術、営業術

一般書・エンタメ書

- ✪ファッション
- ✪エッセイ、レシピ
- ✪スポーツ
- ✪旅行ガイド (おとな旅プレミアム/旅コン)

TAC出版では、独学用、およびスクール学習の副教材として、各種対策書籍を取り揃えています。学習の各段階に対応していますので、あなたのステップに応じて、合格に向けてご活用ください!

(刊行内容、発行月、装丁等は変更することがあります)

●2025年度版 税理士受験シリーズ

税理士試験において長い実績を誇るTAC。このTACが長年培ってきた合格ノウハウを"TAC方式"としてまとめたのがこの「税理士受験シリーズ」です。近年の豊富なデータをもとに傾向を分析、科目ごとに最適な内容としているので、トレーニング演習に欠かせないアイテムです。

簿記論

01	簿 記 論	個別計算問題集	（8月）
02	簿 記 論	総合計算問題集 基礎編	（9月）
03	簿 記 論	総合計算問題集 応用編	（11月）
04	簿 記 論	過去問題集	（12月）
	簿 記 論	完全無欠の総まとめ	（11月）

財務諸表論

05	財務諸表論	個別計算問題集	（8月）
06	財務諸表論	総合計算問題集 基礎編	（9月）
07	財務諸表論	総合計算問題集 応用編	（12月）
08	財務諸表論	理論問題集 基礎編	（9月）
09	財務諸表論	理論問題集 応用編	（12月）
10	財務諸表論	過去問題集	（12月）
33	財務諸表論	重要会計基準	（8月）
※	財務諸表論	重要会計基準 暗記音声	（8月）
	財務諸表論	完全無欠の総まとめ	（11月）

法人税法

11	法 人 税 法	個別計算問題集	（11月）
12	法 人 税 法	総合計算問題集 基礎編	（10月）
13	法 人 税 法	総合計算問題集 応用編	（12月）
14	法 人 税 法	過去問題集	（12月）
34	法 人 税 法	理論マスター	（8月）
※	法 人 税 法	理論マスター 暗記音声	（9月）
35	法 人 税 法	理論ドクター	（12月）
	法 人 税 法	完全無欠の総まとめ	（12月）

所得税法

15	所 得 税 法	個別計算問題集	（9月）
16	所 得 税 法	総合計算問題集 基礎編	（10月）
17	所 得 税 法	総合計算問題集 応用編	（12月）
18	所 得 税 法	過去問題集	（12月）
36	所 得 税 法	理論マスター	（8月）
※	所 得 税 法	理論マスター 暗記音声	（9月）
37	所 得 税 法	理論ドクター	（12月）

相続税法

19	相 続 税 法	個別計算問題集	（9月）
20	相 続 税 法	財産評価問題集	（9月）
21	相 続 税 法	総合計算問題集 基礎編	（9月）
22	相 続 税 法	総合計算問題集 応用編	（12月）
23	相 続 税 法	過去問題集	（12月）
38	相 続 税 法	理論マスター	（8月）
※	相 続 税 法	理論マスター 暗記音声	（9月）
39	相 続 税 法	理論ドクター	（12月）

酒税法

24	酒 税 法	計算問題+過去問題集	（2月）
40	酒 税 法	理論マスター	（8月）

消費税法

固定資産税

事業税

住民税

国税徴収法

※暗記音声はダウンロード商品です。TAC出版書籍販売サイト「サイバーブックストア」にてご購入いただけます。

●2025年度版 みんなが欲しかった！税理士 教科書＆問題集シリーズ

「 効率的に税理士試験対策の学習ができないか？ これを突き詰めてできあがったのが、「みんなが欲しかった！税理士 教科書＆問題集シリーズ」です。必要十分な内容をわかりやすくまとめたテキスト（教科書）と内容確認のためのトレーニング（問題集）が１冊になっているので、効率的な学習に最適です。 」

●解き方学習用問題集

現役講師の解答手順、思考過程、実際の書込みなど、㊙テクニックを完全公開した書籍です。

●その他関連書籍

好評発売中！

**TACの書籍は
こちらの方法でご購入
いただけます**

1 全国の書店・大学生協　**2 TAC各校 書籍コーナー**

3 CYBER TAC出版書籍販売サイト **OOK STORE** アドレス https://bookstore.tac-school.co.jp/

・2024年7月現在　・年度版各巻の価格は、決定しだい上記**3**のサイバーブックストアに掲載されますのでご参照ください

書籍の正誤に関するご確認とお問合せについて

書籍の記載内容に誤りではないかと思われる箇所がございましたら、以下の手順にてご確認とお問合せをしてくださいますよう、お願い申し上げます。

なお、正誤のお問合せ以外の**書籍内容に関する解説および受験指導などは、一切行っておりません。**そのようなお問合せにつきましては、お答えいたしかねますので、あらかじめご了承ください。

1 「Cyber Book Store」にて正誤表を確認する

TAC出版書籍販売サイト「Cyber Book Store」の
トップページ内「正誤表」コーナーにて、正誤表をご確認ください。

CYBER TAC出版書籍販売サイト
BOOK STORE

URL：https://bookstore.tac-school.co.jp/

2 1の正誤表がない、あるいは正誤表に該当箇所の記載がない ⇒ 下記①、②のどちらかの方法で文書にて問合せをする

★ご注意ください★

お電話でのお問合せは、お受けいたしません。
①、②のどちらの方法でも、お問合せの際には、「お名前」とともに、
「対象の書籍名（○級・第○回対策も含む）およびその版数（第○版・○○年度版など）」
「お問合せ該当箇所の頁数と行数」
「誤りと思われる記載」
「正しいとお考えになる記載とその根拠」
を明記してください。
なお、回答までに１週間前後を要する場合もございます。あらかじめご了承ください。

① ウェブページ「Cyber Book Store」内の「お問合せフォーム」より問合せをする

【お問合せフォームアドレス】

https://bookstore.tac-school.co.jp/inquiry/

② メールにより問合せをする

【メール宛先　TAC出版】

syuppan-h@tac-school.co.jp

※**土日祝日はお問合せ対応をおこなっておりません。**
※**正誤のお問合せ対応は、該当書籍の改訂版刊行月末日までといたします。**

乱丁・落丁による交換は、該当書籍の改訂版刊行月末日までといたします。なお、書籍の在庫状況等により、お受けできない場合もございます。
また、各種本試験の実施の延期、中止を理由とした本書の返品はお受けいたしません。返金もいたしかねますので、あらかじめご了承くださいますようお願い申し上げます。